Mundo, demonio y mujer

Rima de Vallbona

Arte Publico Press
Houston
Texas
1991

This volume is made possible through a grant from the National Endowment for the Arts, a federal agency.

Arte Publico Press
University of Houston
Houston, Texas 77204-2090

Cover design by Mark Piñón
Original painting by Jerry West:
"Voyage," Copyright © 1988

Vallbona, Rima de, 1931–
    Mundo, demonio y mujer / Rima de Vallbona
        p.   cm.
    ISBN 1-55885-040-6
    I. Title.
PQ7489.2.V3M86 1991
863–dc20   91-13880
                                               CIP

The paper used in this publication meets the minimum requirements of the American National Standard for Permanence of Paper for Printed Library Materials Z39.48-1984. ∞

A todas aquellas mujeres que de niña me dieron su afecto y devoción; y a quienes después, con gran entrega y fidelidad sirvieron en mi hogar y cuidaron con amor a mis hijos para que yo pudiera realizar mi obra. En especial a Alicia, Elvira, Rosa, Graciela, Tina, Fredy Lee, Mary, Josefina y Olga. Para ellas, mi eterno agradecimiento.

Mundo, demonio y mujer

I
De cómo hacer trizas el futuro

Todas a una levantamos hoy nuestra justa protesta contra los jefes lujuriosos, machos chovinistas que persiguen a las empleadas por los escritorios y los rincones de las oficinas. Y como si esto fuera poco, las desacreditan y hacen injusta mofa de su pretendida falta de seso. Olvidan resaltar el hecho de que ellas son las que les resuelven los menudos problemas diarios y además, tienen un empleo y son autosuficientes, lo cual no es atributo de la mayoría de las mujeres. Lo peor de todo es la discriminación contra las mujeres feas, prejuicio que no tiene cabida en el mundo masculino, salvo en el cine y en la política, quizás por aquello de que "el hombre como el oso, cuanto más feo, más hermoso". Por lo mismo es deber de esta columna periodística emprender una campaña contra aquellos que utilizan la atracción física como medida de empleo.

El Monitor Feminista, enero de 1972

Una novela, si es introspectiva, es mágica.

* * *

La literatura vuelca intimidades en unas páginas con la esperanza de que las lea un lector ideal y siempre resulta que quien las lee es el gemelo ideal, o sea un lector de carne y hueso que nunca sabe de qué se le está hablando. Como usted. Sí, usted, que me está leyendo ahora mismo. ¿O me equivoco al revés y usted es, por fin ¡por fin!, el lector ideal?

Enrique Anderson Imbert

Has de saber que toda escritura es una búsqueda. Desde el cuento infantil de príncipes, caballeros, héroes que se enfrentan con monstruos y dragones, hasta *La divina comedia*, todo es búsqueda. La vida también es búsqueda. búsqueda velada; franca búsqueda. Busca Jasón; busca Orfeo; busca Ulises; Dante busca paseándose por todos los círculos del horror; buscan Santa Teresa de Ávila y San Juan de la Cruz en los delirios místicos; ¿y qué otra cosa hacía Penélope tejiendo y destejiendo, sino buscar en la urdimbre de su paño la escritura sagrada donde habían fijado los dioses su destino? Todos buscamos en los vericuetos de la geografía física, pero donde es más intensa la búsqueda es en el paisaje interior del alma. Muy pocos encuentran lo que buscan. Algunos, al alcanzar su meta, anhelan más, más y más con avidez insaciable; la mayoría se diluye en la muerte sin haber encontrado nunca nada.

No soy una excepción, pues el estigma de buscar es atributo inevitable del ser humano. Por lo mismo estas páginas que tenés en las manos, escritas para vos, son otra búsqueda más ... la última, la definitiva. Te las dirijo para que aprendiendo de mí, soslayés el largo dolor, o suavicés tu caída.

En el proceso de mi búsqueda, te contaré una historia que todavía ignoro si es la mía, porque toda historia, todo vivir y morir, todo sufrimiento, se confunden irremisiblemente, unos con los otros, sin distinción alguna.

Por lo mismo también hilvanaré, entre recuerdos y reflexiones, mis sueños, buenos o malos. Dicen que las más profundas verdades subyacen en los dominios de los sueños. Por algo muchas noches sueño con la misma ciudad amurallada, de callejuelas retorcidas y con el mismo barullo de un Bagdad de las *Mil y una noches*; en esa Bagdad ilusoria, alguien siempre me persigue para matarme. El sueño nunca me ha mostrado la identidad del criminal, pero siento su presencia amenazante cernirse sobre mí en son de ataque. A veces me pierdo por el laberinto de calles de mi Bagdad onírica. Busco, busco, busco, pero por mucho que busque, no hallo la salida y cuando pregunto, los pobladores no responden; ni siquiera me miran, como si yo no fuera nadie o no hubiese proferido una sola pregunta. Ahí mismo, dentro de mi sueño, esos seres que son producto mío, nacidos de mí y por mí, me aniquilan. Otras noches sueño sólo con una casa disparatada llena de escaleras interrumpidas y zaguanes sin salida, los cuales intento recorrer, pero acabo por internarme en las brumas de la angustia, el vacío, la soledad, el abandono ...

Al contarte mis sueños, pretendo rellenar los espacios en blanco que han ido quedando en mi historia. ¿Quién puede negarme que tales sueños, recuerdos, imaginaciones que emergen de lo profundo del subconsciente, no sean más bien la esencia misma del vivir? Así, lo otro, lo que llamamos realidad, podría ser, ¡quién sabe!, sólo fantasmagorías.

Ahora que estoy llegando al final - se - acabó - ya - no - hay - nada - más - que - hacer, quiero contártelo. Con palabras te conduciré por los ámbitos de mis recuerdos para mostrarte mis infiernos, purgatorios y paraísos. No será un relato completo, porque se haría infinito. Aunque yo tendré indudable fin, mi relato tendría que ser infinito: imposible abarcar todos los recovecos y complicaciones que tiene el entramado de una vida completa con sus experiencias, sueños, deseos, represiones, lágrimas, risas de cada minuto, de todos los segundos. ¡Tanto, tanto!, y sólo se reduce a cuatro letras: V-I-D-A. Mi vida. ¿Vale la pena contarla? Sé que no soy un figurón de la historia, ni una estrella de cine y por lo mismo es mucho presumir que alguien se interese en estas páginas. Vos, quizás. Entendéme: mi anhelo es que al morirme mi historia no se olvide, no se diluya como el humo de una intensa hoguera. Hoguera, incendio, fuego voraz ha sido cada átomo de mi tiempo. Me aferro a la intensidad porque al no saber si hay algo más que esto tan inefable y efímero, hice de la intensidad la única forma de palparme y sentirme, saber de veras que soy yo y no un sueño, una entelequia, una fantasmagoría.

No sé si me comprendés porque soy mujer y se espera que las mujeres no cuestionemos la realidad, ni el ser. Debemos ceñirnos a los círculos repetidos y monótonos de las modas, el salón de belleza, la fiesta de la noche, el té de la tarde, el maquillaje, los hijos, el marido, la comida, la costura, el bordado, la casa. "Así tiene que ser", me lo repetía mi madre y las madres, en especial las de nuestros tiempos, eran la voz de la autoridad, de la prohibición, del no; por ende, las grandes promotoras de nuestra inercia. Sin embargo, yo nunca he podido replegarme a nada de eso, lo sabés bien, soy así y no habrá quien me cambie. Si se puede decir, soy el tiro que le salió a mi madre por la culata ya que desoí sus consejos y me largué por el camino difícil del estudio, los libros, la profesión:

—Si eso es lo que querés, Renata, a ver cómo te las arreglás, porque de mí no sacarás ni sal para un huevo. Por ese camino nunca te casarás. Se sabe que el estudio malogra a las mujeres, las hace machorras, inservibles para el amor y la maternidad.

Con la persistencia que me caracteriza, abandoné la escuela de comercio donde —vos sabés, Renata, que recibirás una carrera para defenderte como secretaria— me daba la lata de su cantilena. Mecanografía y taquigrafía, se sabe, quien las aprende, ya tiene asegurado su porvenir. Podés agradecerme que pago tus estudios de comercio para tu futuro.

Pero yo hice trizas el futuro. Yo, la oveja negra, trasgredí su autoridad, sus principios, no hice caso a sus enseñanzas y por lo mismo comenzó mi infierno de sos - una - descastada - y - ¿quién - va - a - poner - los - ojos - en - vos - si - tenés - siempre - las - narices - metidas - en - los - libros - y - los - cuadernos?

—La verdad es que no me explico qué idea peregrina puede tener una mocosa de doce años sobre una carrera. Pero puesto que te empeñás en que vas a estudiar para hacer carrera, decíme, ¿qué pensás llegar a ser?

—Pues ... Pues ... Escritora ... Novelista. Sí, novelista—. Una larga carcajada de mi madre me sacudió toda por dentro. Tuve entonces vergüenza de mí, de mis deseos, de los planes que había venido elaborando minuciosamente un par de años atrás, desde que llegaron a casa mis amigas, ansiosas por leer el capítulo siguiente de las descabelladas noveluchas que me pasaba borroneando con títulos cursilones de *Luz en las sombras, La Venus del Marne, El caballero de los ojos tristes*. Algo en mis planes del futuro no calzaba bien en la lógica cruenta de la realidad para que mi madre se riera con gorgoritos de a - mí - no - me - vengás - con - pamplinas - porque - no - tenés - ni - pinta - para - escritora. Sin embargo, mientras ella se desgañitaba contra mi presunta futura carrera, yo iba garrapateando en el magín el próximo pasaje de *La Venus del Marne* tan esperado por mis lectoras, cuando ella, María Angeles, la casta Venus de cabellos de oro, moría de amor en brazos del hombre de sus sueños.

—Dejá de hablar babosadas de ésas, —me espetó poniéndose muy seria—. Plantá los pies en la realidad y pensá al menos en una carrera que te dé de comer y vestir porque no siempre vas a tener una familia que te tienda la mano. Despabiláte, mocosa. Lo que tenés que aprender es a cocinar y los oficios domésticos para tener contento al marido cuando te cases, si es que te pescás alguno de esos desprevenidos que tarde o temprano muerden el anzuelo hasta con una fea y singracia como vos.

Una vez casada, leer y escribir, escribir y leer, muy a escondidas de todos, cuando dormían, porque ¿quién puede perdonar que una mujer robe al marido y a los hijos unos momentos para entrar de intrusa en el mundo que pertenece sólo a los hombres? ¿Quién dirá que sí, que una mujer hace bien en romper los moldes impuestos por la sociedad y lo que es saber vivir bien?

—Y metételo de una vez por todas en la mollera: la mujer, al lado del marido, en la alegría y el dolor, entregándole a manos

llenas todos los minutos y segundos de su vida para que él triun-
fe—, seguía mi madre porfiando para que mi sublevación contra
el orden establecido no tuviera efecto. Ni ella ni nadie, ha podido
conmigo. Por lo mismo me pregunto cómo ocurrió que yo me
he aguantado más de un cuarto de siglo embutida en la camisa
de fuerza del matrimonio. Sólo el amor a mis hijos pudo obrar el
milagro. Lo adivinabas y por eso me has aconsejado hacer mi vida
sin miramientos a los demás.

Hasta las amigas se metieron conmigo:

—¿Para qué estudiaste y te sacrificaste tanto si lo que ganás con
tus clases da apenas para pagar el sueldo de Felisa los días que va a
hacer la limpieza de tu casa? —¡Y yo, que estaba tan orgullosa de
poder al menos pagar con mis conocimientos, digo, con el trabajo
que obtuve por mis conocimientos, el sueldo de la sirvienta!

* * *

En la duermevela seminconsciente, deleitosa, se me quedó flotando una frase inconclusa, la cual repetí hasta despertar: "desearía
que ... Desearía que ... ".

¿Y qué deseaba yo? Al instante, me duermo y en las tinieblas
del cuarto soñado diviso a mi madre al pie de la cama. Ella me
mira con ese mirar de los que regresan del más allá. Yo doy media
vuelta dentro de las sábanas, porque no deseo verla. Sin embargo,
le digo llorando:

—Desearía que ... Ahora que estás muerta, mamá, vos sabés
lo que yo deseo ...

II
Más allá del cristal

En realidad, las mestizas [latinoamericanas] han usado su posición relativamente privilegiada [...] para aumentar sus propias ganancias y beneficios. Las mestizas de la clase media han utilizado abundantes criadas a bajo sueldo con el fin de mantener un estilo de vida que desde hace tiempo desapareció, excepto en los altos niveles económicos de las naciones neo-industrializadas del área del Atlántico Norte. Disfrutan de ocio y libertad, lo cual lleva casi a describirlas como la "bella gente" del mundo subdesarrollado. Los monótonos y agotadores aspectos del trabajo doméstico han sido desconocidos para ellas, como también las cargas y restricciones del cuidado de los hijos.

Journal of Marriage and the Family, 1973

Recuerdo aquel payaso de la infancia que llevaba consigo una alegría amarga.

Margarita de Scandroglio

Desde la foto amarillenta del álbum familiar, esos ojos de buey, penetrantes, tristes, llenos de asombro y de un indefinible temor, miran mi presente envejecido con callado reproche, como si dijeran: "soñé para vos lo mejor del mundo y ¿qué hiciste de esos sueños de oro, insensata? Decíme, ¿por qué los despilfarraste?" Entonces vuelvo a ver en el rincón de la carbonera a la niña; temblando, trata de ocultar el pipí que empapa sus calzones y le va a valer quién sabe qué castigo. Es una niña flacucha, desgreñada, siempre en y con la tierra, en una comunión de tactos, churretes y amasijos de lodo que la hacen olvidarse del regaño y del tirón de orejas al finalizar el día: "te he dicho que con la tierra no debés jugar, ¿no te lo he advertido mil y cientos de veces?, entonces, ¿por qué seguís embarrándote como si no hubiera ya bastante ropa que lavar?, ustedes lo que quieren es que las sirvientas se cansen y se me vayan para que yo viva doblada en la pila, lava que lavarás, ¿no te ha entrado aún en la sesera que estoy cansada y no doy más abasto?, sos una mocosa desconsiderada y si continuás viniendo tierrosa, me la pagarás, de veras me la pagarás".

Era tal la unión de la niña con la tierra, eran juntas tan una para la otra, que con castigo o sin él, se entregaba a diario al placer de tocarla. Metía las manecillas en el polvo para dispersarlo, porque en el aire se iluminaba con luz pura de sol y se convertía en polvo de oro que en puntitos rutilantes se iba tras el viento en un vuelo mágico de diminutos seres rumbo a la maravilla. Y con esos seres volaba ella, en largos transportes que anulaban la soledad. Cuando el polvo se tornaba barro tenebroso y fecundo con olor a lluvia de trópico, era intenso el placer de palparlo, amasarlo y con él moldear alguna estatuilla contrecha y efímera. Entre ella y la tierra se establecía de inmediato el rito de la creación.

Soledad. Su soledad era de un gris intenso, casi negro, y cuando la invadía, era una oscura ola mortal que inundaba su cuerpo entero con leves temblores y un adormecimiento aterrador de la lengua y la yema de los dedos. "¡Que no sepa nadie cómo titila mi piel, que no descubra nadie esta miseria de mi cuerpo!, ¡qué vergüenza!, nunca he visto que le titilen las carnes a alguien, ¿por qué tengo que ser diferente en todo a los demás?, ¡pudiendo ser igualitica, hablar como los otros, reír como ellos, jugar como todos, pero aquí estoy, hecha un montón de temblores escondidos en la oscuridad!", se repetía, sumida en el terror de aquel penoso estado durante el cual hasta vomitaba la comida recién ingerida, y ¿qué le ocurre a Renata que se ha puesto tan flacuchilla y pálida?, es como si no comiera, como si los alimentos sólo le rozaran el estómago y siguieran recto sin aprovecharle nada, porque come bien, no cabe duda, ¿será que tiene solitaria?

Tenía solitaria (en los trópicos adormecidos, ¿quién no lleva una solitaria en las entrañas?), y vivía solitaria, pero Renata era muy pequeña para comprenderlo y en aquel entonces sólo conocía el miedo de los momentos atroces cuando al vaciarse de comida, ella también, de manera inexplicable, se vaciaba de sí misma disolviéndose en una rara atmósfera cósmica donde con pánico comprobaba que había cesado de existir y entonces la invadía otra náusea más profunda que la física; una náusea que le venía desde el hondón ilimitado de su yo. Era un instante-eternidad que la dejaba perpleja, tanteando la realidad de su vivir entre hermanos, juguetes, libros de cuentos y cuadernillos donde iba aprendiendo a redondear las primeras oes; tanteando, tanteando para encontrar un algo de donde aferrarse y salir a flote una vez más al diario vivir. ¡Vivir! Cuando los mayores pronunciaban "vivir", ¿era a ese angustioso estado suyo al que aludían?

El temblor cintillante se le agudizaba al comprobar que sólo había consumido unos pocos añitos y todavía le faltaba recorrer un largo tiempo que ella no podía medir más que por el tamaño físico de los mayores; por sus palabras que eran grandes y di fíciles; por sus ropas, tan distintas a las de ella; porque los mayores trabajaban y no iban más a la escuela como ella y como los otros chiquillos; por su manera de dirigirse siempre hacia la meta del quehacer y del llevar a cabo algo que ellos llamaban ambiciones; por los gestos que ella no lograba hacer suyos porque eran enormes y en ella había cabida sólo para lo pequeñito. ¡Sabe Dios cuánto trecho tendría que recorrer para llegar al tamaño entonces inalcanzable de los mayores! ¡Y con lo penoso que había sido arribar a la meta de sus pocos añitos!

Con agonía se preguntaba, ¿si esto es vivir, para qué vivimos? ¿Para que duela el alma y se sientan náuseas y los intestinos, en un nudo tilinte nos hagan vomitar? ¿Para que en las noches de angustia la oscuridad nos apriete y retumbe en las desacompasadas palpitaciones del corazón que no dejan dormir? ¿Se vive acaso para recorrer la corta - infinita - aterradora distancia entre la cama y la vacinilla, cuando en las tinieblas espesas del cuarto la necesidad apremia y "si te volvés a hacer pipí en el colchón, verás la tunda que te daré, te he advertido mucho que a partir de las cinco no hay que beber más agua y vos, de puro majadera, no hacés caso, ¡como hablarles a las paredes!" Y después de todo eso, vendrá más y más y más y cada vez será más y más duro, peor tal vez de lo que ocupa ya su vida. Menos mal que debajo de la chayotera todo se transforma y ella penetra en el mundo verdadero y tangible de la imaginación, donde no hay castigos, ni pecados ni rutinas que aburren, ni terrores, ni oscuridades. Sólo hay la tierra mágica que palpita bajo sus plantas y se le adhiere a la piel; el guayabo frutecido; la rosa mosqueta que adorna de flores su fantasioso andar solitario por mundos de maravilla; el yigüirro que canta desde el horcón donde se apoya el peso de los chayotes y tacacos.

Allá, en el horizonte del trópico, tendido con languidez a lo largo de la línea que remata el mundo, majestuoso, sube el azul de las montañas a clavar en el cielo la punta de sus cumbres; ¡y esa atmósfera transparente y clara de mañanas olorosas a calinguero, a frescor de rocío, a café recién chorreado, a mantequilla derretida en el pan calentito que acaban de traer de la panadería, a tortillas que todavía humean en el comal! Sólo hay el hechizo de la tierra y las aventuras de Robinhood - Caperucita - Superhombre - Peterpan - Mandraquelmago - Blancanieves - Cenicienta - Pelusa - Mafalda - Ivanhoe - Camelot - rincóndefelicidadeterna, ¡Camelot! ¿Por cuáles caminos se llega a Camelot? Un camino es el único que conoce la niña, el que frente a su puerta se dirige por levante, a la plaza y por poniente, al cementerio: vida y muerte ligadas por la cinta polvorosa de la calle frente a su casa.

Y en la noche, el beso del padre retoña un mundo de gozos en su ser y disuelve la agrura de la madre, quien llena su día de regaños, órdenes, prohibiciones y he - dicho - que - no - lo - hagás, esto - es - así - y - no - asá - como - pretendés - vos - siempre, mugrosa - desgreñada - parecés - un - adefecio, ¡chiquilla - insolente! - verás - cómo - te - castigo - si - seguís - saliéndote - con - la - tuya.

La niña de largas trenzas no se explica por qué su madre se reduce sólo a quejas, refunfuños, histerismos, enojos, quehacer doméstico y a ¡ya - estoy - harta!, la - muerte - es - lo - único - que - deseo, después - de - todo - soy - no - más - que - una - cosa - un - mueble - vestido - de - mujer - para - servir - de - madre - de - tus - hijos - y - lucirme - enjoyada - ante - los - amigos - y - conocidos, aquí - les - presento - a - mi - mujer - *mi - mujer*, tu - posesión - cosa - mueble - morir - acabar - para - siempre - jamás ... La niña de las trenzas color oro antiguo no puede entender por qué su madre vive agobiada por ese fardo pesado de agonías cuando es hermoso llevar el alma poblada de mariposas de fuego y risotadas y un sinfín de sueños que abarcan el universo y lo sobrepasan.

—Es fácil para vos porque pequeñita, aún no te sofocan los deberes, chiquilla—, le explicó Angelina, su amada Lina, la fiel niñera que llevaba en los labios palabras tiernas y cuentos de duendes y aparecidos, y en los dedos, manojos de ternezas, las mismas que su madre había espantado de sí para siempre y que tanto extrañaba la niña.

—Cuando crezcás y la vida te reclame una cuota de participación, tus mariposas y risotadas se disolverán corroídas por los
deberes. Un día cualquiera, gris y marchito, todo acaba, todo se
pone serio y amargo, hasta lo que más hemos querido, —siguió
explicándole Lina, temerosa de que con los años la pequeña no
encajara bien en el mundo de los mayores porque ella le había
llenado la cabeza de fantasías inútiles.

Al lado de Antonio, su marido, comprendió después, de grande
ya, lo que antes eran sólo las palabras de Lina sin contenido alguno:

¡Antonio!, ¡Antonio!, ¡y yo que había creído y deseado
que él fuera todo en mi vida durante la lejanía de los
años jóvenes, cuando él llenaba de arpegios y sueños
los rincones de mi ser!,
ahora Antonio es un desear que nunca hubiese pisado
el recinto de mis sueños,
como a todo lo demás, le ha llegado el fin a Antonio, se
ha vuelto realidad la voz agorera de Lina,
y mamá, quién sabe cuánto anheló tener para siempre
a papá con ella, pero después ...
después, morir fue su único deseo ...

* * *

Casi todas las noches entra a su cuarto la anciana menuda que
camina como si arrastrara los pies por el aire. Viste enagua gris de
campesina y delantal sin peto que le baja de la cintura a los tobillos;
el cabello, recogido en humilde moño, resalta las arrugas de su tez.
Entra en silencio y fija los ojillos de fuego en la niña de largas
trenzas oro antiguo. Se detiene a la vera de la cama y le ofrece un
hermoso ramillete de flores. En el momento en que la niña tiende
las manos para recibirlo, una paz y gozo inexplicables la inundan
por dentro, como si por cada una de las venas suyas corriera en
abundancia el elixir de la felicidad; sin embargo, al instante en que
lo toca, despierta con los brazos tendidos hacia lo oscuro, hueco
negro donde se acurruca la nada siniestra, sin anciana, ni ramillete
de flores, ni elixir alguno. Cuantas veces ocurre, la niña llora con
los brazos tendidos hacia la forma vacua de la oscuridad con la
esperanza de que se le vuelvan a llenar de flores y se pregunta
cuándo podrá recibir de veras el ramo para estrujarlo contra el
pecho y saturarse de aromas primaverales.

En contraste con aquel ramillete todo color y vida, recibe el
primero de gardenias a los diecisiete años. Tan penetrante es su

aroma que no le queda ni un átomo del cuerpo sin olor a gardenia
y como se las dio Rafael, las gardenias se han vuelto de pronto el
símbolo del pecado, del primer estremecimiento de la carne, del
primer beso a escondidas que clavó la oscuridad del deseo en el
corazón de la ingle. Pasados los años, enterrados ya Rafael y su
amor en la tierra y en el olvido, cada gardenia sigue trayéndoselos
en el recuerdo en rachas de insolente aroma que provocan en ella
un indefinido malestar espiritual.

>Dios lo haya perdonado, aunque no sé si el suicidio
>   merece perdón,
>¡cobarde!,
>sin ánimo de seguir viviendo porque todo el mal que
>   había hecho se volvió contra él,
>contra su hijita,
>¿qué culpa tuvo la inocente?, deforme de nacimiento,
>después, la esposa, alcohólica se metía con todos, como
>   Rafael le enseñó, dicen por ahí,
>y yo ...
>¡yo!, ¿cómo pude haberme enamorado de esa crápula,
>   de ese cúmulo de pecado y perdición?,
>¿cómo pude salvarme de él que lo intentó todo para
>   arrastrarme consigo?:
>"te amo sólo a vos, Renata,
>no prestés atención a lo que los demás dicen ni a lo que
>   veás,
>creeme a mí, únicamente a mí,
>los maldicientes te llenarán la cabeza de necedades,
>las mujercillas con las que ando, según ellos,
>los negocios turbios en los que estoy envuelto, te dirán,
>los pasos riesgosos que me atribuyen,
>todo son mentiras,
>la verdad es mi amor, nuestro amor
>y si de veras soy pecador, ¿quién que es, no es pecador?,
>(¡otra de sus frasecitas impertinentes para embaucar mi
>   ingenuidad enamorada!),
>vos sos el ángel que Dios puso en mi camino para sal-
>   varme con tu pureza,
>cuento con vos, muchachita mía, muy mía porque Dios
>   te dio a mí con un propósito",
>¡y dale con Dios para arriba y Dios para abajo, y la Vir-
>   gen y los Santos y la comunión diaria y la medallita
>   del Corazón de Jesús en el pecho

y el periódico católico donde él redactaba lo que no era
   su práctica, pero sí su receta moral para los otros,
todo para ganarse el respeto de los demás,
para recibir reconocimiento, fama, poder,
para definirse en el panorama nacional como el desta-
   cado hombre de letras, el político visionario e íntegro,
esa esplendente traza me deslumbró, porque no fue ena-
   moramiento, fue más bien un fogonazo de apariencias que arrobó mi alma,
¡y la juventud ingenua que se cree todopoderosa para
   salvar al que no tiene salvación!,
Rafael me habría destrozado como Auguste Rodin ani-
   quiló a Camille Claudel,
del abismo al que me arrastraba, ¿cómo me salvé?,
en mi ramillete de gardenias, el coito sinfín de Eros y
   Tánatos …
hoy, mientras voy tramando mi novela, observo con
   tristeza, sobre mi escritorio, la gardenia que me dio
   Gonzalo a su regreso de la escuela,
aspiro su aroma buscando inútilmente el retorno a la
   juventud,
¡vano empeño!: amarilla, mustia, la gardenia que me
   obsequiaron las inocentes manos de mi niño, ha perdido el olor al primer pecado del deseo
y está desparramando un nauseabundo perfume a fosa
   recién cerrada, a muerte, a todo - se - acabó - para -
   siempre …

Aquella mañanita fresca le brindaba a Renata añoranzas de días
de sol por los caminos blancos de la juventud y la niñez, cuando a
flor de piel temblaba la tibieza de la travesura; entonces, era una
risa larga la carrera al río Virilla para zambullirse, desnuda, en la
poza y estremecerse en el placer de la caricia del agua fría multiplicada en la sensualidad líquida y dadivosa de sus mil dedos;
entonces, todo era importante, hasta la patada a la bola y el escon-
dite donde se acurrucaba palpitando todo el misterio de sus diez
añitos.
   El viento que levantaba del campo olores de tierra y de za-
cate recién cortado, le traía remembranzas de cielos azules, trans-
parentes, donde la fantasía iba soñando con las formas de las
nubes, míticos monstruos, cíclopes, dioses, castillos, árboles, ángeles, Montes Olimpos inaccesibles. Eran días eternizados en la nube

monstruo, nube dios, nube ángel. La nube inestable cambia, o el
viento la deshilacha, o la empuja, quién sabe hacia dónde: en el
alma, el ensueño se desgarra, o se va en pos de la nube hacia mundos ignorados, pero no muere jamás. ¡Eternidad niña que ignora
la muerte y se pierde en los meandros del vivir!

* * *

El declive de la vida en tierra ajena, sin besos, ni caricias, ex-
primido el corazón por la pena, sin hijos en el regazo porque todos
han aprendido a volar y ya tienen su mundo propio. ¡Y la soledad
que llega hasta los tuétanos del ser y lo disuelve, minuto a minuto,
en el horror de la nada! ¡Y este silencio íntimo abrumado por voces
extrañas, profanadoras del sagrado recinto del alma al pronunciar
bread, car, house, money, cuando el alma está saturada de rosa, de
río, de nube, de estrella, de primavera.
    —Anoche leí lo que, a raíz de nuestra conversación, me es-
cribiste sobre el exilio, Renata—, Alberto desvió la conversación
sobre el arraigado racismo de esta geografía y que asoma en algunas
expresiones de la lengua, como cuando dicen que algo superlativa-
mente bueno es *mighty white*—. Aquí lo tengo marcado: El exilio
es el portón negro que se cierra dejando atrás el ser de nuestro ser,
despojo sin asidero ni salida a la luz. Todos estos años eternos,
extraña a mí misma, entre rostros pálidorrubios y el verbo extranjero, me han enajenado. Verbo extranjero, poblado de palabras
que no encuentran exacta correspondencia en la mente: unas se
han llenado ya de sentido; otras, han quedado vacías, angustia-
das, buscándose en el diálogo de los otros, en los periódicos, en
las páginas de los libros, en la radio, en la televisión. Donde más
perdida me siento en esta geografía anglosajona, es en la palabra,
porque la palabra es la cosa misma que va delimitando minuto
a minuto nuestro diario trajinar. La palabra es poesía, creación,
y yo, naufragando en los silencios de las que desconozco, experimento el vértigo de abismales vacíos, de una aridez creativa que
me está aniquilando.
    —Espero tus comentarios, Alberto.
    Esta cuarentona espiritosa que hoy habla a sus alumnos de la
raza cósmica; que ayer discutió en clase la negra envidia española
expuesta por Unamuno a la mirada del mundo como carcoma del
hispánico vivir; que otro día se regodeará con los aciertos literarios de la nueva narrativa latinoamericana; esta mujer que minuto
a minuto vive con pasión su hispanismo, es una exilada, lo fue
siempre, allá, entre sus montañas azules; aquí, en el norte rubio de
tez blanca y ojos claros:

Desde muy niña, cuando llevaba largas trenzas tilintes y abría muy redondos los ojazos de buey manso y tristón, Renata se había sentido extranjera, enajenada en su propio terruño. La piel blanca y pecosa, los cabellos mieldecaña, los ojos verdealga, ella habría deseado trocarlos para confundirse, chola o aindiada, en la presencia oscura de las multitudes en la plaza, de amigos y compañeros de estudio. ¡Cuánto les envidió a ellos el sol bituminoso de su pelo fuerte, duro como la cabuya! Y los callosos pies de ellos, casi siempre descalzos, barro rítmico con grietas, fueron siempre una humillación para sus piececillos menudos, torpones, de miga blanda de pan. Su cuerpo diferente también la avergonzaba; las costumbres de su hogar, que no eran las de los otros nograleños: tortillas, arroz, frijoles, pozol, para las sirvientas; sólo durante las fiestas navideñas se servían tamales junto con los aburridos lechoncitos, pollos y aves de toda laya. La tortilla de maíz, esencial para el americano, —el círculo mítico de lo eterno, lo infinito—, desterrada de la mesa, se quedaba en el fondo de su deseo hecha frustración y negativa a lo más suyo.

La enajenaba, además, la casa: la más moderna, fuerte, sólida, con ventanales de cristal esmerilado y armarios empotrados en la pared, inodoros y lavabos traídos de lejanas tierras, lavadora automática y agua caliente para el baño diario, maravillas desconocidas para los otros; concreto y hierro, hierro y concreto de dos pisos, contrastaba su rica soberbia con las casuchas achatadas de adobe blanco y festón azuleléctrico del suelo a las ventanas.

Se le hacía ridículo el jardín francés de ligustros en arabescos, mientras el resto de las casas quedaba oculto entre el verdor intenso de los cafetales. Para Renata, la verja de cemento rematada en puntas de hierro; para los otros —felices ellos—, la cerca de alambre de púas que se incrusta en la carne viva del sufrido poró ...

Su pregunta acuciosa: ¿en qué se distingue ser diferente aquí, en el norte anglosajón, o allá, en el sur mestizo?; ¿entre los ensalzados rubiales de aquí y los despojados morenos de allá? Aquí o allá, es igual para mí, sigo enajenada; allá o aquí, el mismo exilio con hambre de eternidad. Allá o aquí, la angustia nos carcome por dentro, y por fuera nos va dejando descarnados y pálidos, fantasmas de nosotros mismos. Apátridas. Exilados. Consumidos por la soledad. ¡Estemos donde estemos, siempre lo mismo!

*   *   *

Durante el par de meses que permanecieron separados Antonio y Renata, ella permaneció en Madrid. Rumbo al Café Gijón, el taxista comenzó a quejarse de lo insostenible que se ponía todo, "mire usté, que de un día para otro ya han subido los precios de los artículos de consumo diario, yo nunca sé con qué me voy a encontrar cuando piso el supermercado o la abacería y esto asusta, porque la gente ahora prefiere el autobús o el metro y se nota que al taxi le hacen miau-mirrimiau, mi única esperanza es ganarme el gordo de la lotería navideña, porque si no es por suerte, no veo por dónde". Comenzó con quejas de la economía y al cabo de unas manzanas de recorrido, le confesó a Renata que en realidad, además del taxi, era dueño de tres apartamentos de alquiler y que su mal era la soledad:

—Desde los nueve años me vine a Madrid de un pueblecito asturiano porque no quería seguir el oficio de labrador de mi padre y desde entonces he vivido pasando de patrona en patrona, comiendo en unos hostales más mal que en otros, pero siempre solo. Y hace falta una compañera, señora, alguien con quien compartir el dolor y la alegría, pero van ya tres veces que las chicas me han dado calabazas. ¡Tres veces! Ahora tengo miedo de intentar otras relaciones. Dicen ellas que soy aburrido... Todo, porque soy hombre honrado y mucho, y de palabra, serio, cumplidor, pero tímido y tal vez por eso...

—¿Sabe alguien, acaso, por qué vivimos saturados de soledad? Observe usted a la gente que sube al taxi, a los que recorren la ciudad, ¿no ve en el fondo de su mirada un sedimento de soledad?

—¡Qué bien lo ha dicho usted, señora, todos, todos...

Al bajar del taxi, "que tenga más suerte con las chicas, amigo, más suerte de la que ha tenido hasta ahora y encuentre su compañera del alma. Le deseo suerte... A mí también, como a usted, como a todos los que transitan por ahí, me pesa la soledad... ¡Adiós! ¡Buenas noches! ¡Suerte, mucha suerte, buen hombre!"

—Pero usté al menos está casada, tiene su compañero de toda la vida. Eso es suerte... En cambio yo...

¡Casada! ¡Mi compañero de toda la vida!

* * *

Me acerco al extraño velorio, muy despacio, con el corazón palpitante. Como visto colorines de primavera, llena de angustia me pongo a probarme trajes y más trajes de duelo, todos pasados de moda, grandes y tan horribles como la muerte, esa muerte que siempre aterra a los que siguen viviendo; ¡pero qué íntimo y total alivio para los que descansan para siempre con los ojos cerrados a las amenazas del mundo! Al fin, vestida a lo Lady Hamilton, toda de negro y envuelta desde la cabeza a los pies en cendales negros, entro en una inmensa catedral gótica que clava en el cielo el donaire de sus múltiples agujas. La nave del centro la ocupa entera una capilla toda de cristal, cuyas paredes suben hacia los arcos torales. Dentro, reclinado, entre sollozos y gemidos sin consuelo, Antonio reza. ¿Cómo pudo entrar si no hay puertas, ni ventanas, ni junturas en la capilla-jaula? ¿Estuvo ahí desde siempre? Golpeo con angustia el vidrio impasible y lo llamo a gritos, le digo que vengo a consolarlo, que me diga quién ha muerto, que me permita la entrada ... ¡Es inútil!, Antonio está más allá del cristal, en una distancia que se disuelve en la bruma de lo ignoto, el misterio, la pesadilla ... La pesadilla de la soledad de dos que vivieron juntos una multitud de años, pero nunca se encontraron ...

III
CUANDO ALGUIEN TE ACUNA

[...] el objetivo ideal de la mujer era el matrimonio, y si un pretendiente satisfactorio no aparecía, la alternativa social deseable para las hidalgas de Bahía era entrar a una casa de retiro o a un convento. La popularidad de los conventos de entonces es sorprendente. De 160 hijas nacidas en 53 prominentes familias, más del 77% (107) fueron colocadas en conventos. Algunas familias consideraban frecuentemente preferible enclaustrarlas que casarlas.

Susan A. Soeiro —*Hispanic American Historical Review*

*Abres la puerta y el hogar te acuna
con su aroma de beso que trastoca el tiempo.
[...] Y abres aquel balcón de siempre,
te asomas al asombro de tu primer tanteo
y se hace luz la noche.*

Ana María Fagundo

Limitados los materiales del creador:
¡palabras, sólo palabras!,
y siempre la lucha por cancelar imágenes frustradas,
signos que mueren antes de rozar la flor,
de alcanzar la estrella.
¿Dónde se halla el poema que busco incesantemente en
     lo más recóndito de
mi intimidad?
¡Literatura, no!
Poesía honda, precisa como el corte de un diamante,
     ¡sí!
Poema de duración,
perenne como la hoja del pino
y que abarque en un solo trazo
el génesis
y el milagro moderno de la ciencia y la tecnología;
el odio de Caín y Abel
y la Guerra de Viet Nam.
Cosmovisión.
¡Adueñarse de los materiales expresivos,
de palabras limitadas y duras que se resisten!
¡Plasmar el poema-mundo!
Plasmar el poema-mundo
y encerrarse en él,
entera ...

Alma y cuerpo,
¡poema-mundo!

* * *

Don Abelardo, mi maestro y el primero que reconoció mi aptitud literaria, ya no camina apoyándose en el bastón, ni balancea con torpeza el cuerpo para desplazarse de un lugar a otro. Tampoco está sentado en la banca de los corredores de la universidad, mano sobre mano en la contera de su bastón. Es increíble verlo manejando una moto como las de alguna película de Fellini, o de Cocteau, las cuales siempre he asociado a la muerte.

En la misma dirección que él, yo voy por la carretera de O-chomogo en un convertible negro, abierto al sol esplendente de la mañana y a los picachos, ciclópea cenefa azul que abraza, amorosa, el paisaje. La carretera está atiborrada de convetibles, sólo convertibles repletos de pasajeros, y por lo mismo avanzamos con dificultad; en cambio, don Abelardo es el único motociclista y por lo mismo se va metiendo entre los vehículos con asombrosa agilidad.

Al divisarme en medio del embotellamiento, con su plácida sonrisa que le irradia desde los ojos, don Abelardo, como un jovenzuelo, salta de la moto a mi descapotable; cualquiera diría que al morirse, su cuerpo lacerado goza ahora de una gloriosa resurrección, la que predicen las Sagradas Escrituras.

Contento de verme, comienza a hablarme de mi obra, de mis éxitos y fracasos, de mis aciertos y averraciones:

—Fracasé como novelista porque hice de mi libro un instrumento de protesta y polémica y usted, m'hijita, no va a incurrir en tal error y horror. No olvide nunca que puse mi fe de maestro en usted.

Yo sigo conduciendo, sin prestarle atención, porque la manía de metaforizar me juega en esos instantes el truco de distraerme: los convertibles negros se me figuran grotescos remedos de la Barca de Caronte en la Laguna Estigia; son barcas negras de metal, con cuatro ruedas, volante, parachoques y motor, sobre un río de concreto; ¡y cuánta gente boga, boga y boga por la Laguna Estigia! Quiero decir, recorre la carretera de la muerte. Llena de impaciencia, me vuelvo a él, quien permanece sentado junto a mí:

—La culpa de que no le preste atención, es suya, don Abelardo, por haberme iniciado en los vericuetos de mitos, estética, metáforas y todo el laberinto de libros y papeles en los que usted vivió inmerso ... En los que hoy me hundo yo también para aliviar mi dolor, frustraciones, agonías ...

Vuelve a sonreírme con los labios y los ojos y se evapora tan pronto abro los párpados a la realidad de mi cuarto de Houston.

* * *

La vieja Felisa, primitiva y simple, deja de barrer y me pregunta con infantil ingenuidad:

—Dígame, señora, ¿verdad que la luna tiene cara? Yo la veo ojos y boca, pero una mujer (ciega debe estar la pobre), me dijo que ni manchas tiene la luna, pos ella la ve blanquitititita.

Con tristeza añoro los días cuando yo también le veía cara a la luna; cuando era feliz y limpia de agobiantes verdades. Llegar a cincuentona como Felisa, mirando todavía el mundo con ojos niños, ¿no será acaso una forma de distraer a la vida, de engañar a la realidad-Gorgona? ¿Cabría en ese estado de candidez sin grietas la profundidad y perfeccionamiento tan buscados por mí para lograr la plenitud del ser? Si lo que da sentido a la vida es ese doliente

transitar de Alfa a Omega - perfección - plenitud, permanecer en
la infancia de las percepciones sensoriales y espirituales, ¿no sería
una manera de ubicarse en el limbo, como aborto de la totalidad
creativa?

El paraíso inocencia hace mucho que cesó de ser mío. Hoy sólo
me queda buscar formas para salvarme de la nada. Una forma es
el dolor (sufro, luego existo); otra, el trabajo; pero la última, la
principal, el resultado de las otras dos: la creación.

                              *   *   *

Con sus cuatro añitos saturados de inocencia y ternura, Gabriela me echa los brazos al cuello y me besuquea las mejillas, los
párpados, la frente:

—Sabés qué sos para mí?—, me pregunta entre beso y beso.
—Sos estrella, sol, amor ... Te quiero, mamá, y si te morís, deseo
morir con vos, porque para mí sería imposible seguir viviendo sin
vos.

Pienso en el futuro y presiento que un amor así, tan íntegro y
sincero, sólo se da en la niñez. Entonces me pregunto con pesar
cuándo comenzará para mí la tortura de la pubertad de estos tres
chiquillos míos y tenga que escuchar de sus labios el rechazo, el
te - odio - mamá - porque - no - me - dejás - ir - al - cine - con -
los - amigos - ellos - tienen - permiso - de - llegar - a - sus - casas
- a - las - once - sos - una - anticuada - haciéndome - entrar - a
- las - diez - hago - el - ridículo - me - avergüenza - que - me -
hablés - en - español - delante - de - los - amigos - habláme - inglés
- sólo - inglés, como les dicen los hijos a Milagros, a Faustina, a las
amigas con hijos adolescentes, las cuales a menudo lloran lágrimas
de sangre, destrozadas por sus insultos ... Por lo mismo, cierro
los ojos transida de placer escuchando a mi pequeña Gaby, quien
afirma ahora, en este instante único, quererme hasta el corazón ...

No cabe duda de que el espacio más hondo e ilimitado del amor,
es el corazón: querer hasta la luna, como dicen los otros niños,
es ponerle fronteras al amor, implica una distancia que se puede
medir; en cambio, el corazón no tiene bordes ni está a una distancia
conmensurable; el corazón es infinito. Desde muy pequeña, Gaby
se ha distinguido por su originalidad.

                              *   *   *

Con satisfacción contemplo a mis tres hijos, Amalia, Gonzalo y
la cumiche de Gaby, sanos, hermosos, inquietos y retozones, llenos
de vitalidad y gozo. Les inculco día tras día, con la persistencia de

la gota de agua que erosiona la piedra, la independencia, la más total independencia de todo y de todos:

—Un día lo agradecerán. Vos, Gonzalo, no porque sos varón debés despreciar los quehaceres de la casa, cocina, costura y todo lo que se le asigna sistemática y tradicionalmente a la mujer. Saber esos oficios es una de las formas de liberación masculina, porque más de uno ha caído en la trampa del matrimonio y con ello ha buscado su propia desgracia, sólo por la urgencia de resolver sus necesidades primordiales. Por el mismo motivo, Amalia y Gabriela deben hacer carrera. ¿Quién quita que les salga marido rana y tengan que ganarse la vida?

En fin, la tragedia de Sonia Rivera, con tres hijas dependientes de ella en todo, por incapacidad mental, me hace contar con alegría la bendición de los míos. El síndrome de deficiencia mental que padecen las niñas suyas la lleva a participar activamente en las campañas para recoger fondos en beneficio de quienes padecen el mal.

Sonia acaba de llegar de México, su país de origen, y hace poco se integró a nuestra tertulia de hispanas, quienes añoramos el terruño que abandonamos hace tiempo. En las tertulias, cuando Sonia no está presente, discutimos a veces acerca de si la suya es una actitud de irresponsabilidad o de estoicismo católico. Sonia nos desconcierta por su aceptación de tan pesada cruz y por su conformidad ante la muerte de cuatro hijos más. Las muestras de asombro y compasión de nosotras, la hacen sonreír y decirnos que no nos sintamos mal por ella:

—¡Soy tan feliz con mis tres niñas!—, exclama. —Cuando las veo crecer sanas e ir valiéndose por sí mismas solitas, a pesar de su retraso mental, me da un no sé qué de contento. Además, ellas aprenden las bellezas del mundo y lo bueno que es Dios con sus criaturas, lo que me hace más feliz aún. Para el día de la madre, Maggie, la mayor, me escribió, (porque hasta han aprendido a escribir, con dificultad, pero escriben) ... Pues Maggie me escribió que se emocionaba contemplando las flores del jardín en primavera y quería agradecerme por haberle dado la vida para gozar de tanta belleza. ¡Y el médico que me vio entonces, me recomendó nada menos que el aborto! Después, al diagnosticarme la imposibilidad del tener hijos normales, me recomendó abstenerme de tener más! Eli, la segunda, toca la flauta de oído, que es un gusto escucharla. Mariano y yo hemos tenido con las tres momentos de dicha indecible. Sin embargo, no perdimos nunca la esperanza y ya ven que después de todo nos nació un varoncito muy listo, el mejor de la clase. Si no hubiésemos persistido en el empeño, no lo tendríamos con nosotros.

Había en la mirada de Sonia un no sé qué, mezcla de gratitud, alegría, resignación, tanto, que estuve tentada a preguntarle cómo se podía llevar una cruz tan pesada sin quejas ni reproches y con ese raro goce. Tuve envidia de su manera de aceptar la vida y el dolor sin las alharacas ni aspavientos míos: soy tan débil, que me quejo de todo y todo me exaspera. Me habita por dentro una rabia que me abrasa las entrañas; es una rabia inexplicable, que asfixio cada mañana para que no se me salga en gritos, golpes, puñaladas ...

*   *   *

—¡Un gato negro! ¡¡Un gato negro!! Hay que matarlo si no queremos que la tragedia se adueñe de nuestras vidas. ¡Ahora mismo lo mato, verás! Llego a tu casa por primera vez, Renata, y me recibe nada menos que un endemoniado gato negro. Mira cómo se me puso la piel de gallina.

Ese día hablé personalmente con Faustina. Hasta entonces, yo había asistido a sus conferencias y leído algunos de sus ensayos dispersos en revistas literarias y en periódicos del feminismo activista. De cuando en cuando nos habíamos hablado por teléfono de asuntos profesionales, de modo que sólo tenía de ella la visión de la lejana conferenciante y el sonsonete duro, como de golpes graves de martillo, de su voz. Tanto sus escritos como sus conversaciones, ejercieron en mí una fascinación de abismo oscuro y peligroso, como de querer lanzarme a sus profundidades y conocer las vitales tinieblas que hacían de Faustina un ser tan perturbador, tan inquieto e inquietante. Faustina acababa de llegar de Nueva Orleans para integrarse a nuestro claustro de profesores. Vino a casa para charlar ampliamente y conocernos mejor.

Aunque no soy supersticiosa, debo reconocer que los ojos del gato negro se abrieron en la noche como dos linternas, las cuales emitían presagios nefastos al reflejar los focos encendidos del automóvil. Un estremecimiento recorrió mi cuerpo y se clavó para siempre en mi memoria. Sin embargo, disimulé y tuve vergüenza de haber reaccionado con tan absurdas y primitivas supersticiones de ignorante ante la hermosura negra de Orfeo, el rendido enamorado de mi frondosa Eurídice y padre de tres lindos gatitos recién paridos y que eran motivo de jolgorio para los niños.

—¡Vaya, vaya, me has salido supersticiosa! Con la cultura tuya y tu actitud vanguardista, me cuesta creerlo, Faustina—, fue mi único comentario.

Esa noche, después de ponernos al día con los asuntos profesionales, me miró casi con ternura y me dijo:

—Se te sale a chorros por la mirada que aunque en tu vida abundan los éxitos, tú no eres nada feliz. ¿Sabes por qué? Porque como todas las mujeres adocenadas, estás hasta el copete de tu marido, pero sigues y sigues en la yunta por un sinfín de motivos que no tienen validez alguna porque lo único que cuenta en esta vida es la felicidad. Hazme caso, chica, sólo cuenta LA FELICIDAD, con letras mayúsculas, y lo demás, que se vaya a la mierda ...

—Pero yo no te he dicho nada, absolutamente nada de mí para que saqués tales conclusiones, Faustina ...

Se rio con una risa sabia y ponderada en la que estaban contenidas todas sus palabras y experiencias. Así es Faustina y así la quiero yo. En seguida, comenzó a contarme que estaba pasando por una crisis amorosa.

—El maldito amor, ese desgraciado que nos lleva de acá y de allá sin misericordia; flechero que emponzoña cada uno de sus blancos con sufrimientos, desdenes y desengaños ... ¡El amor! ¿Por qué dolerá tanto el amor? ¿Por qué ?

Su mirada, llorosa, se clavó en el vacío. Me senté a su lado, le acaricié la cabellera magdalénica de tonalidades rojizas con mechones canos. Cerca de ella, una red intrincada de arrugas hábilmente camufladas por los cosméticos, transformó de pronto los cuarenta y cinco años que yo le había calculado, en setenta. Mi pesar ante sus penas de amor se volvió más intenso, casi insoportable.

—Por lo que he leído de vos y te he escuchado decir, jamás habría imaginado que eras tan romántica, tan sentimental, Faustina.

—El amor no perdona a nadie, a nadie en absoluto, Renata. Es feroz.

Me contó entonces de una desbordadora pasión, la más vehemente, la más completa, la que le dio la dimensión cabal de la felicidad, pero a la vez la hundió después en un dolor sin límites:

—Me traicionó, Renata. Me traicionó con mi mejor amiga. Ahora, ella es su amante ... Me odia, me detesta, me rechaza, como mi madre me odió, como me han rechazado aquellos que he amado de veras ...

Mientras me hablaba de su pasión devoradora, su voz, iluminada, centellaba, pero después se fue apagando y llenándose de rincones oscuros, fríos, en los que yo sentí resabios de miedo. Siempre fue así con ella; luminarias festivas y tinieblas aterrantes siempre fueron para mí sus palabras a partir de aquel día.

Siempre, desde que la conocí, Tchaikowski me ha traído a pedazos la imagen de Faustina. Beethoven es su idolatrado; pero Beethoven es sólo un río de música y emoción pura, sin imágenes ni recuerdos ... Beethoven: emoción y éxtasis. En cambio la música de Tchaikowski me trae la repetida pregunta de si para Faustina es otra de sus predilectas o si la rechaza. Y es que tan pronto como se abre el abanico de notas de la *Quinta sinfonía* o de *El lago de los cisnes,* la presencia de Faustina se instala en mi recuerdo con la autoridad de su vozarrón:

—Espero que hoy no esté Tchaikowski en el programa—, lo dijo en el momento en que la orquesta lanzaba al aire los primeros compases y yo no pude preguntarle entonces si sentía desprecio por la música del ruso, o por el contrario, si lo dijo porque ése no era el momento sagrado para escucharla con la debida devoción y muestras de paroxismo propias de ella. Después, infinidad de veces he deseado preguntárselo, pero cuando estamos juntas nos falta el tiempo para decírnoslo todo. ¡Tanto es lo que tenemos que hablar!

*   *   *

—Estoy fascinada, transportada. Nunca pensé que podría llegar a localizar un manuscrito que me pusiera en contacto directo con la vida de una de aquellas mujeres que llenaron de visiones místicas nuestro mundo colonial. ¡Cuantas veces pasé por él, siempre me figuré que sería un insulso documento lleno de fantasiosos transportes del alma a los cielos, así, como se transportan hoy los astronautas!

—¡Ni que hubieras encontrado un tesoro, Renata!—, exclamó Sara con fastidio. ¿Por qué no te dedicás a las *writers* de hoy en vez de andar revolcando las *ashes* de *yesterday*, digo, las cenizas de ayer?

—¿Por qué? ¿Me lo preguntás vos que como yo, como algunas aquí presentes, hemos sufrido las vejaciones que por siglos la sociedad ha impuesto en las mujeres? En aquellos remotos tiempos, la pobre mujer no tenía más que cuatro caminos: casarse, entrar a monja, quedarse solterona y amojamada entre cuatro paredes bajo el resguardo supervigilante del padre y hermanos, o la perdición total (en vez de prostitutas o putas, las llaman en los documentos "mujeres distraídas", ¡y hoy, que nos distraemos tanto!), la gran caída de Lucifer por rebelarse contra el cielo. ¿Que no ves que estamos viviendo un momento histórico y que nuestra generación, precisamente nuestra generación desempeña en este momento un papel decisivo?

—Tienes razón, Renata—, remachó Faustina, siempre al frente de todo lo que oliera a feminismo.

—Sigo: pagándolo muy caro, al altísimo precio de nuestra felicidad, le dimos al proceso socio-histórico trescientos sesenta grados de vuelta. Fijáte en el cambio tan radical que se ha efectuado en el mundo de la mujer de hoy; tanto, que nuestras hijas están gozando de todos los privilegios que ninguna de nosotras tuvimos.

—Muy cierto lo que dice Renata—, terció Faustina de nuevo.

—Cuando Marielos, sí, mi segunda hija, después de haber convivido con Jorge por un año y de haber anunciado la boda, se acercó a mí para comunicarme que esa boda no tendría lugar, porque ella se había percatado de que no estaba enamorada de él, sólo ilusionada porque es guapo, atractivo, rico, emprendedor, importante en el mundo de los negocios y proviene de una familia de cierta alcurnia, la llené de besos, muy contenta, porque desde un principio yo había visto el fracaso de esa boda sin amor. En nuestros tiempos era muy fácil confundir el amor con el deslumbramiento por todo aquello que la sociedad más exaltaba en el futuro marido y las conveniencias para asegurarse una holgura monetaria que proveyera nuestros lujos y necesidades y llevar una vida ociosa llena de criados, diversiones, viajes y derroches.

Renata agregó:

—Tanto metían por los ojos de las muchachas a los buenos partidos, que las pobres no se daban cuenta de que lo que ellas creían ser amor, no era más que una de las etapas hacia el amor …

—La que Sthendal llamaba cristalización del amor—, intervino Sonia.

—Se llame como se llame—, comentó Renata, —creo que ya de casada y con hijos, aquí, en los Estados Unidos, por primera vez oí resumida en una simple frase la fórmula de nuestra desgracia. Fue una estudiante mía, muy joven, quien estaba embarazada, pero no se iba a casar con su amante, pese a que él se vivía rogándoselo. Al preguntarle por qué, ella me respondió que sólo lo quería mucho, muchísimo, pero no estaba enamorada de él: *"I love him dearly, but I am not in love with him"*. Lo dijo como si hubiera dicho "quiero pan", o "el cielo está estrellado". ¡Y esperaba un bebé de él! ¿Imaginan la catástrofe que esto habría sido en nuestros tiempos? ¡Y ella tan campante, como si nada!

—Ayer mismo hablaba por teléfono con Sonia sobre la novela *Ifigenia* de Teresa de la Parra—, intervino Faustina. —María Eugenia Alonso, la protagonista de espíritu libre, rebelde, desprendido de nuestra idiosincracia de provincianas hispanoamericanas, de regreso a su país se doblega al mundo pequeñoburgués de su familia y muy satisfecha, al comienzo de la novela, dice: "ahora tengo novio"; después anuncia que se va a casar con él. Sí, que se casa con el doctor Leal, sin más relación íntima que unas visitas de él a su casa y la conversación con la familia, sentados todos en la sala, muy estirados, con las ventanas abiertas a la calle, como la mayoría de nuestra generación mantuvo sus noviazgos. ¡La pobre!, pensaba yo, las sorpresas que te llevarás cuando pongas la firmita en ese papelucho infecto que nos vende al hombre y nos hace formar parte de sus posesiones.

—¡Oh, *yeaaah*! Mirá que es la viva imagen de lo que nos pasó a todas. Pero *go ahead*, seguí, que la *story* está interesante.

—El tío Pancho le advierte que ella ha caído ya en la trampa y que más vale que comience a despedirse de los escotes, el *dolce farniente* y la literatura que llenaban hasta entonces su vida. Lo que se me quedó bailando en la memoria es aquello de que "de aquí a un año pasarás la vida dentro de una bata de piqué (¡fíjense bien en esta aplastante verdad, en una bata de piqué !), ostentarás un busto digno de una cariátide y pesarás ... ¡pss! ... setenta kilos"—. Al llegar a este punto, Sonia miró con timidez a Sara, quien habiendo sido de jovencita una muñeca, desde que se casó se había hinchado como una vaca y de la elegancia que trajo de Inglaterra, no le quedaban rastros. Angustiada por sus problemas matrimoniales, comía, comía y recontracomía sin parar; comía atragantándose, durante las disputas con Andrés; comía cuando se quedaba sola rumiando su dolor de mal casada. A Renata le ocurría al revés, padecía de falta de apetito y se mantenía delgada y al borde de desaparecer del mundo.

—¡¡¡Uyyyy!!!, ¡cómo estás hoy en contra de ese animal bípedo que no se siente hombre si no está proclamando a los cuatro vientos sus posesiones y repitiéndole a su esposa "eres mía, mía, y muy mía y por lo mismo haces lo que yo y sólo yo te mande"!—, volvió a interceder Faustina, con su bandera feminista siempre muy en alto.

—Pues, ¿y la corderita propiciatoria de María Eugenia, se casó?—, fue la pregunta de Renata.

—Voy por ahí en la lectura. Cuando termine la novela, les traigo el resultado que desde ahora adivino: transcurre muy a principios de siglo, y pertenece a ese mundo que nos precedió a nosotras y en el que los sacrificios de la mujer eran más extremos. Recuérdenme, cuando nos reunamos de nuevo, traer les resuelta la maraña de ese fracaso a ojos vistas.

—Me he preguntado millones de veces por qué el hombre busca una muchacha inocente, buena, llena de ilusiones ...

—Y virgen, tan virgen que todavía cree que con un solo beso se concibe un hijo ... Como lo creí yo. ¡Burra de mí, la de besos maravillosos que me perdí, poseída por el espanto de quedar embarazada! —añadió con sarcasmo Milagros.

—¡Eso!, virgencita también, para convertirla en un objeto de lujo o en un instrumento de trabajo y de producción de hijos—, comentó Sonia. —¡Qué padre! Cuando sus mujeres se ponen cebosas y desaliñadas, ellos se tiran lances con las secretarias rechulas, piden el divorcio y si te vi no me acuerdo; pero si la mujer es de buen ver, y su elegancia y atractivos nutren su hinchado ego de machos, "¡qué cruel eres dejándome ahora, cuando a mis años más te necesito!, pues no, no quiero el divorcio porque esto sería acabar de una vez por todas con la familia, a partir del momento en que nos divorciemos, ya no tendré familia. Sin esposa, no hay familia", como le dijo Chucho a mi prima Abigael cuando ella le declaró que quería el divorcio. ¡Y eso que él venía viéndose con una chamaca que parecía hija suya de rejoven que es y a la que le tenía un apartamento a todo lujo, como nunca se lo ha puesto a Abigael. Uno de esos que aquí llaman, creo, *high rise apartments*.

—Se me ocurre que a partir de ahora, Faustina siga trayéndonos noticias de esa Ifigenia moderna para ver en qué para el relato. Y que Renata nos lea pasajes de la mentada autobiografía monjil. Así, nos divertiremos mil con las huevonadas de aquellos tiempos—, concluyó Milagros y todas aprobaron el proyecto.

* * *

—Dime, Marcela, ¿qué me callas?—, palabras que me movieron todo el interior y con todo no me determiné por entonces a descubrirle lo que tan de antemano le ocultaba. Mas saliendo del confesonario, dando paso a las preguntas y juntándolas con lo que en las dos Dominicas me había pasado, me determiné a descubrir el secreto hasta entonces solapado; lo cual oído de Nuestro Padre el Sr. D. Diego de Segovia que fue quien me hizo las referidas preguntas, me mandó que luego, sin dilación, pusiera por obra hoy día del Apóstol San Matías, a 25 de febrero del año de 1757, teniendo de edad treinta y ocho y de religiosa diez y nueve años.

—¿Se dan cuenta ustedes? ¡La mitad de la vida, diecinueve años, en el convento! ¡Increíble para nuestros tiempos! Hoy las monjas no se aguantan ni diez, ni cinco y algunas ni uno, encerradas y bajo disciplina de hierro, como entonces—, interrumpió la lectura Sonia, meneando incrédula, de un lado a otro, la cabeza. —La verdad es que ni yo misma. ¿Y qué era lo que tanto le costaba dejar escrito de su vida?

Renata se puso entonces a resumir un rosario de desgracias que marcaron la vida de Ana María, conocida en el convento de Capuchinas de Querétaro como Sor María Marcela: por poco muere su madre durante el parto, (un ginecólogo de hoy, habría prescrito la cesárea, pero entonces nada de eso se practicaba); de recién nacida, el ama la abandonó un momento sobre una mesa de donde se cayó y quedó "sin señal de vida hasta después de muchas horas ... lo que todos tuvieron por milagro"; a los tres años, el día de su onomástico, estando en una hacienda, en un descuido de los otros, se cayó de cabeza en una acequia que tenía represa para regar unas sementeras de trigo,

"fui a dar hasta el fondo, donde me vi no como en agua, sino como en luces; me acuerdo ahora como si actualmente me estuviera pasando, salí sola teniendo más de tres varas de profundidad, toda empapada la ropa nueva que aquel día la había estrenado, así me volví a casa donde admiraron el prodigio de haber salido sola y con vida y yo admiro más que siendo tan niña no conté había estado en el agua como en luces y sólo ahora lo digo para gloria y alabanza de Dios".

—¡Insólito!—, observó Faustina, —en aquellos tiempos benditos hasta la sarna y la lepra eran para gloria y alabanza de Dios. ¡Y hoy que nos quejamos con maldiciones hasta de la mísera pulga que nos pique!

—¿Quién quita que por eso nos mandó la plaga del sida? —Intervino Sonia, quien se sabía de memoria la Biblia porque el misántropo de su marido vivía leyéndosela en voz alta para bienestar de su espíritu, decía él, porque las mujeres y los hombres de hoy andan perdidos en el abismo de los pecados—. Yo creo con mi marido que los ciclos de las plagas que han asolado el mundo desde tiempos del Antiguo Testamento hasta hoy, son castigo de Dios por tanto pecado como cometemos.

—¡Bah!, no me vengás con pecados. Yo no creo en el pecado—, confesó Milagros. —Me costó mucho arrancármelo porque era un concepto arraigado desde la niñez, pero ahora que lo extirpé del todo y no se me hace gusanera, ¡a gozar de la vida y de todo lo que el mundo nos ofrece! ¡Vive la vie y lo demás es miér ... coles!

Sara y Faustina intercambiaron una mirada en la que se dijeron en silencio que sí, que así era Milagros, sin prejuicios, sin escrúpulos, sin es - mucho - descaro - proponerme - ir - a - la - cama - con - usted - cuando - acabo - de - conocerlo, sí, Faustina, me complace, me halaga que un hombre piense en mí en esos términos, le había dicho más de una vez, y la que se hace de rogar o se ofende, es una hipócrita, a mí que no me digan.

Pidieron a Renata que siguiera la historia de sor María Marcela, la cual siguió resumiendo en partes y leyendo pasajes escogidos:

"En otra ocasión sucedió otra avería semejante y no menos admirable: fue el caso que por la misma referida hacienda pasa un río muy caudaloso y en tiempo de aguas sale de madre con horror y a los márgenes se hacen unas grandes lagunas; para desaguarlas hacen unas sanjas profundas, y en estando hechas, sueltan el agua con gran violencia y va a dar al mismo río. Cuando esto hicieron estaba yo presente porque hacían gran fiesta y así que vi saltar el agua como niña traviesa y que sólo tenía cinco años, por ir corriendo a verla entrar al río y al mismo tiempo viendo adentro del desagüe, caí en él y arrebatándome la corriente iba a sumergirme en el río de donde no hubiera sido posible salir viva; mas obró Dios en que mi padre estaba en la boca del desagüe esperando la agua y milagrosamente me sacó".

—Parece que el agua quería terminar con su vida a toda costa, pues en otra ocasión fue al río con unos parientes, donde por poco se ahoga de nuevo. Remata esa parte diciendo: "¡bendito sea el señor que me libró la vida tantas veces teniendo su majestad previsto (ésta cree en la predestinación, sin lugar a dudas) lo mal que la había de emplear como lo veremos!"

—¡De novela!—, comentó Faustina. —Un verdadero suspenso de novela. Ya la loca de la casa ve en esta mujer a una prostituta, una "mujer distraída", ¿no es así como dijiste que las llamaban entonces?, una adúltera, ¡yo qué sé cuánto me imagino.

* * *

De todas, es a Faustina a la que Renata quiere más; a su lado, vuelve a recuperar su infancia casi suprimida por el vericueto de libros, deberes domésticos y demandas académicas de "mujer total". Reclinada en los almohadones del sofá del estudio de su amiga, se recrea con el fondo musical de Beethoven. Beethoven, cuyos ritmos se sabe de memoria, quizás porque los había escuchado desde el vientre de su madre, anuncia en la casa ancestral la presencia imponente del padre afectuoso de vuelta de los negocios en la ciudad; también los dorados títulos de libros recubiertos de rica piel, recuperan de su pasado la voluminosa biblioteca a la que siempre entró de puntillas para robar algún ejemplar "porque éstos no son libros para mocosos, sólo los leen los mayores, ¿me oyen?", sentenciaba el padre con severidad; los mimos y atenciones de Faustina le traen a rachas la dádiva familiar del aroma de bizcocho recién horneado o del guiso humeante que llama a la mesa donde todo es alegría y charla. Su madre nunca tuvo para ella ternuras ni amor; para Nela, tampoco; sólo para los tres rubicundos varones. Para los tres, Santi, Pío y Prudencio, los cuales ocupaban toda la superficie y el meollo de su corazón, se preparaban los manjares diarios. Para ellas, las dos mujercitas, sólo había el humo aromático de los platos y la más pequeña tajada:

—No comer mucho, niñas, que se pondrán como chanchitos y a las gordas nadie les hace ni ¡che! Así, pequeñito, con moderación, como niñas educaditas de casa de bien.

La sabiduría y locuacidad de Faustina, empequeñecen a Renata, quien vuelve a llevar el uniforme a rayas azules y blancas y la falda azul de paletones. Con extremada timidez se sienta de nuevo en la última hilera de sillas del anfiteatro universitario para escuchar a la joven cubana Faustina Smith Sánchez, quien acaba de recibir su título de doctora *Honoris causa* en Madrid y anda en gira por el mundo dando un ciclo de conferencias sobre Latinoamérica. Es incendiaria y lo que dice, saturado desde entonces con protestas contra los explotadores desalmados como los terratenientes que abusan de sus peones y los hombres, de las mujeres, prende fuego en el idealismo y las inquietudes de las colegialas. A muy temprana edad, esas conferencias le abrieron las páginas fascinantes del diario de María Bashkirtseff; desde entonces tuvo que reprimir con todas sus fuerzas el impulso de mirarse desnuda en el espejo, como María Bashkirtseff; sin embargo, por recomendaciones de su confesor, ella se desnudaba en la oscuridad por temor a pecar gozándose en la tersura de su cuerpo juvenil.

*   *   *

Mientras me peino, descubro una serpiente venenosa, enorme, que me mira fijamente desde la bañera. Al divisarla, actúo como si estuviese acostumbrada a su presencia, como si fuese parte de mi vida y de la casa, a la manera de Eurídice y de otros cachorrillos que hemos tenido. La tomo de la cabezota del tamaño de la de un bebé recién nacido, le abro la boca a la fuerza, y armada con un cepillo y pasta dentífrica, me empeño en limpiarle los dientes. Al faltarme pasta, porque se la ha tragado toda, reclino su cabeza en mi regazo, y acariciándola con una mano, tomo con la otra el tubo dental. Ella me mira con ternura y gratitud. El despertador anuncia el momento de prepararme a la nueva jornada del lunes. ¡Maldito lunes que no se puede borrar de los calendarios!

IV
ESPACIOS INTERIORES

Durante la Conferencia Nacional de Mujeres que se celebró en Houston en este año hubo confrontamientos de progresistas y de conservadores. Es digno de mencionar que aquellos que pertenecían a la coalición Pro-familia publicaron en el Houston Post *media página; en ella mostraban la foto de una niña con un ramillete de flores y en los titulares se leía: "MAMÁ, CUANDO CREZCA, ¿PUEDO SER LESBIANA?". Las lesbianas consideraron la publicación de muy mal gusto.*

El Monitor Feminista, noviembre de 1977

Eternidad, te busco en cada cosa,
en la piedra quemada por los siglos,
en el árbol que muere y que renace,
en el río que corre
sin volver atrás nunca.

* * *

Eternidad, tus signos me rodean,
mas yo soy transitorio:
un simple pasajero del planeta.

Jorge Carrera Andrade

El día, mullido y tibio, la llamaba a salir, pero Renata tenía un rimero de libros para consultar: trataba de comprender los vericuetos del deconstructivismo, pero a veces Derrida, Culler y DeMans la sumían en espesos ámbitos de alegorías casi inaccesibles para ella que estaba acostumbrada a razonar en forma directa, clara, lineal y verticalmente simple; más bien era suya la intuición. Lo absurdo de la crítica deconstructivista, pensaba Renata, es que mientras exponen en indefinidos párrafos que no van nunca al grano, insisten en cuestionar la concepción logocéntrica de la escritura, tal como ha sido interpretada en el pasado. Ella afirmaría que quizás dicha falta de "logos" de ese tipo de análisis, sea el signo más claro de su indefinición. Más vale que esos señorones muy serios que siempre tienen conclusiones lapidarias, y que se hacen llamar críticos literarios, no conozcan ni por asomo su pensamiento, porque lo considerarían herético, ¡inconcebible para una catedrática! Críticos y escritores: aceite y vinagre, siempre juntos, pero nunca mezclados.

Aquella mañana de sol radiante, la cual se agolpaba contra los cristales de las ventanas, con sus reverberantes reflejos, la inducía al paseo, a echarse soñadora y soñolienta en una perezosa. Sin embargo, había que cumplir con el deber. ¡Ah, si pudiera entrar en la lujuria del jardín sin libros, ni - hay - que - terminar - el - artículo - sobre - la - poesía - femenina - de - vanguardia - presentar - el - abstracto - sobre - monasterios - coloniales - y - el - despotismo - de - aquellos - tiempos - que - condenaban - a - la - mujer - a - encierros - maquinados - por - ese - maldito - honor - de - los - hombres - que - los - obsesionaba - como - paranoicos!

"Todo, absolutamente todo limita; todo enfunda en camisas de fuerza; todo pone esposas y grillos. A nuestro derredor se cierra todo en círculos, nos deja maniatados, nos amordaza, nos paraliza. ¡Y qué ansias de pegar un grito hondo, muy agudo, que haga estallar para siempre tantas amarras! ¡Romperlo todo y vivir con plenitud y autenticidad en las galerías recónditas del ser, quién pudiera, quién pudiera!", había escrito Renata en su diario a raíz de lo que comentó Faustina la última vez que conversaron:

—¿Quién dijo aquello de que "soy más libre que las olas del mar"? Dime, Renata, ¿hay de veras libertad en este mundo? ¿Por qué existe el vocablo si la libertad a la que hace referencia no existe? ¿No te lo has preguntado nunca?

—Faustina, quien dijo eso de ser más libre que las olas del mar, afirmó una falacia. Olvidó que el mar, sus olas, están restringidos como nosotros. Sus limitaciones son las leyes de gravitación, influjos lunares y astrales, ¡qué sé yo qué ! Para mí, Faustina, hay en el mar un algo horriblemente inexorable. Lo observo cuando contemplo la impotencia de las olas que se alzan con rebeldía, enfurecidas, pero llegan a las playas sumisas y arrastrándose en la arena con la humildad de la espuma que se disuelve en un instante. Mi existencia, Faustina, es un mar irisado de olas impotentes ...

—¡Ay, chica, no te pongas así! Eso suena muy poético, pero cae como plomo de negro que lo pones. Arráncate de una vez por todas esas amarras morales que obviamente te torturan y déjate llevar por la vida ... Un amante sería tu salvación, porque lo ridículo de tu caso es que durante estos treinta años has mantenido para tu esposo una fidelidad imperdonable. No se puede vivir sin llenar el huequecito del amor, ni dar una buena mordizqueada a la manzanita del Paraíso. Ya me ves, divorciada de tantos años y sin embargo todos mis días palpitan saturados de emoción y placer erótico. Una amante, sí, *una* amante haría tu felicidad plena ...

—Faustina, ¿dijiste *una* amante? ¿Una relación lesbiana?

—¿Qué hay de malo en eso, puritanita catolicona? ¡No hagas el ridículo escandalizándote así. La moderación conlleva la mediocridad. Los grandes genios han sido homosexuales, comenzando por Platón, pasando por Miguel Angel y siguiendo con Proust y ¡sepa Judas cuántos otros!

Desde que conoció a Faustina, Renata vivía de sorpresa en sorpresa. Al principio, después de mucho llorarle y contarle de su descalabro amoroso y de cómo su amante le fue infiel, al cabo de unas semanas le confesó que la pasión suya de entonces era una mujer, Elisa, profesora de historia y colega en la Universidad de La Habana. Ahora le hablaba de Carla igual que si hablara de un marido o de un amante. Y encima le sugería tener una relación ilícita, como quien recomienda una infusión de tilo para los nervios. Renata no salía del asombro. Faustina siguió con el tema:

—¿Acaso es un secreto mi relación con Carla? ¿Los buitres-come-reputaciones de la U, ¿no se andan dando un festín conmigo por ahí con ese asunto? ¿O te haces la bobita para no ofenderme? Mírame, ya tengo cuero de lagarto y me importa un pito lo que digan los demás. "Andeme yo caliente ... ". Contigo no tengo secretos, Renata, mi adorada Renata, lo sabes bien, muy bien.

Renata permaneció muda, cabizbaja ...

—¿No me hablaste una tarde sobre el cuerpo, Renata, y cómo, para afirmarlo, habías aprendido a negar las enseñanzas de la iglesia? Después me confiesas que llevas una montaña de tiempo sin tener relaciones con Antonio; que no sabes lo que es un orgasmo en el coito. ¡Es una contradicción, carajo y recontracarajo!: quien ama el cuerpo, le da gusto en todo, absolutamente en todo, como yo. Eso sí es amar y lo demás son sólo palabras que se disuelven en el aire. Supongo que al menos te masturbas.

Renata estaba perpleja y avergonzada del giro que había tomado la conversación: no le cabía duda, ella no nació para este siglo de lujuriosos placeres carnales.

* * *

Renata se puso a analizar la manera suya de eludir el razonamiento lógico y de aferrarse a una rara captación (amplia, ubicua, perceptiva) de las realidades del mundo físico y de la mente. No podía explicarse el proceso porque era una especie de niebla ... Más bien un velo que caía sobre la cosa, el pensamiento, lo abstracto, los recogía como una tenue y sutil mano y sin transición, la cosa, el pensamiento, la idea, pasaban completos, sin faltarles ni un ápice, a su entendimiento. Pensó en Dios. Mejor dicho, en cómo la religión, la teología y hasta el pensar filosófico conciben a Dios, y se dijo que así, con ese sentido totalizador, sin transición entre el verbo y la cosa, entre el presente, pasado y futuro que eran uno, así era todo en su mente ... Tuvo escrúpulos, grandes escrúpulos, porque como esa vez, muchas otras se había comparado con Dios:

> ¡Cómo pesa!, ¡cómo pesa hasta el final de la existencia
>   todo lo que nos inculcan desde niños!,
> en especial ese extraño temor a Dios,
> nos llamamos cristianos, hemos roto con el Antiguo
>   Testamento, con el Dios iracundo y vengativo de
>   Moisés,
> de David (David, mi predilecto entre toda la muche-
>   dumbre hebrea que pulula en el pasado bíblico),
> de Job, (del que tanto he querido aprender y nunca he
>   podido),
> pero Dios sigue aquí, en el hondón del ser, haciéndome
>   temblar de miedo,
> ¿miedo a qué?,
> si es Dios, por supuesto, tiene su ojo fijo en nosotros
>   todos,
> simultáneamente,
> ¡qué monstruoso debe ser mirar todo lo presente, pasa-
>   do, futuro, cercano, lejano, inmediato, en un mismo
>   instante-eternidad!,
> su visión ubicua tendrá el poder de penetrar en lo más
>   insondable de las profundidades del alma,

captarnos a cada uno y a todos a la vez, sin confundir
la identidad individual de éste y el otro en una masa
amorfa,
así, hay quien hace el mal, ...
no, no es el mal, ...
peca,
tampoco ... , ¡absurdo hablar de pecado!,
tiene razón Milagros cuando dice que no existe el bien,
ni el mal, ni tampoco la moral, todo se vuelve convencionalismos tramados por la sociedad, algo muy
relativo ...

—Tenés razón, Faustina, ¿cómo evaluar lo bueno y lo malo
según un paradigma divino, si estamos comprimidos bajo el peso
de la costumbre, de las imposiciones sociales, de las modas? Hasta
la ética se pone de moda según y cuando convenga. Hay quien
hace daño, mata, roba, sin ser descubierto. Yo me pregunto si este
delincuente puede vivir tranquilo con el Ojo de Dios incrustado en
las entrañas de su yo y marcado con su fulminante dedo acusador.
—¡Y vuelta con ese Dios iracundo que no te lo puedes quitar
de encima, Renata!
—Ayer, no me dio la gana pagar las fotocopias que salieron mal
pues al fin y al cabo debían cargarse al establecimiento. Tan pronto
como me senté al volante para regresar a casa, experimenté la urgencia de volverme y decirles la verdad: "mire usted, yo les mentí,
hice más copias, pero les pagué menos porque era su deber explicar
cómo manejar estos artefactos. ¿Comprenden? Por cinco copias
que no pagué, ahora me está carcomiendo la culpa, y aquí vengo a
reparar la falta, porque el Ojo de Dios, usted sabe ... Bueno, aquí
tiene el dinero". ¿Qué van a decir?, que tanto escrúpulo por unos
cuantos centavillos, ni dudarlo, ¡está chiflada esta mujer!
—¿De veras te comen así los escrúpulos? Eres una cajita complicada de minuciosos problemas, Renata. Yo no podría vivir con
tantos miramientos.

* * *

¿Qué veo?, Faustina, Sara y hasta la mojigata de Sonia vienen
desnudas para ir a la playa, ¡desnudas! ¿Habráse visto cosa igual
y mayor desvergüenza?
—Tienes que ir también desnuda, como nosotras, Renata.
—No, nos puede detener la policía. Sería un escándalo en esta
sociedad houstoniana donde impera el ultrapuritanismo: una vez,
cuando cambiaba los pañales a Gonzalito en la piscina pública, se

me acercó el salvavidas con la recomendación de que lo hiciera
en el vestidor porque era un espectáculo indecente para los que se
bronceaban al sol, ya que el niño exponía las partes pudendas a la
vista de todo el mundo.

—¡No seas santurrona, Renata, y desnúdate de una vez por
todas.

—No, no son escrúpulos morales los que me lo impiden ... Es
que ... Es que ... La verdad es que me avergüenza que me vean
en toda mi fealdad expuesta a los cuatro vientos con esta asquerosa
blancura mía que tanto contrasta con el bronceado cuerpo de los
otros, de ustedes tres. ¡Qué bellos cuerpos de canela al lado de
mi triste piel como de carne de pescado blandengue! Estas carnes
mías, fofas, que los años han ido macerando, ¿a qué exhibirlas
si son repugnantemente horribles? ¡Un insulto a la juventud de
músculos firmes, macizos, que se exhibe en las playas! ¡Un verdadero insulto!

—¿Así, no es por beatería puritana que no te desnudas, sino por
cuestiones de estética? ¿Se te olvida que muchos, aún vestidos,
con sus barrigas hinchadas y piernas de elefante, son el mayor
insulto a la estética, son la negación rotunda de la estética? Y
tú, Renatita, a pesar de los hijos y los años, ¡tienes un cuerpecito
que hay que ver!—. Siempre Faustina, aún en sueños, con sus
adulaciones para mí. Las otras lo han notado y me hacen broma,
lo cual me incomoda de veras. Ella lo sabe, pero nadie la hace
callar:

—Ya que no lo usas para nada que valga la pena, al menos date
el gustazo de restregárselo en los ojos a los hombres, para que te
deseen con locura; a las mujeres, para que se mueran de celos.

—De veras, Renata, estás rechula. Ven con nosotras a lucirte
en la pachanga de la playa—, agregó Sonia.

El trino de un petirrojo me recordó con la última imagen onírica
de mi rechazo rotundo a desnudarme por cuestiones de estética.
Me incomodó mucho el sueño porque en él había una gran verdad
relacionada con mi horror, quasi fobia, a lo antiestético. Pensé en
Unamuno y su recomendación de imitar a don Quijote hasta en
su osadía de hacer el ridículo ante el mundo entero, otra forma
antiestética para mí ... Para mí, que no me había divorciado de
Antonio aún, por miedo al ridículo, al escándalo —otra forma
antiestética—, al rechazo, al implacable Ojo de Dios, a pasar a las
filas de los disidentes ... ¡La disonancia antiestética total! ... Y
por no ser la nota discordante en el círculo de la familia, amistades
y conocidos, me quedé tras los barrotes de la cárcel que me impuse
a mí misma al decir sí ante el altar ...

Igual en el sueño, no quería que mi desnudez, ya marchita en el declive del medio siglo, fuera la nota inarmónica en una playa tropical de cuerpos juveniles melados por el sol. Por lo tanto me privaba del placer supremo del mar, de la tibieza del golfo, del solaz del momento, que me habrían dejado el cuerpo laxo, descansado, depués de la semana intensa de trabajo.

Ridículo, disonancia, disonancia, ridículo, ¿había diferencia entre una y otra situaciones? Viéndolo bien, ambas son trasgresiones (¡ah, la trasgresión!, palabra predilecta de la crítica feminista). Trasgredir la estética, trasgredir los convencionalismos, trasgredir el sistema, trasgredir los códigos masculinos, uno y lo mismo en el caos de mi sueño ...

* * *

—Antes de entrar a monja, la vida de sor María Marcela transcurre plagada de malos sucesos. Ella atribuye los percances a que, por desoír los llamados del cielo, era castigada por el Señor.

—¿Por qué los seres humanos no pueden gozar de las delicias de este mundo sin el flagelo del pecado/castigo?—, Faustina interrumpió el relato haciendo con la mano un gesto de desagrado.

—Desde muy niña sor María Marcela vivió convencida de que todo ocurría por su culpa: si va la familia de paseo y peligra en el puente porque se ha soltado "la ira de Dios" y los cielos se vienen abajo en agua, la culpan a ella; en otro paseo olvida la llave de una petaca que llevaba las viandas, lo que despierta contra ella la cólera de los suyos. Entonces ella afirma que Nuestro Señor se valió de eso para quitarle el gusto del paseo, como lo hacía siempre que se divertía, pues todo se le "acibaraba"; en lo ocurrido con lo de la petaca, su penitencia fue una fuerte jaqueca.

—Cómo se ve que en aquellos tiempos de Maricastaña ni idea tenían del *stress* y sus consecuencias—, comentó Sara. —*Indeed*, Dios no habría estado tan atareado con castigos por aquí, castigos y penitencias por allá y ahí te mando a esa manada de perversos, Pedro Botero, para que los cocinés a fuego lento en tus calderas ...

—Dios la castigó también, o mejor dicho, sor María Marcela así lo interpretó, cada vez que moría uno de sus seres queridos. Escuchen este pasaje: "Lo primero fue quitarme una hermanita mía que desde que nació, me la endonó mi madre diciéndome era mía, que la criara. Yo la amaba, no sólo por ser mi hermana, sino por ser mía; la cuidaba con extremo; era linda y muy apacible, ya tenía siete meses y un día la vio una criada que decían tenía

malos ojos y fue el caso que no vivió veinticuatro horas. Este golpe
para mí fue tan sensible que no tenía consuelo. Pero Nuestro Señor
siguió con otro sin comparación mayor, y fue llevarse a mi madre al
mes en solos cinco días, de un fiero síncope y fue de maravillar que
todas las personas que la asistieron murieron del contagio, y yo que
desde que cayó, hasta un poco antes de que muriera, no me bajé de
la cama, hasta me dormía en sus almohadas y después que murió,
de propósito me ponía la ropa que le había servido y ni un dolor de
cabeza tuve, siendo lo que más deseaba, morir, porque fue mucho
lo que la sentí. Muerta mi madre moza de solos treinta y seis años,
quedé yo con todo el cargo encima de la casa y familia que era bien
grande. Mi Padre quedó tal que era necesario andarlo consolando y
metiendo por camino. Quedamos ocho hermanos, cuatro varones
y cuatro mujeres, yo mayor que todos, de edad diez y seis años.
Comencé, desde luego, a hacerme cargo de la cuenta que había de
dar de mi persona para ejemplo de mis hermanos y demás familia;
me empecé a portar como convenía. Mi padre, gustosísimo de que
me portaba con tanto ser y juicio. Descuidó de todo dejándolo a
mi disposición: hasta de las cuentas de los sirvientes, y a todo daba
cumplimiento con tal expedición que se admiraban todos. Y como
empezaron las alabanzas, eran las estimaciones con mayor fuerza
que antes y yo a todo hacía. Los novios, que eran más de diez (los
declarados) apuraban a mi padre, el cual, como me amaba tanto y
veía la falta que le haría, no hacía más que dar a todos esperanzas.
Nuestro Señor ya entonces parecía haber tomado por su cuenta mi
defensa: los llamamientos se aumentaban y mi natural me llevaba
a aumentar las vanidades, que esto era en suma todo lo malo mío".

*   *   *

Afanosamente busco y rebusco en una enorme maleta el traje
con el que me podría lucir como destacada conferenciante en el
Congreso Internacional de Escritores que tendría lugar en Cannes.
¡Ah, ya lo tengo, el traje sastre azul marino de Faustina me vendría
de mil maravillas! Lo saco del montón y exclamo:
— Mirá, mirá, Faustina, éste tuyo. Ni que me lo hubieran hecho
especialmente para mí en tan señalado evento. ¿Me lo prestás,
verdad? Decíme que sí, vos que sos como una madrecita buena
para mí, no me vas a negar este caprichito. ¿Me lo prestás?
Faustina me mira con desdén:
— Eres una envidiosa ... Embutida en mi traje, quieres su-
plantarme, convertirte en la extensión de mi propio yo y eso no se
lo permitiré a nadie, y menos a ti ... ¡Me fastidian tus remilgos

morales! Sabes bien que con mi traje va el virus del lesbianismo. Por lo tanto, mejor te buscas otro ...

Abro los ojos para comprobar que apenas es el amanecer y que sólo he dormido un par de horas. La jornada de mañana será dura: clases, reunión del comité de la biblioteca, después, del Concejo de Facultad, mi conferencia de la noche, ¡qué sé yo cuánto más! Y quién sabe si podré conciliar de nuevo el sueño ...

Y cuando menos lo esperaba, distingo a Eurídice, mi gata, sobre la cama matrimonial. Contempla con azoro a sus gatitos: menudos, cegatos, pelones, van saliendo uno después del otro de huevos que la gata empolla. De la confusión, Eurídice pasa a la tristeza y finalmente rompe a llorar con gemidos de bebé, los cuales desgarran el alma por humanos.

—¿Ves, Eurídice? Esto te pasa por haberte ido de lujuriosa por los tejados. Ahora pagás tu pecadillo poniendo huevos, como las gallinas. Tu penitencia: haber perdido tu identidad gatuna. Se te olvidó que Dios lo ve todo, absolutamente todo ...

En ese preciso momento me despiertan los maullidos desgañitados de Eurídice, los cuales proceden del jardín, donde estas últimas noches el celo de Apolo se pavonea rompiendo de vez en vez el silencio nocturno con chillidos histéricos. No tengo otra alternativa que levantarme para rescatar a mi Eurídice del voraz apetito de su pareja ... Es más bien el recuerdo de Antonio y sus noches hinchadas de sexo lo que despierta mi piedad por la gata, pienso mientras bajo a las cuatro del amanecer, medio dormida. Una vez en el jardín, la oigo maullar con desesperación, pero no la veo. Por fin la descubro en la última rama del frondoso roble, a salvo del enardecido Apolo que la acecha abajo, aovillado en su lujuria; de nuevo vienen a mi memoria mis torturadas noches junto a Antonio y entonces, con mi Eurídice ya en los brazos, experimento una corriente de empatía y de femenina identificación.

V
FARSAS

¡Cuán lejos me encuentro de mí mismo!
¡Qué mundo tan extraño me rodea!

* * *

¡Piedad, Señor, piedad para mi pobre pueblo
donde mi pobre gente se morirá de nada!

Luis Palés Matos

Cuando el Presidente chileno González Videla firmó el 8
de enero un decreto que daba el voto a las mujeres, hizo de
su país el décimosegundo en América en el que ellas tendrían
sufragio. Esta ley, dice El Mercurio, *es una "gran victoria"*
para las mujeres, pero a continuación el periódico les advierte
que "el país desea que se le muestre lo qué será de esta era
en su evolución política". [Después de analizar las múltiples y
valiosas contribuciones de la mujer en el desarrollo político y
cultural del país, concluye]: "A las mujeres se les ha permitido
graduarse, ser médicas, dentistas, abogadas, pero en las urnas
electorales han seguido siendo parias. Este absurdo estado de
asuntos no puede continuar más".

Américas, enero–febrero de 1983

Regresar es siempre volver a los orígenes de la Creación y sentirse palpitando al unísono con la tierra original pródiga de dones.

Regresar es ponerse de nuevo en contacto con los elementos terrestres y alcanzar el equilibrio espiritual que por días, meses y años se ha buscado sin descanso.

Regresar es latir con las arterias mismas del universo como la semilla recién plantada en el vientre de la mujer ...

Arrebujada, pequeñita, protegida, cálida, como recién envuelta en la primera frazada que cobijó mi desarraigo del vientre materno, vuelvo al paraíso perdido: vuelvo a ser feliz.

¿Feliz? ¿Feliz feliz? ¿Pero existe la felicidad?

Al menos la pesadez de los años se disuelve, aleve; retorna la esperanza y la emoción de volver a contemplar en los horizontes de mi tierra, lampos de intensos celajes que devoran en repetido rito vespertino el azul transparente del cielo recortado al fondo por la Carpintera.

La exuberancia feraz de este suelo se vuelve dentro de mí exuberancia de vida. Comienzo a comprender por qué en el norte languidecí una eternidad. Compruebo ahora que fue cierto que en el norte me mantuve en una hermética condena sin rejas, pero más dolorosa que todas las prisiones del mundo:

En el norte de mis pesares, aunque otrora anhelado, me creció la soledad como una poderosa liana que me fue estrangulando el goce de vivir.

*   *   *

Al subir al avión y hacer el gesto de despedida a Antonio, quien la miraba desde los ventanales del aeropuerto, tuvo la certeza de que era el adiós decisivo. Diez años llevaban ya de estar separados, pero todo había quedado como un arreglo mutuo entre los dos. Extraño arreglo que nunca se consolidaba en divorcio definitivo.

> ¿Cómo he podido vivir tantos años en esta farsa?, pregunta cotidiana, pero continúo el papel ingrato de esposa con todos los deberes a cuestas
> y sin derecho a nada,
> absolutamente a nada, como si no fuera humana, como si tácitamente hubiéramos pactado que todos los beneficios de la separación fueran para él solo,
> bueno, me parecía conveniente al principio, porque no tenía interés en nada más,
> trabajo, hijos, sacar el doctorado para alcanzar la categoría de profesora asociada, sólo eso,

en cambio para Antonio, incontables prerrogativas, y
conveniente también para sus principios religiosos:
nadie en su familia se había divorciado hasta entonces
y aquello sería el escándalo mayúsculo,
¿qué dirían su familia, los amigos que seguían casados,
los colegas, los empleados que estaban bajo su su-
pervisión, los jefes supremos?,
diez años sirviéndole en la casa de ama de llaves, ad-
ministrándole el presupuesto, preparándole las comidas, cuidando de su ropa, diez años condenada
al papel de anfitriona en las veladas y fiestas que él
daba, y
"sí, ponéte hoy ese traje porque te luce mucho, te ves
muy elegante, no, ese color no va con tu sobriedad,
con esa bata tan sexy no vas a viajar, ésta, ésta de paño
de algodón, así, con ésta sos vos misma",
"pero Antonio, ésa es sólo para salir del baño, ocupa
mucho lugar en la maleta, quiero algo ligero, además,
no sé qué tiene de malo esta bata,
¡y total para quien me vaya a ver!",
"bueno, es que el rosado no te va y además ese escote
no es para vos, lo digo por tu bien",
"sí, ya lo sé, Antonio, lo que vos no querés es que yo
me vea atractiva.
Aquí me tenés hace años, representando un papel difícil,
el más difícil que he representado hasta ahora:
el de la esposa sumisa que cumple con todos y cada
uno de los deberes, hasta el que impone la cama
conyugal,
y no, Antonio, yo no puedo seguir más con esa farsa,
creo que a pesar de mis años, no me veo mal y aún
tengo la posibilidad de … "

—Te has enamorado de otro, o tenés un amante, ¿es la verdad,
eh?
—No, Antonio, nadie me ha hecho aún latir el corazón, sabés
bien que no busco ningún romance, ni me interesa. De haberlo
tenido habría sido en la juventud, no ahora …
—¿No será Alberto, Alberto Casares, quien no te quita los ojos
de encima?
—Antonio, sabés que Alberto es sólo amigo y colega, y que
jamás podría pensar en él de otra manera. Respeto su matrimonio
y quiero mucho a su Laura, por la que él da su vida. Enferma

como está, casi en las últimas, admiro en él su entrega total a ella. Te lo he repetido una y millones de veces, pero no querés entenderlo. Además, si alguien llegara a significar algo en mi vida, vos serías el primero en saberlo. Y decíme, ¿con qué derecho me pedís cuentas, si yo no te las pido a vos nunca y ¡mirá que tus cuentas siempre salen con déficit! Deberías saber ya que vos no me podés reclamar nada, y lo digo, no porque yo tenga gato escondido, sino porque entre vos y yo desde hace mucho, muchísimo, terminaron las obligaciones conyugales. Seguiré, hasta donde pueda, con mis gratuitos servicios a su excelencia, pero ya me estoy cansando, Antonio, me estoy cansando, quiero vivir mi propia vida, sentirme libre y lograr la única meta que me queda, porque ya planté mi árbol, te di tres hijos y escribí más de un libro.

—Lo sé, lo sé. Tu meta es volver a casarte. Me sorprende que no me hayás pedido el divorcio todavía ... Más vale que no me lo pidás, porque yo ...

—Es igual, Antonio, no me hace falta el divorcio, lo que me hace falta es dialogar y que vos escuchés y te metás en la sesera de una vez por todas que no me quiero morir sin haber gozado, aunque sea un día, una semana, un mes, un año, de la compañía de un hombre tierno, afectuoso, que sepa compartir conmigo los goces y pesares de su espíritu, que me tenga por compañera ...

—¡¡¡Amancebarte!!! Eso es lo que buscás, ¡infeliz!, sin pensar en la vergüenza, el bochorno que caería sobre tus pobres hijos ... Y yo ... ¿no has pensado en mí?, ¿qué va a decir la gente?, será un escándalo ...

—¡¡¿¿Escándalo??!! ¿Has dicho escándalo, vos, nada menos que vos, que te has metido con todas las criadas atractivas y calientes que hemos tenido en casa? Vos, que no lo podés ni negar porque hasta Amalia te pilló en grandes con Juanita, y me preguntó inocentemente: "¿Mamá, por qué papá no te besa como besa a Juanita? Sí, los vi en la cocina. ¿Por qué, mamá? ¿Quiere más a Juanita que a vos?"

—¡Estupideces! Ni puedo imaginar de dónde las habrás sacado.

—Amalia te pilló, te lo repito. ¡Y qué no he visto yo! Ni respetaste el hogar de nuestros hijos y temés el escándalo. ¿Cuándo vas a dejar de vivir para el qué dirán y te quitás todas esas máscaras que te protegen ante la opinión pública?, Además, si vos no lo hacés escándalo, no lo será. Lo que no querés es perder todas las garantías de comodidad que represento yo aquí en la casa, donde habitás como un solterón sin más ataduras que el gasto mensual y lo que los hijos puedan requerir, porque ya los tres tienen carrera y trabajan ... Envejezco, Antonio ... Todavía quiero al-

canzar aunque sea una chispita de eso tan caprichoso que llaman
dicha. Creo que tengo derecho ... ¿Serías capaz de negarme ese
derecho después de habértelo dado todo, mi juventud, mi libertad
tan preciada, mi carrera ... Hasta de mi tierra me fui por vos, dejé
a mis amigos, a mi familia, mi idioma, todo, absolutamente todo
...

* * *

Instalada ya en el asiento del avión, su vista se fija en el ventanal, donde apenas se divisan las figuras de los que hacen señas
de despedida a parientes y amigos. Entre esas figuras, además de
Antonio, Renata distingue una anciana con la mano en alto, la cual
agita fervientes adioses, a saber a quién o a quiénes.

> La vejez ... , ¿irá a ser así para mí?,
> ¿qué será de mí a partir de hoy?,
> ¿miedo?,
> ¿miedo a qué?,
> ¿a la vejez?, ¿a la muerte?, no ... ,
> no es miedo a que la carne se marchite,
> ni a que venga la muerte, no ... ,
> es más bien temor de que al entregarme al éxtasis de
>   la música, al descubrir la última rosa de agosto y la
>   primera violeta de otoño, al sentir en el aire el olor
>   a primavera, al contemplar la belleza amarilla que
>   precede al invierno y al perder el aliento ante los
>   picachos coronados de celajes,
> esa intensa y única emoción no la pueda compartir con
>   nadie y se me quede aquí dentro, hecha un nudo de
>   lágrimas sin pañuelo para recogerlas ... ,
> miedo, horror a seguir siendo isla, cuando puedo ser
>   península con asoleadas calas azules ...

Pensando en la rara relación entre ella y Antonio, y como ejercicio saludable, se puso a escribir una parábola catártica que tituló,
riéndose de la ocurrencia, "Mi alteránimus". Se la leería a sus
amigas a su regreso a Houston. Les haría gracia.

Cerró los ojos y se puso a recordar: la noche anterior, mientras
preparaba la maleta, Antonio le había rogado que no hiciera el
viaje. Después de todo, él la quería, y ella a él; no podía negarlo.
Muchos años juntos hilaron una mutua dependencia; pero era sólo
eso, un afecto nacido de recuerdos y dependencias, del servíme la
comida, del no me has dado el dinero de los gastos del mes, del

acompañáme a la recepción que da mi jefe. Al salir rumbo al aeropuerto, él la reconvino, porque "te exponés a perderlo todo (¿qué más puedo perder ya, si hace mucho lo perdí todo?). Leo en tus ojos la intención de no volver más ... Considerálo bien, muy bien y no hagás locuras, que ya no estás en edad para hacerlas ... (Nunca, ni de joven tuve para Antonio edad para hacer nada más que ser una mujer decente que honrara *su* casa, *su* nombre, *su* familia, *sus* hijos ... toda la pasión que traje al matrimonio, la estrujó en un montoncito como un trapo viejo, desechable y me la arrinconó para siempre en el último recodo del alma ... pero no murió nunca porque hay días que la siento rebullir y entonces me parece que la primavera vuelve a entrar por las galerías de mi ser ...) Pronto comenzarán las clases en la universidad y si no regresás a tiempo, Renata, te expondrás a perder el puesto. La verdad, no veo la necesidad de este viaje ... "

—¿Y quién te dice que no regresaré a tiempo para reiniciar una vez más mis tareas docentes?

Cuando lo hubo dicho, Renata experimentó un malestar infinito: reiniciar una vez más ... Reiniciar ... Año tras año, durante veinticinco años, había vuelto a comenzar. Cada semestre lo mismo, como un ceremonial que debía efectuarse sin remisión para salvar la continuidad del ser, de los ciclos de la vida que habían de sucederse también sin remisión, hasta el último día, el de la muerte.

Los años que llevaba a cuestas le estaban pesando mucho y ahora este reiniciar una vez más las clases; repetirse la misma asamblea general del claustro de profesores; ver las mismas caras —muy pocas nuevas. Volver a saludar con los mismos gestos, las mismas fórmulas sobadas, "¿cómo te fue?", "¡pero qué bien te hizo el descanso del verano!" "¿Adónde fuiste estas vacaciones, Milagros?" "¿Qué cursos darás este semestre, Sara?" "¿Qué día me asignaron a mí para aconsejar a los estudiantes que se especializan en español?" "Estoy muy deprimida porque *Hispania* me rechazó el artículo sobre la Pardo Bazán, ¡y tanto que necesitaba este año esa publicación para obtener el *tenure*!, ahora tendré que buscarle acomodo en otra revista porque ya sabés, Renata, *publish or perish* es nuestra condena, ¡qué vida más perra la del profesor universitario en los Estados Unidos!, cualquiera diría que nos están pagando una millonada de *dollars* y mirá, que si no fuera por el sueldo de mi marido, yo sola no podría sobrevivir decentemente con mi suelducho", "¿y vos, Renata, qué estás escribiendo ahora, se puede saber?, porque sos una máquina de libros ... " ¡Siempre Milagros con sus pullitas satíricas, no cambia de lo mucho que se la come la envidia! ¡Pobre!

Después, las mismas frases sobadas de bienvenida del rector, las mismas palabras del vicerrector, de decanos, de cada uno de los que toma posesión del escenario (¿complejo de candilejas?), para dirigirse a nosotros. Cuando ya ha pasado la semana de matrícula, el día indeseable de la primera clase se levanta perezoso, desabrido, indeciso, casi con intenciones de volverse al cálido vientre de las cobijas, aovillarse en su tibieza protectora y quedarse ahí sin escuchar despertadores que hacen respingar la paz del cuarto, ni pensar en deberes, ni en trabajos, ni medir el tiempo, llego tarde, no puedo desayunar hoy con vos, Antonio, las noticias de la tele anuncian que las carreteras y autopistas están embotelladas, llueve, y mirá la hora, hasta la noche, llamáme a mi despacho, ya sabés mi horario de siempre ... Ese primer día, al salir de las cobijas, crujen y duelen los huesos del cuerpo y hasta los del alma, éstos tal vez más. Volver a la rutina, ¡qué fastidio!: lunes, miércoles y viernes, clases ... martes, jueves y sábado, prepararlas, y también los domingos, si la pereza no amarra la voluntad a la desidia. Y cuando más se desea ir al concierto o al cine, corregir ensayos, exámenes, tests, contestar la correspondencia que se acumula sobre el escritorio ... Renata sabe que la carta de Juan Ignacio Ibarra no debe esperar más: la impaciencia de la juventud que desea verse pronto en letra de molde, su penosa situación de poeta sin posibilidades de publicar en su propio país, lo llevan a escribirle cada semana y a suplicarle que le mande "aunque sea una palabra para sentir el contacto con otros intelectuales de América y saberme vivo en este panteón intelectual que es Chile, donde hace mucho estrangularon la esperanza, degollaron los derechos humanos, y fusilaron la libertad. A nosotros, los escritores chilenos, sólo nos queda tragarnos las palabras que afloran a nuestro ser abiertas en imágenes, y hacer una difícil digestión de silencio. Las páginas de la revista literaria de su universidad, *Icaro*, podrían ser la única tabla de salvación para mis poemas, y por ende, para mi trágica condición de poeta amordazado por un régimen que hace tiempo desechó la cultura y la poesía, no para llenar las necesidades básicas de los ciudadanos, sino para l evantar todo un lujoso aparato ideológico estatal sostenido por fusiles, tras el cual se atrincheran ellos. Con esto acallan a los incautos que no sospechan la interminable urdimbre de la demagogia que se esconde en esta gran promesa. Hace tiempo, amiga Renata, vivo hundido en este infierno al que bajé sin la esperanza siquiera de una Eurídice que haga el milagro de la luz en mis días. Así de triste es nuestra juventud en Chile. Si no cantáramos versos que son desgarrones

del ser, cada uno de nosotros, poetas chilenos, sería un don nadie
disuelto en una multitud que sólo quiere sobrevivir llenando las
más primarias necesidades. Bajo esta represión, hasta nuestro poeta Nicanor Parra declaró: "He tenido que aprender a hablar de
nuevo. Es difícil para una viejo como yo que estaba acostumbrado
a gritar, aprender a callar y a escuchar". Yo me resisto, me opongo
a seguir viviendo de esa manera. Quiero levantarme por encima de
lo biológico, de lo físico, para remontarme a otros mundos donde
se halla nuestra suprema nutrición de poetas. ¿Comprende ahora,
amiga Renata, el por qué de mi hambre por recibir sus cartas?,
¿por tener pronto en mis manos el próximo ejemplar de *Icaro*?,
¿por ver en letra de molde configurado mi yo poético —el único
yo que quiero salvar de esta existencia aplastada ignominiosamente
por la tiranía de Pinochet y sus secuaces".

Son cartas que salen clandestinamente de Chile y llegan desde
Miami, donde las echa al buzón una mano anónima que ya se
ha incorporado a la realidad de Renata. Esta se cuida mucho de
contestarlas sin hacer referencia a los dolorosos párrafos del joven
poeta cancelado por el despotismo. Ella sólo le habla de poesía. De
su trabajo en la universidad. De la revista: del exceso de trabajo
que representa, para acabar frustrada, con el reclamo de éste; la
protesta del otro; la grosería del que no comprende que una revista
no la hacen los editores, sino la calidad misma de los textos que
se publican; hay quienes no han llegado a comprender que ella se
metió en tal empresa, sólo por el deseo de darles una mano para
salir de los fronteras estrujadas de su geografía; pero ellos, con esa
nefasta actitud de rebaño sin metas, siguen empeñados en que no
importa, que esa limitación les basta para sentirse realizados. Le
habla también del libro más reciente de García Márquez, *El amor
en los tiempos del cólera*, para Renata la más excepcional de sus
novelas, la que logra captar con certeros trazos mágicorrealistas, y
sin perder de vista la humanidad de los personajes, los diferentes
aristas del amor: desde el inevitable amor romántico de la adolescencia, pasando por el amor desdeñado, el pervertido, el del viejo
verde con la púber, el de la monotonía del matrimonio que sigue
por inercia, el de las dependencias emotivas, hasta abarcar, al final,
el amor en la vejez, cuando todo ya parecía estar casi en manos
de la muerte, de los finales claudicantes, de los adioses definitivos;
en fin, ese milagro de todos los días que es el amor y que muchos
consideran tema pasado de moda para espíritus decadentes, bur-
gueses, intrascendentes ... ¿pero cómo se atreven a ignorar que
el amor fue, es y será de siempre, para siempre y por siempre?
Un neófito poeta peruano, amigo de Renata, le pidió a Octavio

Paz que le sugiriera un tema para su poesía, un tema intenso, universal, que fuera perpetuamente el mismo y perpetuamente otro nuevo. "El amor", fue la simple respuesta del mexicano, "el amor es el único y verdadero tema de la poesía. Sin el amor, ¿qué sería de nosotros, qué?" *¡porca miseria!* Renata le habla también de la primavera que ya revienta en capullos perfumados y recuerda con añoranza los aromos que pintaban de amarillo los jardines de Chile. Le comenta del invierno benigno y los ocasos encendidos en las planicies de Texas. Sólo así, con esta farsa escritural, Juan Ignacio Ibarra recibe sus cartas, pedacitos de sol de un trópico irradiado por el Golfo de México hacia un Temuco nublado y lacrimoso donde languidecen las metáforas que ya no pueden salir al mundo para ser laureadas con otro Premio Nobel.

El rimero de cartas por contestar es para Renata un testimonio de cómo viven y mueren, reaccionan y se doblegan ante el poder poetas e intelectuales del mundo hispánico. Por lo mismo se siente compelida a contestar y sobre todo a dar aliento a los desfallecidos cuyos textos son una promesa sin esperanzas de realización.

* * *

—No me lo vas a creer, Alberto —le comentó Renata al colega amigo cuando instalaron sendas bandejas con el lunch y se sentaron a una de las mesas del comedor universitario—. ¿Sabés que Sofía Hernández (sí, la chilena amiga desde los años de juventud), me escribe desde Concepción contándome que todo cuanto se dice por acá de Chile, son rumores falsos, patrañas para desestabilizar el gobierno, porque nunca han estado mejor. Según ella, desde que se derrocó el régimen de Allende, se reinstauró el orden y hasta se puede ahora volver a poner la mesa y servir carne y papas como Dios manda. ¿Decíme, Alberto, quién crees que dice la verdad, Juan Ignacio Ibarra (hace algún tiempo te leí su carta), o Sofía Hernández?

—Mirá, Renata, metéte en la cabeza que todos los extremos son malos, muy malos y ambos regímenes chilenos tocaron las fronteras donde el hombre razonable dice sanseacabó. Además, Laura dice, y con razón, que hay quien mide los beneficios de un gobierno porque cada día puede engullir un bocado de pan más grande o puede lucir un despampanante Mercedes, Cadillac, o Ford, en medio de la Alameda; y hay quien sólo piensa, como ese pobre Juan Ignacio que me parece sincero, en la nutrición del espíritu. Somos pueblos que andamos a tientas buscando un balance y con tanto sondeo, cuando consideramos proclamadas ya las libertades democráticas, nos vemos inadvertidamente jodidos bajo las zarpas implacables de la Unión Soviética, como les pasó a los idealistas nicas, o de las manipulaciones imperialistas yanquis. Mirá que es imperdonable que obtenidas las libertades de nuestros pueblos en el siglo XIX, no sabiendo qué hacer con ellas, México le ofrece nada menos que al tiranísimo Fernando VII el reinado de sus tierras. ¡Inconcebible!

*   *   *

Mientras el avión despega, Renata piensa que al llegar a su país de las montañas azules tratará de ponerse en contacto con Haydée, la poeta cubana que fue perseguida y torturada por el castrismo, cada vez que en Miami se publicaba alguno de sus poemas, sólo porque los trazos de su pluma cometían el crimen de dibujar en el papel gavillas de amor, paz y libertad, las cuales representaban una amenaza para el régimen.

—En estos días escuché en la radio unas declaraciones del compatriota mío, Arrufat, las cuales me sacaron de quicio—, tiempo atrás, le había comentado Faustina a Renata—. Afirmaba Arrufat que todo cambio social trae consigo un cambio de la visión de la intimidad. Esta se dilata, se hace para los demás. No es lo mismo hablar de intimidad para un argentino que para un cubano. El nuestro es intimismo colectivo. Yo mismo he escrito poemas íntimos, pero con visos éticos, con enseñanzas para los otros, decía. Tengo entendido que los castristas afirman que la dictadura está más que justificada en la isla, pues no sólo hay que combatir y desarraigar el libertinaje del capitalismo, sino también defender los principios de la Revolución cubana. Todo esto me hace rechinar de rabia, Renata.

Por esto mismo los poemas de Haydée eran declarados ofensas imperdonables contra la Revolución: porque hay que cantarle sólo a la Revolución y acusarle al occidente burgués todas sus atrocidades y depravaciones; hay que ser espías del prójimo y mantener llenos de ideología leninista todos los rincones del cuerpo y del alma para que no crezcan las rosas del amor ni de la libertad, porque eso transpira vahos fétidos de individualismo.

Renata no comprende cómo se puede reprimir y extirpar todo lo que constituye la esencia del ser y lo hace único. Tampoco se explica cómo los seres humanos, hechos para la libertad, (a tal punto, que hasta la misma teología, la cual restringe y aprieta hasta ahorcar, tiene abierta una puerta, la del libre albedrío) se someten como mansos corderos hasta quedar enajenados.

Renata tuvo en sus manos los textos de Haydée —buenos o malos, no importaba—, verdaderos desgarrones del alma, intestinos sangrantes del espíritu entre los que palpitaba aquella poderosa alegoría de los gatos que se habían adueñado de su habitación, de su sala, de su casa y se orinaban en el suelo, en los muebles, en las ropas, en las alfombras, en los libros, en sus manuscritos; ya no había papel donde escribir porque estaba entrapado de orines de gato; ya no se podía comer nada, porque todo tenía sabor a aguas gatunas, y más la sopa. ¿Era así como versaba el texto, o es que Renata lo había distorsionado en su interioridad subjetiva, como el testigo distorsiona sin intención la realidad que testifica? Desde entonces sintió náuseas ante los aspavientos retóricos de poetas que se arriman a la mejor sombra que les caiga encima, sin convicción, sólo para beneficiarse, para publicar, para ser traducidos a las lenguas del Kremlin y llegar un día a la candidatura del Nobel ... García Márquez critica a Rusia, pero es amigo íntimo de Castro y esto cuenta en los círculos en los que la ideología impera.

Renata se siente frustrada: por naturaleza tiende hacia el centro armónico, hacia el mandala donde estaría la integración total de alma/cuerpo, fe/razón/ vida/religión, arte/ideología ...

*   *   *

¿Fue pesadilla, o una abominable realidad? ¿Se lo contaron, o lo vivió? Renata lleva la dantesca imagen de un campo de concentración en Fort Schaffy, donde el bochorno del verano sureño cae sin misericordia sobre los refugiados cubanos que pasean como sonámbulos la angustia de no encontrar quién acoja su desamparo.

—A cada familia nos han asignado un rinconcito para estarnos, mientras esperamos que nos reclamen los parientes, amigos, o conocidos, señora.

—Dígole que estas toallas y estos cuatro trapillos que llevamos, es todo lo que tenemos, lo que pudimos sacar de allá.

—Andamos con todo a cuestas porque si lo dejamos en las barracas, los otros se lo roban. Hay muchos ladrones aquí, entre nosotros.

—Mentira que sólo somos delincuentes los que vinimos.

—Sólo algunos sinvergüenzas, criminales, reos, ladrones, ¡qué sé yo!, se colaron, pero son los menos.

La idea de ofrecerse de voluntarias en Fort Schaffy la concibió Faustina cuando dijo que iba para allá a buscar un sobrino del que sólo sabía que se había venido a este país en el Mariel. Una vez allá, hacía pesquisas acerca del sobrino recorriendo barraca por barraca, con una foto del muchacho, porque el nombre no aparecía en las listas computadas de las diferentes agencias. "No lo conocemos", "no está aquí, entre nosotros", "nadie lo ha visto", era la desalentadora respuesta ante la foto. Al tercer día, Faustina iba perdiendo las esperanzas, pero siguió la búsqueda porque le había prometido a su hermana que el muchacho se iría con ella. En la noche, cuando se reunían en el cuarto del hotel, los temores de que el muchacho se hubiera ahogado en el camino, eran el tema y la preocupación suyos.

Entretanto, Renata se cuidaba de los expedientes y la búsqueda de familias que quisieran hacerse cargo de los refugiados. Fue cuando comenzó la pesadilla: el enfermero cubano, Samuel Regalado, —uno de los pocos que tenía estudios porque los otros eran humildes obreros iletrados— trabajaba siempre en silencio al lado de Renata. Sin embargo, un día, sin decir nada, ante el asombro de ella, se quitó los zapatos y los calcetines y puso ambos pies sobre el escritorio, con las plantas muy a la vista: las plantas de Cristo hechas una pura llaga sangrante.

—¿Ehhh?

—Mi castigo por haber desertado de la Revolución Cubana. La noche antes de salir para acá, a partir de la medianoche, a los desertores ("traidores a la Revolución" nos llamaron y no recuerdo qué más) nos sacaron de la cama y nos obligaron a caminar descalzos por calles pavimentadas o empedradas que ardían al sol de La Habana. Por días no pude poner los pies en el suelo y todavía me resulta doloroso, como ve, llevar zapatos. A las mujeres se les humilló más aún, paseándolas por toda la ciudad con cartelones que decían: "soy una puta al servicio del capitalismo gringo". Tuve suerte, no me puedo quejar. porque a otros los metieron en las piscinas sin uso desde el 59, pertenecientes a casas particulares. Metían a tantos y tan apretadamente, que no podían ni dar un paso; ni siquiera mover las manos. Y como si esta apretazón y el sol achicharrante del día fuera poco, les echaron encima perros bravos o los golpeaban al azar con bates de béisbol.

—Tal el infierno según Quevedo y otros satiristas de antaño. ¡Y yo, que pensaba que semejantes infiernos eran pura fantasía!

—¡Qué va!, el infierno descrito en papel es pequeño comparado con el que se vive en mi tierra! La realidad es más cruel que la fantasía, Renata, créamelo. Allá, en la Isla, los padres son espías de los hijos y viceversa; hermanos, amigos, parientes, se acusan unos a otros. Es el regreso del régimen inquisitorial; del espionaje de Rosas en la Argentina, y de todos los déspotas maquiavélicos para quienes no importan los medios con tal de conseguir los fines que se proponen. La hija de mi hermano, una muchachita de quince años, ha perdido todos los méritos que concede la Junta Revolucionaria porque por mandato de sus padres, se negó a salir a golpear con bates a los condenados a las piscinas. Perdidos los méritos, ya no podrá hacer la carrera de medicina con la que soñaba y por lo mismo odia a sus padres que le prohibieron salir aquella noche a golpearnos a nosotros, "los gusanos".

—¿Los principios morales, dónde quedan si para hacer estudios hay que atacar al prójimo?

—No hay principios de ninguna clase, sólo hay puntos que se ganan por méritos. Con los puntos acumulados se obtienen máquinas, neveras, lavadoras, todas las comodidades de la sociedad capitalista.

—Algunos me han contado de las restricciones alimentarias, ¿es cierto? Lo raro es que aquí, sólo porque hay abundancia, ustedes, los recién llegados, se sirven más de lo que comen, ¿de modo que en poco tiempo de vivir en este país ya han adquirido el gran defecto gringo del derroche?

—Yo me pregunto si habrán perdido más bien la capacidad de comer de tanto vivir del aire.

A la observación de Renata de que los rusos les prestan ayuda y por lo mismo el hambre no se justifica, comenta Samuel:

—Cierto, los rusos nos proveen, pero sobre todo de armas y entrenadores. A cambio, nos quitan hasta la sangre. Sí, como lo oye, nos quitan la sangre: me refiero específicamente a cuando se efectuó el intercambio de prisioneros norteamericanos, los de Bahía de Cochinos, ¿recuerda? Los gringos llevaron a cambio la sangre y medicamentos requeridos con urgencia para los hospitales nuestros. Sin embargo, al anclar los barcos, ni la sangre ni los medicamentos tocaron tierra cubana, pues pasaron directamente a los barcos soviéticos que los esperaban para transportarlos a Rusia.

—¡Y yo, que me quejo de mis pequeños infiernos! ¡Qué egoístas somos! ¡Y cuánta sangre derramada en aras de un ideal que se volvió pesadilla! Además, Samuel, un noventa y ocho por ciento de estos refugiados, son proletarios.

—La señal de que el régimen castrista va pronto a sucumbir, la está dando el proletariado. Por él y en nombre de sus derechos se derramó sangre y ahora, perseguido y sin prerrogativa alguna, es el proletariado el que sale huyendo de su propio país, como nosotros, para ir en busca de las libertades y bienestar que al fin y al cabo nunca se nos otorgaron.

—Total, otra farsa más en nuestro desgarrado continente ...

*   *   *

Entro a la biblioteca. Filas y filas de estantes que parecen no terminar nunca, se pierden en la bruma del horizonte y hacia arriba se difuminan en una interminable altura. Es un mundo de libros que me agobia. Camino entre ellos muy acongojada hasta que por fin encuentro mi estudio; penetro lentamente y me siento ante el escritorio a borronear un cuento que acabo de concebir completo en mi mente; es un cuento ingenioso que me llena de satisfacción aún antes de apuntarlo en el papel. Interrumpo la escritura para buscar un libro. Al abrir el escaparate donde guardo mis tesoros literarios, encuentro un enorme gato hecho un ovillo. Pega un salto espeluznante y desaparece en la bruma de la biblioteca, dejándome los libros con salpicaduras de orines y excrementos ...

¡Las historias de Haydée y los malditos gatos que salieron de su isla persiguiéndola, ahora me asedian a mí en los sueños! Y lo peor es que con el susto del gato, olvidé mi cuento y por mucho que pienso y repienso en él no recuerdo ni siquiera de qué trataba. Si hubiera una computadora de sueños, quizás yo podría rescatar los primeros trazos de esa historia y con ellos salvarlo del olvido ... Algún día inventarán ese artefacto como se inventó el submarino, el avión, la televisión, me puse a divagar en la duermevela.

Mientras espero que llegue la aeromoza a servirme un *bloody Mary*, miro por la ventanilla de la nave el infinito empedrado de nubes apretujadas, blancas, tendidas como una plancha divisoria de espuma compacta entre el arriba y el abajo; entre sumirme en los recuerdos sin precipitaciones, con todo el tiempo del vuelo a mi disposición, y quedar aplastada por las congojas y agonías de allá abajo, en la tierra, sin tiempo para dilapidar, atosigada por los deberes domésticos, académicos, las demandas de mi carrera de escritora y las de los hijos.

VI
ANSIA PERPETUA
DE ALGO MEJOR

Este es el momento histórico en que la mujer politizada entra en el ring a defender sus derechos. Ahora se las ve clamando por la igualdad de trabajos y sueldos; pidiendo guarderías para sus hijos; reclamando exención de impuestos para las madres que trabajan y para las que son el único sostén de la familia; protestando contra la falta de leyes má s humanas que sean aplicables al aborto; demandando contraceptivos más eficientes que la píldora. A raíz de estas exigencias, las universidades, que todavía son sanctasanctórum de los hombres, tendrán pronto que admitir a las mujeres sin las restricciones que hoy imponen. Esta medida irá tanto para las profesoras como para las alumnas.

El Monitor Feminista, enero de 1971

Nadie.
Iba yo sola.
Nadie.
Pintando las auroras con mi único color de
*   soledad.*
Nadie.

Repitiéndome en todas las desesperaciones.
Callándome por dentro el grito de buscarte.
Sumándome ideales en cada verdad rota.
Hiriendo las espigas con mi duelo de alzarte.

¡Oh desaparecido!
¡Cómo injerté mi alma en lo azul para hallarte!

Julia de Burgos

—¿Y si tenés todos esos problemas con Antonio, por qué no te divorciás?—, le preguntó Milagros a Renata, una tarde que la encontró llorando.

"¿El divorcio?, ¿cómo, si me tiene sentenciada?, ¡tantas, tantísimas veces me ha dicho que si lo abandono, la voy a pagar cara!, ¿y los hijos?, ¿van a pagársela también ellos, los pobres?, con el material de mis palabras yo les he construido una imagen inexistente de Antonio, hombre ideal, íntegro, marido y padre lleno de obligaciones profesionales y que por lo mismo no puede ocuparnos más tiempo, ¡el pobre!, ahora que han hecho reajustes presupuestales, tiene que buscar otros medios económicos para que el instituto suyo no se declare en bancarrota, si en realidad he vivido nutriéndolos con el mito de su padre, ¿cómo van a creerme cuando les diga que ese hombre, que pedazo a pedazo construí a la medida de sus necesidades, no es precisamente lo que diseñaron mis mentiras salvadoras de su imagen y que por eso me divorcio?, el mito que edifiqué, de palabra en palabra —como se construye una casa, de ladrillo en ladrillo—, ahora me aplasta y se hace más realidad que la realidad de mis huesos, tendones, músculos, órganos, anularles el mito a Amalia, Gabriela y Chalo, sería una forma de suicidio ..."

—¡Cretina!, divorciáte de una vez por todas, Renata—, insiste Milagros. Perdés tu juventud y tu vida en esa continua frustración. Miráte en mi propio espejo: desde que dejé a Jacinto y soy una mujer libre, ¿no has notado lo feliz que soy? Desde entonces la vida se me ha vuelto un interminable *party*, como suele decir nuestra exquisita Sara en su más exquisito lenguaje anglinizado hasta los topes.

Renata nunca ha podido saber si de veras Milagros ha sido feliz alguna vez; se vive haciendo teatro con las que llama sus tragedias, las cuales desproporciona y las acomoda a la medida de lo que a ella le conviene para sacar partido de los demás. En resumen, si hay en el mundo una manipuladora hábil, ésa es Milagros. Todo esto lo piensa, pero no vale la pena decírselo, pues Milagros cree que son los otros los abusivos que se aprovechan de ella. Impresionar a los demás, su arte mayor, y ¡cuánto los impresiona!

—Lo bueno es que vivimos aquí, Renata, en los Estados Unidos, donde se puede obtener el divorcio. Vos sabés que en Argentina y otros países es un verdadero estigma para la mujer. Aprovechá y no perdás más el tiempo. Buscáte de una manera u otra la felicidad.

—Llevás ya tres matrimonios a cuestas y yo me pregunto si con alguno has encontrado la felicidad—, comenta Renata. —La felicidad no existe, hay que aceptarlo de una vez por todas. El divorcio representaría una tragedia para mis hijos. Estoy segura de que me remordería la conciencia hacerlos sufrir a ellos, sólo por tener yo una mirrusquita de tranquilidad.

Entre los argumentos que Renata aduce para justificar su matrimonio está el de la soledad de la que la misma Milagros se quejó durante los primeros meses de cada uno de sus dos divorcios anteriores. Para andar más sola que perro sin amo, ¿vale la pena dejar a los hijos sin padre? A todo esto, siempre con zalamería y haciendo sus acostumbrados mohines de niña mimada a pesar de los cuarenta y cinco años que dice tener, Milagros replica:

—¡Estupideces de mentalidades burguesas! De cuando en cuando hay que *éppaté le bourgeois* para que la vida se vuelva más interesante. Un poquitín de escándalo no te vendría mal, Renata. No sabés lo realizada que me siento ahora que he logrado romper con todos los convencionalismos del pasado. Eso es lo que tenés que hacer, Renata ... Hacéte de un amante que llene tu vida con todo lo que Antonio no te ha dado. Pero divorciáte ... ¡Di-vor-ciá-te!, y dejá de hundirte en esa miseria de mujer poblada de anticuadas fidelidades conyugales, todo porque seguís presa de estúpidas tradiciones culturales. Por lo menos en nuestro país el divorcio no es, vamos, esa mole aplastante de otros países.

Milagros, gastándose la más profunda y sentida voz cargada de empatía hacia nuestras miserias, siempre, indefectiblemente, nos recomienda la prodigiosa medicina del divorcio, Sara comenta que no la deja ni a sol ni a sombra con el divorcio para arriba y el divorcio para abajo, una vez que Andrés comenzó con majaderías y hasta hubo rumores de algo, "y es que ya no te quiere", le dice Milagros, y que el matrimonio es un fastidio fabricado por la imbecilidad burguesa y la conveniencia judeo-cristiana, mucho machacar contra todo eso, sin embargo, hoy se pasa metida en la iglesia, leyendo las epístolas en cada misa y cantando a todo galillo en el coro de los domingos, a la sombra de los clérigos más influyentes que le abren campo en la vida y en la carrera, ¿qué les dirá de sus *affairs* amorosos y cómo justificará los tres matrimonios para tenerlos tan engatuzados?, lo que ahora la favorece es lo que hoy practica, aunque haya renegado antes, "¿yoooo?, ¿que yo he renegado de la iglesia católica, apostólica y romana?, me estarás confundiendo con otra, ¡qué equivocada estás!", comenta haciendo la señal de la cruz y sigue de ratón de sacristía para sacar sus buenas tajadas al arrimo del vicario ... Dios me perdone por tenerla en tan mala opinión, pero ya son muchos años, toda la vida, de recibir golpes y traiciones, además, después de lo que le hizo a Alberto,

¡es imperdonable!

—¡Oh, no!, divorciarme no, Milagros. Todavía me queda mucho por gozar, y sin Andrés, ¡ni pensarlo!—, explica Sara a las amigas cada vez que Milagros la asedia con lo del divorcio. —Mi único deseo es llegar con él hasta el final de mi vida. Milagros me tiene fastidiada llamándome por *telephone* o viniendo a verme para inculcarme la idea del divorcio. ¿Y a ella qué le va y qué le viene con que nos divorciemos Andrés y yo, decíme, Renata? Es harina de mi costal. Además, ya me huele a chamusquina su interés por mi divorcio. ¿Qué pensás vos, Renata? Me sospecho que Milagros anda detrás de Andrés. ¿No?

—Mhhhmmm ...

Renata no quiere hacer comentarios, aunque Sara tiene razón: Milagros nunca ha ocultado sus ambiciosos planes de pescarse un buen profesional, y ojalá médico, porque

—¡qué *glamorous* sería para ella pasarla al lado de "esos ricachones que hacen tanta guita a costa de las enfermedades", así repetía Milagros cuando anduvo de amante (novia se hacía llamar ella aunque todas sabíamos de sobras cómo andaba la procesión) de aquel Dr. Alfred Johnson. Sí, chicas, aquel que la dejó por otra cuando más segura estaba Milagros de que lo llevaba de las narices derechito al altar.

—¡La pobre!, el fracaso en persona con sus dos maridillos que no pasaron de ser mediocres empleados, uno, Eleuterio, de almacén, y Jacinto, el último, un simple cajero de banco.

—Ahora está manteniendo y pagándole los estudios a un *student* de siquiatría muchos años menor que ella, el tercero de la cuenta ... Se llama Sam Pérez, ¿no? ¡La que se le vendrá cuando él tenga su *degree* y comience a ejercer la carrera, verás, (no me llamo Sara si no es así), *you will see*, verán que tomará las de Villadiego y si te vi, no me acuerdo, porque ¿qué hombre que no sea un cretino o un vividor se casa con una mujer medio fané, que ha pasado por la cama de cuanto pantalonudo se cruza en su vida? Esto fue lo que le hizo el marido a mi manicurista después de que ella se dobló *working* por él mientras estaba en la facultad de farmacia. *Of course*, a ella le atrae Andrés porque es un cirujano de los más reconocidos en Texas, rico, no mal parecido, simpaticote, tierno ... ¿Qué más podría desear una *good for nothing* como ella? ¡Suerte que Andrés me ha sido siempre fiel!

—Sos muy dura con Milagros. Ha tenido mala suerte, eso es todo ... —, la defendió la siempre generosa Sonia.

—Entonces, que se deje de jo ... robar con lo de que me divorcie. Ya me tiene frita.

"¡Pobre Sara!, lo sospecha, pero no lo sabe como yo, ¿saco algo con confirmárselo?, la primera vez, ¡vaya sorpresita!, Milagros y Andrés paseaban por la ribera del río en San Antonio, mientras Sara se había ido yo qué sé adónde a cuidar de su madre que estaba muy enferma, se percibía entre Milagros y Andrés la extraña viscosidad de los que se han desbordado en la lujuria, 'Renata, linda, no pensés mal de mí, me encontré por casualidad con Milagros ... , así como nos encontramos hoy contigo ... , vine aquí a un negocio y como llevo ya dos meses solo desde que Sarita se fue, no creí que fuera pecado charlar un rato y pasear con una amiga de mi mujer', me explicó Andrés por teléfono, como si yo hubiera nacido ayer, 'Milagros vino porque tenía que montar un *show* de modas en el Holiday Inn, vos sabés, su *hobbie* es ése, es bueno encontrarse con alguien que conoce la ciudad como la palma de la mano: Milagros ha vivido muchos años aquí y me ha enseñado rincones que yo ni sospechaba', de seguro los rincones de su intimidad, pues no sé de nadie que necesite de Lazarillo en una ciudad tan pequeña y que se recorre de extremo a extremo en un santiamén, 'no se te vayan a meter ideas necias en la cabeza, Renata, Milagros y yo somos sólo amigos, quiere de veras a Sara y me habla todo el tiempo de ella ... , ¡estoy tan solo!, ¡me hace tanta falta Sara!, ¡por favor, no pensés nada malo de Milagros, su reputación, ¿sabés?, mi matrimonio podría ser afectado, la familia ... , ¿puedo contar con tu prudencia?' "

—Sonia, entre nosotras dos y que no lo sepa nunca Sara, no cabía duda: el farfulleo de Andrés delataba al culpable. Me dijo una montaña de cosas y yo, alelada, sin poderlo escuchar más, tenía el estómago revuelto y una necesidad incontenible de vomitar. Lo peor es que mientras él se despepitaba hablando, gesticulando como gesticula siempre que está excitado, observé que Milagros miraba al río con un obvio aire de triunfo. Sí, el mismo que se gasta cada vez que me pregunta por Antonio, como si me estuviese diciendo que ella es dueña de la situación y que a esos hombres, Andrés y Antonio ...

—¿Antonio también? ¿Será posible?—, preguntó Sonia llena de incredulidad.

—En cuestiones de aventuras amorosas no hay para ella amigas, ni primas, ni gallo que se le ponga por delante. A los hombres los maneja como títeres y basta con que los mire para que ellos se derritan. Serían capaces de abandonar a sus mujeres para irse con ella ... Presumo que su manera de cimbrear para arriba para abajo a un lado a otro los cuadriles y todo ese engranaje de mujer de cuadro de Rubens los atrae como moscas.

—¡Una verdadera amenaza la amiguita!

—Gabriela, la muy pícara, que le tiene celos a rabiar, por ese meneo insinuante del funiculí le puso de apodo *Wiggled But*. Pero volviendo a la escenita de San Antonio: en esa ocasión yo habría querido gritarle a Andrés que era injusto con Sara, pero pensé que no tenía vela en el entierro y me mordí la lengua. Eso es asunto entre ellos y Sara.

—Ahora ato cabos, Renata. Una tarde, no hace mucho, riiiinnng, el teléfono. Paquita, mi amiga del bridge: "¿sabes, Sonia, la última?" Paquita siempre trae la última noticia; antes, yo creía que de veras comentaba las cosas conmigo por amistad y porque sabe que no las ando repitiendo. Sin embargo, después de que me ha sentenciado que no lo diga a nadie, ella misma va a regarlas por doquier como se riega agua y el tal secretito que me confiaba con sigilo, se vuelve materia de todos.

—Como Milagros, que es un telégrafo en carne viva. La verdad es que lleva los chismes con tal rapidez, que más bien se le puede comparar con el fax.

—Con Paquita no es como contigo que todo queda entre nos. Así me enteré, pero no hice comentarios porque no lo creía, que Milagros le había pedido a Nancy Vargas, su peluquera, un favor muy especial. Imagínate, Renata, ella no sabía que Paquita va a la misma peluquería donde ella se arregla el cabello y que Nancy Vargas, peluquera más chismosa que ellas dos juntas, también la peina y le hace la manicura. Es bien sabido que en las peluquerías se ventilan todos los trapos, los limpios y los sucios. Pues sí, Milagros le preguntó a Nancy si durante el día siguiente, mientras estaba trabajando, ella podría usar su apartamento: se quería ver con un prominente cirujano y catedrático, quien no iba a un motel del temor de ser visto por sus estudiantes. Y claro, el prominente cirujano y catedrático, Andrés, palomito tramposo, el burlador de Houston, arrulla con engañifas a Sara y le hace creer que ella es la única ...

Pasado el tiempo, cuando los veinte años de Gabriela hicieron de la relación entre madre e hija una franca amistad, Renata comentó con la muchacha:

—¿Te acordás, Gaby, te atreviste a gritárselo y a arrancar a tu padre de brazos de Milagros cuando bailaban, transportados por la música, a media luz, en la fiesta de Navidad? ¡Los celos que te traías, m'hijita! Y eso que sólo contabas con seis añitos. Si hubieras sido mayor, la habrías agarrado del moño y revolcado por el suelo de pura rabia. ¡Vaya escenita para los amigos y colegas de la facultad, y la vergüenza para mí! Milagros se reía, no sé si de mí, o por haber sido el centro de atención de todos. "Tenés una hija muy vehemente. Parece una yegua chúcara a la que hay que tener bien por las riendas", fue su único comentario. "Ahora veo claro, comprendo el tejemaneje que se traían Antonio y Milagros, comprendo ahora las humillaciones que recibí de él por culpa de ella, sus cuchicheos ante mí y a espaldas mías, sus bromitas y sobreentendidos, ¡y yo, tan inocentemente fiel, sin sospechar infidelidades!, ni siquiera la dolorosa verdad de mi matrimonio, seguir de eje de la familia, mantenerla unida, darles a los hijos el soporte moral que necesitan: disimular, disimular, y miles de millones de veces seguir disimulando, tragándome los deseos de rebelarme, de gritarlo al mundo, esconder a los ojos de de ellos la vergüenza, la frustración, el fracaso de nuestro matrimonio … "

* * *

Milagros es la prima clásica que no falta en ninguna familia. Hija única y mimada a tales extremos que cuando se encapricha por algo y no se lo dan, golpea a su madre y la patea y le grita y la humilla. Si las estrellas pidiese, las estrellas le darían. La tía Lucrecia, con su alma de masilla, lloraba entonces y sigue llorando ante las exigencias de la hija; su único afán es complacerla, pero Milagros nunca queda complacida; siempre quiere más, más y más. Su padre es empleado de una fábrica y por lo mismo viven en una humilde casita de madera en un modesto barrio de los suburbios. Por lo mismo también Milagros le lleva rabia a Renata desde muy niñas. Renata recuerda, con Faustina, aquel cumpleaños suyo, cuando salió al traspatio estrenando un traje de organdí procedente de Francia y zapatitos blancos con calcetines bordados.

—Vení, Renata, vení a jugar conmigo—, lo dijo Milagros con voz hipócritamente melosa. La tomó de la mano simulando afecto, y donde terminaba el césped y comenzaban los macizos de nardos, calas y azucenas todavía húmedos de rocío, ahí la lanzó con todas sus fuerzas al suelo y la pisoteó hasta dejarle el traje y los zapatos embarrados.

—Renata quería patearme y romperme el vestido, mamita, y no tuve más remedio que defenderme—, gimoteando sin consuelo, le mintió a la tía Lucrecia. Era su manera hábil, el juego que no cesó de ejercer aún de mayor, para dejar en los demás la impresión de que ella era siempre la víctima de todos, en especial de Renata.

—Milagros es una caníbal …

—¡Caníbal! Te vas a extremos al juzgarla, Sara. Y para colmo de los colmos, lo dices con tanta saña, que hasta parece que has sido víctima de su canibalismo. Sea lo que sea, dime, ¿qué cosa significa eso para ti, chica?—, la interrumpió Faustina.

—Bueno, lo digo *in the way* que Petronio lo explica en su sátira social. En otras palabras, en la manera de repartirse y comerse los herederos todas las partes del cuerpo del pariente muerto. Milagros es de esa calaña: se devora el corazón de quienes le brindan amistad o afecto y no acaba de digerirlo, cuando ya está comiéndose lo demás hasta dejar a la víctima en el hueso. Padece de antropofagia la pobre, ni darle vuelta.

Por su parte, Renata le comentaba a Faustina que Milagros se pasaba haciendo eco a su madre con el sonsonete de que para una mujer es una pérdida de tiempo prepararse para una carrera.

—Faustina, ya le habrás adivinado la vuelta a Milagros, supongo, pues pretendía que me quedara de secretaria en las oficinas de gobierno. Entretanto ella haría carrera en Bellas Artes, o en derecho, o en letras, y me dejaría atrás, "en el mundo de los mediocres"; así llama el de aquellos que no tienen títulos académicos, como si no hubiera zaguates, ¡con lo que abundan!, entre universitarios y profesionales.

Durante la adolescencia, chico que le gustara a Renata, chico al que Milagros le coqueteaba hasta conquistarlo.

—No podés ver bocado en boca ajena, Milagritos. Sos insaciable—, Renata se atrevió a decírselo. Fue cuando intentó atraer la atención de Edgardo los miércoles de retreta, el único día de la semana que se miraban a los ojos él y Renata, con esa pureza de la primera juventud; Edgardo representaba tanto para Renata, que con sólo verlo, en sus corazones comenzaban a revolotear palomas inquietas y en el cuerpo rebullían ignotos hormigueos.

—Renata, si hay alguien que te quiere de veras, soy yo. No comprendés o no querés comprender que todo lo hago por tu bien—. No acababa de decirlo, cuando "no sabés ni patinar, Renata", le reprochaba. O "¡qué mal leés la poesía!, dame el libro para mostrarte cómo se lee". "No te presto a Schopenhauer porque no creo que podás comprenderlo", "Ni sos capaz de saltar a la cuerda, inútil", eran otras formas de censura que abrían la timidez de Renata espacios de gran inseguridad.

Cuando niñas, hasta firmaron con su propia sangre un juramento de quererse siempre, de ser una para la otra como hermanas, de morir una por la otra: "no separarnos nunca ... Acudir al llamado cuando sea necesario ... Juntas por siempre jamás ... Resultó irónico que no fuera este pacto el que las uniera, sino la envidia de Milagros que la llevó a seguir los pasos de su prima con minuciosa proligidad: la residencia en Houston, la carrera, la institución donde enseñaba eran el camino que le había trazado a Renata el destino; en cambio, Milagros había forzado el suyo siguiendo el de la otra punto por punto. Por su parte, Renata estaba convencida de que sólo con Santi, su hermano, había conseguido la compenetración afectuosa y espiritual. Sin embargo, Santi y ella jamás firmaron papel alguno, ni siquiera se dijeron "te quiero"; contaban uno con el otro y sabían que era sincera su amistad fraternal.

El tiempo se llevó aquel juramento firmado por Milagros y Renata, como se lleva todo, de manera irremisible. Ambas eran todavía adolescentes, cuando sus vocecillas dejaron de oírse entre las paredes de la casona y sus pasos dejaron de triscar juntos en el césped del jardín. No se enredaron nunca más entre las bugambilias los versos de Bécquer, Poe, Byron, Martí, Darío, Silva. A Milagros se la llevó por un tiempo la vida; so pretexto de diferencias políticas de partido, hasta le quitó el saludo a Renata. Lo que ésta no sospechó entonces es que volvería más antropófaga que antes ...

¡Milagros! Comprender a Milagros es entrar en un caos donde nada está en su sitio. Su obsesiva religiosidad conmueve y confunde a Renata. A menudo hace intentos para que Renata la acompañe a la iglesia,

—Ahí, en la iglesia está la verdad, Renata, la verdad que tanto buscás. Llegarás al corazón de la verdad y de Dios como yo.

—La única verdad que busco es la que habita en los confines de mi propio yo y por lo mismo no necesito de un templo para hallarla.

—Pero en el templo está Dios. ¿No te das cuenta, Renata, de la emoción de vivirlo en el rito ceremonial de la comunión?

Renata le explica que ella lo palpa mejor en la soledad del jardín; en los ocasos ardientes de la llanura tejana; en la quietud de su recámara.

—Cuantos menos testigos haya, más intensa es mi emoción, más cerca me veo de Dios—, agrega Renata. Con aire de desprecio y superioridad, como si dijera, "contigo no hay nada que hacer", Milagros le da la espalda y parte al templo a rezar con la mantillina en la cabeza, la cual flota al viento. Ahora Renata piensa que sólo iba a pedirle a San Antonio casamentero que le concediera marido, pues tan pronto como Eleuterio la llevó al altar, ¡adiós iglesia, adiós Congregación de Hijas de María y a diós devociones!

—¿No vas más a misa, Milagritos?

Pasados los años, ya en su tercer matrimonio, el suicidio de un amigo homosexual la afectó tanto, que volvió al furor religioso y hasta consiguió anular su primer matrimonio para hacer bendecir en el altar el tercero.

* * *

¿Buscar la verdad y la paz en el templo? ¿Para qué, si las llevamos en nosotros mismos como si Dios las hubiese sembrado mucho antes de la concepción?

Pasado el tiempo entre el dolor y la desesperación, una paz rotunda ocupa el centro de mi vida. Me he ubicado en esos años que todos desprecian y rechazan porque se llaman vejez - camino - corto - rumbo - a - la - muerte. Hoy bendigo este haber llegado al fin a reconciliarme conmigo misma, con el mundo, con mis hijos y hasta con Antonio, aunque él siga mariposeando.

Esta aceptación de la vida, este goce de algo cumplido, completo, redondo —no es la perfección buscada en la juventud, no; la perfección, ya lo aprendí, es una utopía que nos sirve para plantearnos metas más allá de los límites humanos—, es más bien como mirar el paisaje tempestuoso y huracanado desde una altura donde nada de abajo nos alcanza ni nos conmueve. Aquí, en este remanso de paz, contenta conmigo misma, no necesito de nada y todo lo que tengo, casa, cuadros, libros, trajes, joyas, dinero, todo me sobra, lo regalaría a manos llenas para no quedarme atrapada entre tanta cosa abrumadora.

Y pensar que hay quienes miden el éxito por lo mucho que tienen, cuando la posesión de los objetos limita la libertad ... Me la limita a mí. Lo que tengo me pesa, me estorba, y más cuando compruebo que hay muchos, muchísimos a quienes les falta todo ... ¡Esos miserables que vi ayer de regreso de la *Greyhound*, protegiendo su desnudez y miserias de la helada, a la intemperie, bajo el puente de la autopista! A mí me sobra y ellos carecen de todo, de un techo familiar, de la cama, hasta de un pedazo de pan; del amor también carecen. Lo tuvieron todo o casi todo un día, como yo, pero los tiempos están muy difíciles, abundan los desalojados, se han integrado a las filas de los nuevos pobres. Las esquinas de calles y carreteras se pueblan de pancartas acarreadas por hombres o mujeres sucios y raídos con cara de hambre; dicen en grande letras: "trabajo a cambio de la comida", o "antes que robar, prefiero pedir limosna". Son mensajes que llenan de culpas a los transeúntes. ¡Caprichos de la ciega Fortuna que no cesa de hacer de las suyas! Y en el extranjero se sigue creyendo que éste es el país - cuerno - de - la - abundancia.

* * *

—Muchachas, puesto que lo piden, voy a continuar la lectura de los papeles de sor María Marcela. Después de dar un detalle de cómo cumple sus votos de castidad, humildad y otros, la monjita se refiere a los de la pobreza: "El voto de pobreza se podía explicar en dos palabras, las cuales son que ni quiero, ni tengo nada, ni pido, ni doy, ni deseo tener ni he tenido nunca ni aún las alhajitas que todas usan por devoción como son un relicario o un Cristo en el lado del corazón, algunas medallas de indulgencias, algunas curiosidades de monjas. En el cesto de la labor nada tengo, sólo por el motivo de no tener nada, sólo vivir desembarazada y pobre. Hábito nuevo no me gusta; ando tan remendada como limpia por que no puedo verme andar puerca y esto porque Dios es suma limpieza y pureza. Tampoco los bienes eternos quiero, ni con vuelos espirituales, por lo que le pido continuamente al Señor me lleve al infierno en su amistad y gracia que allí padeciendo por su amor y por lo mucho que le he ofendido le estaré gozando pues su Majestad está en todo lugar y yo no quiero más gloria que a su Majestad, que lo amo sólo poque lo merece, porque es digno y dignísimo de que todas las criaturas le amen, no por interés de gloria, sólo por quien es. Tampoco quiero honras ni las apetezco, antes con las que (sin merecerlo) me da la religión, vivo displicente y viéndolas tan lejos de mí como si no me tocaran. Lo mismo es de las estimaciones de las criaturas que no me entran ni me causan engreimiento porque conozco todo es paja y así voy al grano, Dios solo y yo sola y desnuda de cuanto hay".

—¿Esta es la coqueta llena de pretendientes del principio de la autobiografía? ¡Quién iba a decirlo! Este mundo de los místicos de *the old times* (porque no creo que abunden hoy) es tan *fascinating* como una novela—, comenta Sara.

—¡Quién pudiera llegar a esa negación total de sí misma, quién pudiera!—, exclama Faustina.

—¡Quién pudiera!—, le hace eco Renata.

* * *

En la tertulia de los sábados, Renata comentó con las amigas los sucesos más relevantes del Congreso de Escritores de California:

"Escribir representa la única forma viable de libertad para la mujer. Mediante la escritura, la mujer busca rescatarse a sí misma porque escribir es buscar la propia identidad", dijo un crítico en uno de los congresos de literatura femenina como introducción a la ponencia que analizaba la narrativa de Renata; partía del principio de que su obra y temática giraban alrededor del "ansia perpetua de algo mejor".

Sentarse entre el público y escuchar a otros y además, expertos, hablar de ella, de lo que con pedazos de su alma iba escribiendo, le resultaba un raro y difícil ejercicio. Era proyectar sus deformidades ante un espejo gigante expuesto a la mirada de los demás, ése que llaman público, monstruo de mil ojos, oídos, de tentáculos que absorben las imágenes y las convierten en detritus. Aquel acto público representaba para Renata algo así como escribir un borrador invisible compuesto de palabras orales que una vez habían pasado por el oído y la conciencia de los asistentes, se habrían de diluir en el aire del salón donde fueron pronunciadas. Esto no era obstáculo para que mientras las iba diciendo el crítico ponente, Renata no fuera tachando y corrigiendo como en sus borradores hasta llegar a la forma casi deseada. Casi deseada, sí, porque nunca se llega, es imposible llegar a LA FORMA, siempre hay un límite en lo humano, una frontera que hasta en el proceso creativo nos pone delante el espejo de la muerte - limitación - mayor - de - nuestro - existir.

—¡Extraño fenómeno el de la creación!—, comentó Renata en la tertulia—. Extraño y esclavizador. Entrar en él es meterse en la estrechez de una prisión detrás de cuyas rejas el mundo se enriquece y ensancha por efecto de la imaginación que impone lo que se anhela en el despojo de la libertad y de todo lo que afuera se vuelve mera y puramente deseo.

Las otras se aferraron a la frase de que "escribir representa la única forma viable de libertad para la mujer". Entonces Renata añadió:

—El crítico ponente debió agregar: "para la mujer que se considera decente según lo imponen los códigos inviolables de la sociedad". Así lo habría dicho yo, porque aún no salgo del asombro cuando esa misma tarde, en la mesa redonda donde tuve que exponer sobre las dificultades para publicar que confrontan en los Estados Unidos los escritores, una de las ponentes dijo: "Mi obra ratifica lo que Renata explicó acerca de las constantes discriminaciones a las que se sujeta a las hispanas en este país en lo que respecta a las publicaciones, pues como ella afirmó, no sólo la discriminan los norteamericanos, sino también los chicanos; si es mujer, los hombres; si pertenecemos a los pedacitos geográficos del Caribe y Centroamérica, como Renata y yo, el Cono Sur hace ¡che! a nuestras páginas y como si no existiéramos. Mi caso va más allá aún; es más difícil y penoso; a todas las discriminaciones enumeradas antes, hay que agregar otro obstáculo y discriminación: la de ser escritora lesbiana ... Sí, como lo oyen, LESBIANA. Ante ustedes me declaro perteneciente a una minoría sin aceptación alguna en la sociedad actual".

—¿Y cómo reaccionó el público? ¿No se sintieron insultados con *nuestras* aberraciones sexuales?—, intervino Faustina con dejo de insolencia.

—"Santo Dios!", exclamé para mi capote. "¡Ahora tengo que vérmelas con otro secta sagrada!, lo venía adivinando al leer algunas páginas de revistas hispánicas, un poco escandaloso su contenido, bueno quizás sea yo que todavía no me he desprendido de la moral burguesa, ¡qué sé yo lo que me pasa y lo que debo hacer para aceptar toda esta revolución sexual de hoy!, es difícil, mucho, y por eso no me publican los textos míos en algunas de ellas, lo mejor es rendir las armas y no luchar más contra la multiplicación de los Melitones que siempre ponen obstáculos a los más queridos sueños, queman bibliotecas y lo desbaratan todo ... "

Aquella primera declaración abierta de lesbianismo literario no quedó en eso, pues pocos días después llegó a manos de Sonia una invitación de una revista para someter artículos relacionados con las "chicanas lesbianas".

—¡¡Chicanas lesbianas!!—, exclamaron a una, y a la vez reconocieron que eso era llevar las cosas a extremos.

—Como lo oyeron, chicas. El objetivo de tal proyecto es el de completar la visión que se había dado de esas escritoras en el primer ejemplar dedicado a ellas, ya que "quedó corto en el tema de las chicanas lesbianas que escriben y en los problemas que tienen—, prosiguió Sonia. —Lo que parece haber faltado es un esfuerzo de captar lo que significa ser chicana y ser lesbiana". La convocatoria aclaraba que los textos requeridos debían examinar la identidad lesbiana tal como está incorporada entre los chicanos, las familias, comunidades y cuanto se asocie a la vida de las lesbianas y a su mundo intelectual. Con esto se desea estimular el diálogo entre chicanas lesbianas y las que no lo son.

—¡Diálogo entre las que sí y las que no! ... —, Renata no las tenía todas consigo a este respecto, porque sus intentos de diálogo con ese lado desconocido de tales mujeres (tanto el de las chicanas como el de las lesbianas), había sido infructuoso. —Los chicanos en el sur de los Estados Unidos constituyen un núcleo socio-cultural totalmente cerrado para el resto de los hispanos. Nosotros representamos la amenaza, el otro desconocido que invade su tierra, como los gringos la invadieron y la poseyeron después ...

—Por supuesto que somos "el otro" que llega en pequeñas olas desde el sur y se va ubicando en el gran comercio, en cátedras universitarias, se vuelve nombre y presencia en los museos, se destaca

como abogado y escritor, se parece a él como una gota de agua a
otra, pero es la zona oscura de su ser que se torna reto y lo intimida.

Ante algunos mexicano-americanos Renata siempre había sentido un raro sentimiento de inseguridad que provenía de la actitud de desconfianza y rechazo que ellos le manifestaron las varias
veces que ella intentó acercárseles amistosamente. Sólo muchos
años después comprendió que su error fue el de creer que hablarles español era una forma de hacerles sentir que ella era uno de
ellos y que como ellos, también era mestiza o "brown". Entonces
ignoraba que en los círculos sudeños de norteamérica desde hacía
muchísimo tiempo español, rechazo y castigo se habían vuelto
sinónimos a consecuencia de los reveses de la historia. ¡Cuánta
clarividencia política la de Nebrija cuando puso en manos de los
reyes católicos la poderosa arma de su gramática, sin la cual no se
habría podido consolidar por completo el imperio!

"Con esa cara mestiza, ¿cómo no me va a comprender?, ¡y yo
que no sé cómo pedirlo en inglés!, ¿será cierto que no me entiende?, me siento sin asidero si además de mi país, me quitan
mi lengua y ya nunca más puedo decir rosa, estrella, alegría, gozo,
cielo, tierra, montaña, llanura, hablan además un inglés tejano que
no se parece al que Mr. Gordon me enseñó en el colegio, ¡un verdadero galimatías!"

* * *

—Ahora hasta considero inútil mi trabajo, inútiles mis esfuerzos por escribir todo cuanto a lo mejor ni ha sucedido y sólo está
en mi imaginación (¿y quién nos dice que lo imaginado es lo irreal
y lo otro, la realidad? ¿Y si fuera al revés?) ¿Acaso tiene sentido
levantarse, trabajar, ganar dinero, seguir viviendo en esta soledad
en la que el espíritu se vuelve tierra de secano, con los hijos lejos,
cada uno en lo suyo, sin acordarse de los padres más que cuando
necesitan de ellos?

—Oyéndote hablar así, Renata, veo que de veras, nos ponemos
viejas y ya no tenemos remedio—, bromea con tristeza Sonia,
tratando de difuminar con sus palabras la nota tenebrosa que traía
al grupo la voz de Renata.

—Creo que es más dolorosa la vejez que la muerte—, observa
Faustina. —La vejez es agonía constante y conciencia lastimosa
en carne viva. La muerte es olvido, alivio, descanso totales ... ,
¿no lo creen?

—Ya nos salió la gran filósofa Aristotelia Smith Sánchez, la
que un día arreglará el mundo *once and for all*, con su dialéctica
irresistible—, remata, riéndose, Sara.

—No se trata de dialécticas ni demagogias, Sarita querida. Pasa que mientras Renata hablaba, se fijó en mi mente el doloroso gesto poblado de indefinidas carencias de aquel pobre hombre cuya imagen se divulgó en las telenoticias del sábado, ¿lo viste? Viejo, enfermo, raído, sucio, miraba al vacío cuando le preguntaban su nombre ... Probablemente le pesaba tanto la vejez y la soledad de esos años, que prefirió olvidar que esa vejez tenía un nombre, un hogar, una familia, ¡qué sé yo!, todo lo que nos caracteriza como seres humanos acostumbrados a poseer, poseer, poseer más y más. Lo encontraron vagando por las calles de Houston, sin identificación alguna y sin nombre siquiera. Preguntaban al público televidente si alguien podía dar razón de quién era para notificárselo a la familia ... ¡Partía el alma verlo! ¡Y pensar que antes llevó una identidad y a lo mejor fue un prominente y respetable ciudadano, rico, todopoderoso, inteligente ... Me gustaría que nuestra civilización adoptara las costumbres de la lejana Manchuria o de Alaska, de acabar con los viejos cuando comienzan a dar señales de decrepitud ... Un deber de los hijos ...

—Mi suegra, ya cegata, pomposa, olvidada también de los hijos, tanteando paredes y suelos con el eterno bastón de contera de plata que chispea al sol cuando la fiel Herlinda la saca a pasear, levanta una vez y otra su infinita sentencia letanía de ya - verás - Renata - cuando - seás - vieja - vieja - y - ciega - como - yo - verás - que - no - hay - infierno - que - se - le - iguale - ¡morir! - sólo - deseo - anhelo - ansío - la - muerte - Dios - no - debería - permitir - la - vejez. Siempre, aún cuando ella no las pronunciara, han resonado estas palabras en mi espíritu. Siempre me estremezco de horror ante la vejez ...

—Mi abuelo, ¡el pobre!, antes vivaz, alegre como unas castañuelas, activo, progresista, lleno de proyectos para el futuro, hoy, apagado y en silencio, sólo mira más allá de nosotros, come, duerme y hace sus necesidades—, relata Sonia. —Cuantas veces pienso en él, recuerdo con escalofríos el horror que experimenté cuando de niña vi la primera película de la Momia, ¿recuerdan? Que la entierren a una viva, ¡qué espanto! Por varias semanas no dormía de pensar en lo que sería estar ahí sepultado vivo. Sin embargo, en aquel sepulcro quedaba la esperanza de la muerte. Mi abuelito está sepultado en la tumba de su cuerpo desde hace años. Sí, su cuerpo es su propia sepultura y él por dentro sigue vivo, así lo creo porque en el fondo de sus pupilas adivino que algo se agita, como si comprendiera lo que oye, captara lo que sucede a su alrededor; a veces llora, otras, grita y después se queda mano sobre mano con la vista en el vacío ... Menos mal que hay ancianos que llegan a cien y más, campantes y felices ...

* * *

Hoy me siento como ese hombre que miraba al vacío sin reconocerse ni recordar su propio nombre. Hace ya mucho que en
mis labios se marchitaron todos los besos; las caricias se diluyeron
en el aire de mi soledad; y aquella semilla de ternura, que pudo
llegar a ser frondoso verdor, se me está secando definitivamente
con cada gesto cotidiano y frívolo; ¿sé acaso cuál es mi verdadera
identidad cuando digo mi nombre, Renata, Re-nata, Re-na-ta, Re-
nada ... , la nada repetida ... ? Un día, hace mucho, tanto que
ya pertenece a los orígenes del mundo, la vida fue sol, primavera,
ensueño, amor ... Hoy es sequía, piedra, acero ... , tumba ...
re-cosa-nata-la-NADAAAAA ... Re-nada ...

* * *

Descargan un barco extranjero en un puerto muy familiar para
mí. Entre los bultos, pesados, enormes, vengo yo empacada a la
manera de los otros fardos. Siento y veo a la vez (esas simultanei-
dades curiosas de los sueños) que me bajan con una grúa, la cual
está enganchada a la gruesa cadena que me sostiene. Me tiran en el
suelo como el resto del flete. Poseída de angustia, yo me quedo gritando desde dentro del embalaje, advirtiéndoles a los estibadores
que no soy carga industrial sino un ser humano sepultado en un
paquete. Mis alaridos no reciben respuesta alguna. El envoltorio
de burdo algodón recubierto de gangoche, me ciñe como si fuera
parte de mi cuerpo; mas en el sueño tengo clara conciencia de
que es mi propia sepultura, porque nadie escucha mis lamentos
... Porque los cargadores se han llevado los demás fardos y me
han dejado tirada en el muelle, consumida por el terror de estar
enterrada viva ...

VII
LAS ACECHANZAS DEL ESPEJO

¿Deseas conocer a la persona contra quien debes guardarte de veras? Tu propio espejo te dará la mejor semblanza de su cara.

Whateley

Los primeros movimientos feministas de este país comenzaron a partir del siglo XIX. No obstante, en América Latina tardaron en aparecer hasta finales del siglo. Algunas mujeres, como Flora Tristán, peruana, quien vivió en Francia, escribió sobre el tema; otras, abrieron brecha en la defensa de los derechos de la mujer como profesionales o artistas. Entre ellas se destacan Gertrudis Gómez de Avellaneda (cubana), Gabriela Mistral (chilena y Premio Nobel), Delmira Agustini (uruguaya), y muchas otras. También se han establecido partidos feministas en el campo de la política. Lo imperdonable es que al final de la Segunda Guerra Mundial eran muy pocos los países de Latinoamérica que habían conferido el derecho al sufragio a la mujer. A ésta se le consideraba sólo para la procreación, la enseñanza primaria, los oficios domésticos y el secretariado de amplio desprestigio.

El Monitor Feminista, abril de 1974

Pidieron entonces a Renata que siguiera leyéndoles la autobiografía de sor María Marcela. Habían quedado en el pasaje en el que una vez más estuvo a punto de ahogarse.

—Sor María Marcela, quien sin lugar a dudas cree en la predestinación, remata esa parte, ¿recuerdan que se la leí la semana pasada?, pues la remata diciendo: "¡bendito sea el señor que me libró la vida tantas veces teniendo su majestad previsto lo mal que la había de emplear, como lo veremos!"

—Promete de veras ser jugosa la autobiografía, pero en aquellos tiempos patriarcales y paternales, ¿qué se podía esperar de las mujeres aterradas por el infierno y la inquisición? Nada más que pecadillos veniales. Ustedes verán que no falla—, concluyó Milagros, jugando con los brazaletes y anillos que llevaba siempre con excesos tropicales, haciéndolos sonar y emitir brillos de pedrería barata.

—¿Por qué se creen que me he metido a descifrar garabatos caligráficos del siglo XVIII? Escuchen, escuchen—, Renata pidió atención: "Tenía en este tiempo de edad cinco años, pero muy adelante el uso de la razón porque me amaneció muy temprano, que fue a los tres años. ¡Ojalá hubiera abierto los ojos para el bien y no que los abrí para todo mi mal! El caso fue que un día me compusieron y tocaron y yo, quizá instigada del demonio, me fui a ver en un espejo de donde entró en el alma todo el veneno: quedé llena de vanidad, de amor propio, con deseos de ser vista, trocada la inocencia en malicia; ya desde ese día empecé a no pensar más que en las galas; en cómo me compondría; dónde me pondría para que me vieran y finalmente, todo lo que no era fausto y vanidad me enfadaba. Atendía de malísima gana a las cosas de devoción en que mi madre me imponía y aunque estuviera rezando, siempre pensaba en las galas ... "

—¿Qué dijimos?, ¡que sería una bobada y más tan niña! Su gran pecado es que desde muy pequeña se manifestó muy femenina. ¡Con lo rechulas que se ven las chamaquillas retearregladitas! ¡Qué cosas les metían a las mujeres en la cabeza entonces!—, comentó Sonia con indignación.

—Por milagro no se volvían marimachos ...

—Sí, era un milagro, porque su madre, de la que ella dice que era "muy santa", la mortificaba prohibiéndole salirse con las suyas. Si en misa se destapaba o miraba distraídamente, le metía tales pellizcos que la pobre llevaba brazos y muslos siempre moreteados.

—*Child abuse*, ni qué darle vueltas, abuso infantil. Reprimenda, disciplina, castigo, corrección, lo llamaron nuestros padres y antepasados. Y correccionales les pusieron a las casas donde internaban a los chiquillos "incorregibles", cuando la siquiatría de hoy afirma que no hay niño que no se pueda enderezar ...

—Casas de recogimiento se les llamó, durante la colonia, a las que tenían como misión la de enderezar la "vida torcida" de las pobres víctimas del honor imperante en aquel mundo de machismo—, interrumpió Faustina.

—Y en esos correccionales y recogimientos, a punta de palo querían enseñar el buen camino, olvidándose de que el amor es más *powerful* que toda la violencia del mundo—, agregó Sara.

—Sin embargo, sor María Marcela cuenta que ni con pellizcos ni castigos, cesaba de acicalarse y ponerse donde todos la vieran y oyeran porque era muy aguda y se ganaba la voluntad de todos, con lo que se engreía más cada día.

—El espejo y la mujer, la mujer y el espejo, son signos inseparables desde que se hicieron los espejos, aunque Narciso, un hombre, es quien ha dejado para siempre su imagen en una superficie espejada—. Milagros, con el acostumbrado gesto sensual de sus carnosos labios, se miraba en el espejito de la vanidosa para comprobar que su maquillaje continuaba intacto. —¿Qué sería de nosotras sin el espejo? ¿Qué apuesto a que una mujer fue quien lo inventó?

—¡No seás cretina! En aquellos tiempos de Maricastaña, ni soñar que las mujeres inventáramos nada! Y si lo inventaban, la patente era del hombre. Estudien bien la historia y comprueben que las mujeres sólo hemos cuidado del hogar y parido hijos. Los hombres no nos han arrebatado esto último, porque no habría manera de probarlo. ¡Se imaginan a los hombres embarazados y pariendo hijos?—, rebatió Faustina.

—De todos modos no es difícil imaginar a Eva, a Lilith o a cualquier otra en esos misteriosos orígenes del mundo, mirando su propia imagen en el agua estancada, igual que Narciso—, fue el comentario de Renata.

—*To tell you the truth*, no he leído una novela escrita por una mujer, en la que el espejo no salga a relucir. El *mirror*, la costura o el tejido, marcas de nuestro ser de *women*. No nos salvaremos nunca de ser calificadas de vanidosas y hogareñas, aunque hayamos abierto brecha en todos los oficios y profesiones y lo hagamos con éxito.

—Bueno, a decir verdad, Jacinto, mi segundo marido, se pasaba horas enteras ante el espejo, diz que para sacarse los pelos de la barba que se le incrustaban en los poros de la tez y de no arrancárselos, se le infectarían. ¡Ja, ja, ja, a mí con pelitos de barba! Ni él ni nadie me pasan gato por liebre, pues fue su nar-

cisismo el que precipitó nuestro divorcio ... Cuentan por ahí que
ahora anda sólo con gratísimas compañías masculinas—, observó
Milagros mientras se retocaba los labios con el lápiz.

—Precisamente traje hoy *Ifigenia*—, interrumpió Faustina. —
La protagonista de la novela, María Eugenia, se comporta al principio exactamente como esa tal sor María Marcela, soberbia, orgullosa, rebelde, coqueta. El espejo (aquí podría venir en nuestra
ayuda Lacan), que se pasea simbólicamente por toda la novela, es
la voz muda que le trasmite a la muchacha ese sentimiento asertivo
de su belleza; y al final, también ante el espejo ve proyectarse
lo que harían de ella los convencionalismos sociales si escapara
con Gabriel Olmedo, el hombre casado con quien ella planea irse.
Leeré uno de esos pasajes, el cual no está escrito con el sentido de
pecado de la monja del México dieciochesco, sino con una conciencia hedonista de criolla venezolana de tiempos más cercanos
a los nuestros. Decepcionada por el rumbo que llevaba su vida,
María Eugenia escribe en su diario:

"acabo por adquirir la convicción espantosa de que mi sino es
un sino fatal, y, entonces, pienso con tristeza en el acierto grande
que hubiera sido, el que este cuerpo mío tan lindo ... "

—Observen la vanidad de la protagonista, expresada siempre
así, sin rodeos, a lo largo del libro. Sigo con la lectura:

"este cuerpo mío tan lindo y tan desgraciado, no hubiera nacido
nunca. Ceñida como estoy dentro de mi kimono de seda negra, al
formular este renunciamiento a la vida, me levanto de la hamaca,
voy a mirarme en el óvalo alargado del espejo; y allí me estoy
un largo rato inundada en el placer doloroso de contemplar mi
rostro, tan fino, tan puro de líneas, tan armonioso, tan triste ...
¡sí, tan triste y tan perdido para el objeto de sus ansias! ... Pero no
obstante, allí mismo, delante del espejo, cuando de golpe, atrevida
y pagana, agarro por fin los dos bordes del kimono con los dedos,
y estiro los brazos, y bajo los brazos, el kimono abierto, se vuelve
como un ala de murciélago tendida tras el milagro purísimo de mi
cuerpo; entonces, deslumbrada y feliz, me miro en los ojos, y mis
ojos y yo nos sonreímos juntos largamente, en plena satisfacción
... " etc., etc., etc.

—¿Y esta heroína es de principios de siglo? ¡Ave María Purísima!—, se persignó Sonia. —Yo nunca me he atrevido a mirarme
así en el espejo.

—Y yo, que de recién casada me encerraba en el clóset para
desnudarme y no podía hacer el amor con Antonio si no estaba
la luz apagada—, Renata explicó, riéndose. Las otras, casi a coro
y riéndose también, hicieron comentarios parecidos de su propia

gazmoñería. —La educación que nos dieron nos castró el placer del cuerpo.

—¡Y pensar que ahora, a mis años, mi cuerpo, que antes fue mi mejor aliado en las trasnochadas y la calistenia del amor, se venga de mí cada mañana, sin fallar, echándome en cara un nuevo dolor de músculos, de artritis, de cabeza, de pecho, ¡de qué sé yo! Un día me despertaré con todos los dolores juntos y entonces diré: hasta aquí llegaste, Faustina, tu cuerpo no dio para más, tal vez porque no supiste disfrutarlo cuando más ansias tenía de irse por esos mundos. Hasta aquí llegaste, Faustina ...

—Y Sara, y Sonia y Renata ... ¡El final de nuestros cuerpos!, ¿¿¿el final del cuerpo será también el del ser??? ...

—¿Quién se mete a estas alturas de la vida en metafisequeos, Renata? Sólo tú, Renatita conflictiva, sólo tú—, bromeó Sonia. — Pero Faustina, sigue, sigue con lo de María Eugenia/Ifigenia ante el espejo, en el desenlace de la novela. Dejemos que esas dos sigan metafisiqueando y cuéntame, ¿qué pasó?

Faustina resumió sucintamente cómo María Eugenia estaba dispuesta a fugarse con Gabriel Olmedo. Sin embargo, cuando su tía Clara la descubre con la maleta, su voluntad se doblega y decide permanecer con la abuela y la tía solterona, someterse a la condena de las otras mujeres de la casa, y vivir marchitándose poco a poco con ellas. Hace venir a su prometido para cancelar la boda. Al verla él, después de muchos días de desvelo junto al lecho de muerte del tío Pancho, la encuentra muy pálida y delgada. Entonces ella comenta: "Instintivamente volví la cabeza para mirarme al espejo y en efecto descuidada como estaba, me encontré pálida, sin vida, ojerosa, casi fea, y me encontré sobre todo un notable parecido con la fisonomía marchita de tía Clara. Dado el estado de pesimismo nervioso en que me hallaba, aquel parecido brilló de pronto en mi mente como la luz de alguna revelación horrible, recordé la escena de la madrugada frente al espejo de mi armario, y recordé también aquella frase que había oído decir muchas veces a propósito de tía Clara: —Fue flor de un día. Preciosa a los quince años, a los veinticinco ya no era ni la sombra de lo que había sido ... "

—Temiendo acabar en la soledosa soltería de Clara, sólo pospone la boda para reprocharse "aquella dualidad, aquella cobardía, aquel humilde renunciamiento, aquel absurdo desacuerdo" entre sus convicciones y su conducta. Después comenta ante su vestido de novia: "Como en la tragedia antigua soy Ifigenia; navegando estamos en plenos vientos adversos, y para salvar este barco del mundo que tripulado por no sé quién, corre a saciar sus odios no sé dónde, es necesario que entregue en holocausto mi dócil cuerpo de esclava marcado con los hierros de muchos siglos de servidumbre. Sólo él puede apagar las iras de ese dios de todos los hombres, en el cual yo no creo y del cual nada espero. Deidad terrible y ancestral; dios milenario de siete cabezas que llaman sociedad, familia, honor, religión, moral, deber, convenciones, principios. Divinidad omnipotente que tiene por cuerpo el egoísmo feroz de los hombres; insaciable Moloch, sediento de sangre virgen en cuyo sagrado altar se inmolan a millares las doncellas! ... ¡Y dócil y blanca y bella como Ifigenia, aquí estoy ya dispuesta para el martirio!"

Todas quedaron en silencio pensando en la realidad de sus vidas; envidiando la de sus hijas ...

* * *

Desciendo por una interminable escalera que lleva quién sabe a qué lugar. Pese a que tengo la mano derecha apoyada en el barandal con balaustres de rico estilo barroco, doy un traspié y caigo de bruces en un abismo. El precipitado descenso en el vacío, sin asidero en nada, me da un latigazo de vértigo que me hace despertar sobresaltada, con el corazón palpitante, sudando frío ... Temo cerrar los ojos porque ahí adentro, en el misterio de mi oscuridad, continúan la caída y el vértigo.

VIII
EL CUERPO

*LA MAYORIA DE LOS HOMBRES TRATA A LAS MU-
JERES COMO OBJETOS SEXUALES* Germaine Greer dice
que está "cansada de mirar el mundo a través de pestañas pos-
tizas, de modo que todo lo que veo está mezclado con sombras
de pelo comprado".

El Monitor Feminista

*EN SU CORTA VIDA ORGANIZADA, EL MOVIMIEN-
TO FEMINISTA HA CONTRIBUIDO A DESPERTAR LA
CONCIENCIA DE UNA OPRESION [...] al final de* Les Jor-
nades *se aprobó un documento conclusión por parte de todas
las asistentes, que nos señala cuáles son las reivindicaciones en
las que coinciden todas la feministas de Barcelona.*

* * *

*Destacamos dentro de estas reivindicaciones la que con-
templa la revisión de la célula familiar, que incluye una ley de
divorcio; que la patria potestad no sea exclusiva del hombre;
reconocimiento de todos los derechos a las madres solteras y
la abolición de los delitos de adulterio y amancebamiento. El
derecho a la disposición del propio cuerpo que exige la mujer se
refiere, por otra parte, a una educación sexual, anticonceptivos
y legalización del aborto a cargo de la Seguridad Social, como
más importante.*

Xavier Febrés y Llúcia Oliva, *Destino*, 1977

Al tomar el avión altura, la planicie houstoniana, de la que Renata se siente parte integral porque en ella ha dejado más de la mitad de su vida, se redujo a una mancha; ya no se distinguían ni carreteras, ni casas, ni edificios y menos aún el hormigueo de vehículos por calles y autopistas de la ciudad. Siempre que despegaba el avión y todo se diluía en parchones, primero verdes, después oscuros, como un borronazo colosal, Renata experimentaba el sobresalto perturbador de que toda superficie, por definida o indefinida que fuera, abrigaba en su interior un pulular palpitante de seres o corpúsculos en continua actividad. ¿Quién nos asegura que en las entrañas de la vastedad reducida de la piel, los músculos, los huesos, no bullan otros universos infinitos que se van nutriendo mutuamente para sustentarse y sustentar a los demás?, ¿y que yo me mantenga en este delicado equilibrio del vivir, porque en la aparente consistencia lisa de mi cuerpo hay un proceso continuo de movimiento, de asimilación y excreción, de dependencias sinfín?, sólo una mente supersupersuperior podía haber concebido esta maravillosa maquinaria del cuerpo, del mundo, del universo entero, de la materia viva ... , ¡y ahora hablan los científicos de la antimateria que por su carga negativa, en contacto con la materia positiva, puede eliminar a esta última en un instante!, En fin, que resuelvan esos galimatías los que están en eso, que ahora a mí me tiene muy atareada mi propia vida, ¡vaya ocurrencias las de Gabriela, este amanecer, al despedirnos por teléfono, antes de salir rumbo al aeropuerto!, ¡chiquilla más descocada!, ¡que me divierta mucho, me deseó después de la aplastante revelación sobre Antonio y los tiempos cuando ella y yo nos distanciamos una enormidad por culpa de él, de Antonio!, ¡que me divierta, que me quite los anillos, que me busque un ligue o una movida, como dicen por aquí los mexicanoamericanos!, quitarme el anillo de bodas, ¿cómo?, ¿cómo quitármelo si se me ha hecho carne de mi carne?, no lo llevo únicamente en el dedo, insertado en mi lengua, en cuanto comienzo a hablar, cobra vida y se mete por todos los resquicios de mi conversación, mi marido esto, mi marido aquello, mi marido acá, mi marido acullá, m-a-r-i-d-o-d-i-r-a-m ... , ¡maldita sea!, no me lo sacaré nunca, aunque me arrancara miles de anillos de los dedos, porque está incrustado en mis palabras y en la médula de mi existencia, "tenés que ser feliz, mamá, y llenar el vacío sentimental que nunca has satisfecho", está en sus cinco que debo ir en pos de la felicidad, otra utopía más ...

—¿Cómo sabés que no ... lo he satisfecho? ¡Decímelo!

—¡Ay, mamá, si es obvio!, se te sale por todos los poros y hasta en las cosas que decís y escribís. No es justo que pasés todo el tiempo frustrada. Ya es hora de que te olvidés de papá, que él ya tiene su nidito amoroso y se la pasa muy bien con la otra. "¡La otra!, ¿cuántas veces hubo otra, otra y otra?, ¿cómo es "la otra"?, ¿qué tiene de especial?, su voz agresiva de cachaza, grabada en el contestador cuando se supone que yo no regreso a casa hasta después o hasta la otra semana, sin decir quién es, se dirige a él como si estuviera ahí, a su lado, en la misma habitación o hubiesen acabado de verse, voz henchida de intimidades de alcoba, con olor a semen, a sexo, a oculto amor, a ya - no - hay - respeto - alguno - entre - los - dos - ni - principios - morales - ¡al - diablo - con - todo - lo - que - limita - el - placer - supremo!, el respeto mutuo falta en esa voz gangosa, "¿me llamaste? Te espero a las siete, ya sabes, te espero", así como así, sin un soy yo, fulana de tal, como se presentan todos en el contestador, o Antonio, alguien me dijo que me habías llamado ... hay en esa voz impertinencia, imposiciones, deseos de demostrar que controla la situación ... , ¡qué sé yo!, ¡cuántas veces usó alguna de las criadas el mismo tono y yo tuve que taparme los oídos y mentirme a mí misma!, hasta con las sirvientas, con Milagros, y quién sabe con cuáles secretarias ... , la voz de esta última, agresiva y con la marca española del tú y de las zetas, es lo único que conozco de "la otra" ... , también el clic del teléfono que cuelga cuando yo contesto ... , tiene un nombre y una identidad, pero para mí no más es eso y un pubis abierto en flor, listo para recibir el goce masculino, me pregunto cómo un hombre puede amar a alguien con esa voz tan insensible y machorra ... , no, él no ama, no puede amar, nunca amó ... , según Antonio, las mujeres existimos para saciar la concupiscencia de hombres superiores como él, "recordá siempre, Renata, que lo que cuenta es mi carrera, es importante que lo tengás presente en todo momento, lo que vos hacés no tiene trascendencia alguna, unas clasecitas que jamás te darán de comer, unos cuentos y novelillas de medio pelo como para pasar el tiempo, ¡ni comparar lo tuyo con lo mío!, además, se sabe bien, toda mujer debe supeditarlo todo al éxito de su marido, no lo olvidés si no querés crear problemas en nuestro matrimonio", la felicidad para Antonio en el contexto de la pareja: que la mujer satisfaga todas las necesidades y apetitos de él, se convierta en un felpudo útil para sus pies, en un robot doméstico y una vagina próspera en placeres carnales".

—Muchas veces te he dicho, mamá, que te metás en esos grupos que hacen el *footing*. ¡Vieras qué hombres más guapos!, bueno, no faltan algunos feúchos ... de tu edad, mamá. Te van a sobrar romances, pero quitáte la alianza que espanta al más corrido de los hombres. También en algún club, algo que no tenga que ver con tu carrera docente, ¿me entendés?

"La pobre Gabriela me lo dice porque me quiere y desea mi felicidad, no se da cuenta de que hace mucho, muchísimo, cancelé todo cuanto se relaciona con mi vida sentimental, además, es una frivolidad que no se compaginaría con mi línea de conducta, ¡loquillas estas muchachas de hoy, con la cabeza llena de ideas de la generación jipi-rock-espacio-nuclear!, creen que se puede cambiar de un día para otro, que se puede tirar medio siglo de principios y un cuarto de siglo de matrimonio por la borda y seguir tan campante como las heroínas sofisticadas de *soap-opera*, las cuales pasan de una cama adúltera a otra saturada de libidinosidad, de la lujuriante unión con un hombre a otra más lujuriosa, ¡cultura anglosajona, sociedad supercivilizada que de tanto que tiene, quiere más en la infidelidad, en la droga, en los matices intrincados y rechazables del sexo!, realidad dislocada que hace una norma de todo ese retorcimiento y trastorna las reglas morales del pasado, ¡si me hubiese quedado allá, en mi país, no me digás más, Gaby, tu resobada frase de que tengo prejuicios contra los gringos, no, es que es un hecho comprobado, a mayor civilización, mayor libertinaje, míralo en Roma nomás pero debo reconocer que allá, en mi tierra, también han cambiado las cosas, todo está revuelto y sin arreglo, vamos irremisiblemente al desastre ... "

Renata suspira. No sabe si es porque añora tiempos pasados, o porque es una desadaptada en este país del norte donde todo transcurre precipitada y agitadamente. Antes, Allá, en su luminoso País de las Montañas Azules, todo iba lento, dando espacio a la contemplación; a minúsculos goces espirituales; a olvidarse de esa minucia diaria y exasperante del diario vivir sólo para llenar necesidades inmediatas y proveer para el futuro: no se sabe si en la vejez, con lo insensibles y desapegados que son los hijos, no haya luego ni un pequeño rincón donde acomodar la osamenta y los ancianos tengan que deambular por las calles ... Lo comentó una de esas tardes aperezadas, en el sofá de Faustina:

—Viendo en lo que paran los ancianos de por acá, y con lo sola que vivo a pesar de haber traído tres hijos, me repito que si no guardo para entonces, acabaré siendo la *bag lady* de la Calle Main; la *bag lady* que recibirá su ración de cada día en Catholic Charities o en el Women Center, ¡qué sé yo dónde! Al menos tendré algo que comer, y quizá hasta una cama para los días de hielo ... ¿Y la soledad? ¿Quién, dónde, cómo me curarán la soledad?

—Horrendo cuadro el de la vejez desamparada. ¡La que se nos espera, Renata, la que se nos espera! Y ya está a las puertas de nuestras vidas porque pronto nos jubilamos—, comentó Faustina con tristeza. —Lo que no comprendo es por qué hacen todo por ocultarlo ...

—Porque en este país todo es perfecto, todo mundo tiene de sobra, todos llenan el estómago, todos tienen una familia que se cuida de los nimios detalles y colman de atenciones a los ancianos padres, etc., etc., etc. Es una perfección sintética y esterilizada que hace temblar hasta las fibras más profundas de tu yo, pues alargar tu vejez aquí es acabar en la miseria física, con el corazón devastado y atrofia en el espíritu. Aquí, en esta Tierra Prometida del Norte, deberían levantar un monumento colosal al desafecto de padres e hijos y a la indiferencia hacia los ancianos desvalidos. ¿Has visto, Faustina, algunos letreros en el parachoques trasero de los vehículos? Dicen algo así como "Did you hug your child today?", "¿abrazaste hoy a tu hijo?"

—Sí, me han llamado la atención. Unos a otros intentan recordárselo mutuamente, ponerle un toquecito afectivo a la vida, lo cual le quita al afecto la espontaneidad que lo caracteriza. Sin embargo, no se remedia nada, ya que abundan los niños y la gente que van por el mundo sin una migaja de cariño.

—Con añoranza pienso que *antes*, *allá*, ese *antes* y *allá* míos en los que sigo habitando, no son lo mismo de esos pobres desgraciados que deambulan sin casa, sin amor, por las calles de Nueva York, de Chicago, de Houston ... Ellos al menos nacieron aquí y supieron desde el comienzo que eso mismo les tocaría porque así lo hicieron vivir a sus padres; tal vez un poco mejor, pues su jubilación les permitió retirarse a un hogar de ancianos ...

—Ni dudarlo, Renata, aquí la muerte es preferible a la vejez, infierno poblado de soledades, infortunios, naufragio de afectos ... , al entrar hoy a clase, visión apocalíptica que tiñó de temores mi futuro: en el basurero del comedor estudiantil, hurgaba una anciana vestida de andrajos, en busca de comida. Creo haberla reconocido: la antigua bibliotecaria de la U. Salió corriendo en cuanto me vio.

—¡Si lo hubiese sabido antes de venir al norte! ¡Si mis hijos adivinaran lo que les tocará entonces! Ni se hacen idea. Los muchachos, se sabe, viven convencidos de que en ellos se ha hecho realidad la fuente inagotable de la juventud ... De nada vale advertirles. Para los adolescentes, eterna es la juventud, la vida misma. Son invulnerables ...

Haciendo memoria de esas conversaciones, cuando Faustina era su amiga y hacían juntas interminables tertulias, Renata miró por la ventanilla del avión y quedó sobrecogida ante el espectáculo: espesos edredones blancos de nubes acolchaban el vuelo sereno de la nave y traían a su espíritu perturbado por aquellos pensamientos, una cálida sensación de estar a salvo de todo lo de abajo; como si la colcha de nubes la protegiera amorosamente de lo de allá abajo, que ya no se veía más; como si fuera una defensa contra la amenaza de estos tiempos tan deshumanizados y que tanto la mortificaban. Gabriela, de pequeñita, sentada en su regazo, en viaje también al sur, le decía que esas nubes sostenían el avión en el aire. "¿Y Dios, mamá, dónde está Dios? ¿No me dijiste que está en el cielo? Quiero verlo, mamá, ¿está más arriba todavía? ... ¿Cuándo llegará el avión a las alturas de Dios?" Entonces a Renata le vino de nuevo la voz tempranera de Gabriela en el auricular, antes de salir para el aeropuerto. Era una voz entrañable, llena de confidencias, pero ya crecida; voz de mujer ahora deshabitada de físicos cielos mitológicos:

—Mamá, nunca me he sentido tan feliz, tan realizada—. Las palabras de Gabriela seguían resonando en sus oídos y continuaban repitiéndole cuánto se amaban David y ella y lo mucho que le agradecían que hubiera comprendido y aceptado que los dos cohabitaran juntos antes de casarse:

—Yo temía, mamá, que después de varios días todo iba a terminar; que yo me cansaría de él, o que él iba a aburrirse y a dejarme; que la rutina y la relación íntima romperían nuestro idilio; que como dijo papá, una vez yo me entregara a él y perdiera la virginidad, David me faltaría el respeto y me dejaría por otra ... ¿Podés creer lo que dijo papá? ¡Es un carca que continúa pudriéndose en el machismo y las costumbres puritanas que el siglo XX ha cancelado! Menos mal que vos no pensás así y comprendés lo que representa para nosotros dos esta unión como prueba antes del matrimonio—. Renata tragó saliva con dificultad. Sólo ella sabía lo que le costaba arrinconar los principios con los que creció:

> esto no se hace, aquello, tampoco, no, no, no, no, no y
> *requetenó*,
> "la castidad es lo único que cuenta, lo sabés, Renata",
> "sí, mamá, ya me lo has dicho más de una vez,
> lo sé de memoria, jamás lo olvidaré, te lo juro".

Sólo ella sabía lo que le costaba aceptar la revolución sexual de estos tiempos, la cual le volvía el mundo patas arriba.

—Pues ya ves, papá se equivocó de cabo a rabo—, proseguía la voz de Gabriela del otro lado del tubo. —Aquí me tenés, más feliz y lograda que nunca. David me colma de regalos, caricias, amor, flores y a veces, después de varios días de vivir absorto en sus estudios y trabajo, se vuelve más tierno, más apasionado.

"¿Cuándo?, ¿cuándo pude yo hablar así con mi madre,
esa inmensa madre devoradora a la que se le podía conversar de otros temas,
menos de los rincones sangrantes o apasionados del
  corazón?"

—Entonces me pide perdón porque no ha sido más considerado
y afectuoso conmigo, concentrado como ha estado en lo suyo, se
derrite y no halla dónde ponerme. Mamá, no te imaginás cuánto
te agradezco que aceptés esta relación mía con David.
    Renata se atraganta de nuevo y esta vez tose para disimular.
    —Ahora sí sé que me puedo casar con David. Ahora voy con-
vencida de que con él hay más probabilidad de que el matrimonio
no se acabe en un santiamén. Además, él no quiere que ocurra
con nosotros lo de sus padres, quienes nunca se entendieron. ¡Y
a consecuencia de todo esto, cuánto sufrieron él y sus hermanos!
Por mi parte, yo tampoco quiero que se repita lo tuyo y de papá.
Sabés que desde los once años he deseado con todo mi ser que
ustedes dos se divorcien, se separen, vivan lejos uno de otro ...
    —¿¿¿Quéee???
    —Que dejen de destrozarse como lo han hecho hasta ahora. No
entiendo cómo se puede arrastrar años y años una relación podrida
como la de ustedes dos. Debe ser un infierno que yo no soportaría
por nada del mundo. ¿Por qué, mamá, por qué dejaste ir las cosas
tan lejos? ¿Por nosotros?
    —¡Las cosas que se te ocurren, Gaby!
    —¡Ah, no, no me vengás con ésas, que ya los padres y los hijos
saben de sobra que lo más importante en la vida es vivirla en toda
su intensidad sin esperar la aprobación de los otros ... Y vos y
papá se han pasado aguantándose sólo para guardar las apariencias.
Has de saber de una vez por todas que nosotros aplaudiríamos la
separación o el divorcio por la felicidad de los dos. David y yo
estamos compenetrados y ahora sabemos que nos acoplamos bien
hasta en la cama, que juntos vamos a llenar las apetencias de vida
intensa que todos padecemos con mayor o menor intensidad.
    Del otro lado de los hilos telefónicos, Renata no pudo evitar
ruborizarse y hacerle a Gabriela miles de mudos reproches:

"¡Si yo hubiera hablado así a mi madre!,
si yo hubiera tenido algo íntimo con alguno de mis
  novios,
miedo,
siempre el miedo agazapado en mis palabras, en mis

gestos, en mis besos, cuando Antonio estaba conmigo:
"vos sabés, Renata, que los hombres sólo buscan ESO
y después, si te vi, no me acuerdo, no vayás a hacer
con Antonio una yeguada, sólo te digo que si me
venís un día con encarguito y él no se casa con vos,
ya podés tomar las de Villadiego
porque ni yo, ni tus hermanos, permitiremos que una
perdida,
sí, porque serías UNA PERDIDA,
que una perdida ponga los pies en esta honradisísima
casa donde todavía se siente la presencia respetable
de tu progenitor, que en paz descanse",
"UNA PERDIDA" ... Gaby no es una perdida, es sólo
una muchacha enamorada,
yo me formé en la vieja escuela y no sé aceptar por
completo que ella viva amancebada con David, me
es difícil, imposible, hago de tripas, corazón,
cuando me lo propusieron los dos, lo desaprobé sin ex-
presarlo directamente, es absurdo que me hayan pedido el consentimiento, cuando ya estaban decidi-
dos a amancebarse,
quizás una forma de compartir conmigo la responsabilidad y sentirse menos culpables, fue David, no ella,
quien me lo consultó,
quedé petrificada, con el auricular apretado en el puño,
como si fuera a asestar con él un golpe mortal a la
decisión de la pareja, un golpe mortal a esa sarta
de principios que pesan sobre mí, quizás más bien
al libertinaje maldito de esta revolución sexual de
hoy que me hace ver tan pacata y miserable, en-
gurruñada como vivo en las enseñanzas de mi madre,
cuando me lo dijiste, Gaby, cerré los ojos, calma, calma,
me repetí,
medí las palabras con cautela, Renata, son jóvenes, están enamorados, son muchachos de la nueva ola,
debés comprender, vos no pertenecés a su mundo,
son Ariadna y Teseo, los que después de siglos, al fin han
logrado asesinar a la Madre-Terrible-Minotauro que
devoraba sistemáticamente doncellas y donceles,
la que los torturaba primero por años y después,
¡zaz!, el zarpazo mortal, cuando sus palabras cobraban
el monstruoso cuerpo de la frigidez en el lecho nup-

cial y el machismo exacerbado hasta concretarse en
  el asumido derecho a la violación diaria de la esposa,
quien se extravía en el laberinto del matrimonio creyendo que los difíciles y angustiosos pasillos recor-
  ridos por ella son el camino seguro para encontrarse
  con el amigo-amante-marido que le prometió el edén
  antes de subir al altar,
pero después, equivocadamente, la llevó a habitar consigo al este del Paraíso, donde se extienden los pá-
  ramos, las tierras de secano,
calma, Renata, calláte, podrías perder a tu Gaby por
  inoportuna, ahora es cuando más te necesita,
acordáte de Fanny, su mejor amiga, quien apretada hasta
  la exasperación por el puritanismo bautista de sus
  padres, reaccionó en su contra hasta irse al otro extremo:
hoy se pasa de un bar a otro invitando a los hombres a
  dormir con ella,
cuando exclamo, "¡prostituta, Fanny es una prostituta!",
  Gaby me reclama que eso no es prostitución porque
  su amiga no demanda un precio por los servicios
y es normal para casi todas las mujeres liberadas y para
  algunas muchachas también,
"¿por qué no, si los hombres lo hacen y nadie los llama
  putos?",
repiten las muchachas de hoy
y yo me horrorizo, ¡mis principios de carcamal anticuado que arrastra una sarta de enseñanzas útiles
  para sobrevivir como mujer de entonces, y como esposa apabullantemente sumisa,
pero ahora, inservibles!, sea como sea, la magia de una
  intimidad sólo la puede proporcionar una dosis fuerte de amor,
lo demás sigue siendo fornicación como en mis tiempos,
  como ha sido siempre, desde el Génesis,
pero andáte con cautela para no alejar de vos a Gaby
  ni a David:

—David, decíme una cosa: ¿Si ahora la tomás por mujer y
después te cansás de ella ... ?

"¡Mi madre! Volvió a salir por el laberinto del alma el
  monstruo de la Madre-Terrible-Minotauro insaciable,

y esta vez me poseyó y habló por mí,
¡Maldita sombra que me persigue encarnizadamente!"

—David, si después te cansás de ella, pasará de tus manos a
otras y a otras y a otras ... Perderá esa ... ¿Cómo dijiste, David?
Esa claridad y pureza, lo transparente de su ser de muchacha en
flor ...

> "¡Monstruo de la Madre-Terrible, te conjuro a que sal-
>   gás de mí para eliminar de una vez por todas las
>   represiones que me impusiste!,
> para entrar en esta nueva era como una iniciada que
>   sacrificó ya en tu maldito altar su felicidad y vida
>   enteras,
> con el fin de cubrirse ahora con las vestiduras sagradas
>   de la Nueva-Madre-Comprensiva".

Antes de concluir, silencio momentáneo del otro lado:
—Gabriela y yo hablaremos de esto, señora. Usted tiene razón.
Es mejor que lo pensemos.

> Si yo fuera joven de la nueva ola como Gaby, ¿no haría
>   lo mismo?,
> ¿creo acaso en el valor absoluto de la virginidad?,
> ¿creí en ella en otro tiempo?,
> mitos estúpidos de estúpida sociedad hipócrita, ¡mitos-
>   grillos que hacen imposible la libertad!, ¿y qué valor
>   tienen?,
> maldita generación la nuestra, a caballo sobre el ayer
>   petrificado y el hoy abierto a una rica gama de ten-
>   tadoras posibilidades,
> es la era de los clósets abiertos, aireados, ventilados,
>   donde no se esconden los cadáveres del pecado,
> más bien la moda es exponerlos a la vista de todos, sin
>   tapujos ...

El edredón espeso de nubes se desgarraba a trechos y dejaba
ver un sol esplendente reflejado en las aguas del Golfo de México.
Desgarrada ella también, Renata recordó su primera noche de bodas, cuando perdió la virginidad; la misma que con tanto celo
guardaron su madre y sus hermanos y la sociedad y la iglesia
católica con su ejército de sacerdotes; sobre todo el cura regañón
y pervertido que la ruborizaba en el confesionario preguntándole
con intensidad lo no preguntable a una adolescente que apenas si
sabía (quizás sólo adivinaba) algo de ESO:

—Bueno, hija, ¿pero vos dejás que tu novio te toque ... , te manoseé ... ?

—¿Tocarmeeee? ¿Manosearmeeee? ¿Qué quiere decir usted, Padre?

—Pues eso ... , manosearte, no te hagás la babieca ... , sobarte las teticas ...

Una montaña de vergüenzas, desde la primera vergüenza de Eva debajo del manzano, hasta la última que tuvo cabida en el mundo, se derrumbaba encima de Renata sepultándola cada vez que el cura entraba en estos tiquismiquis que para ella eran indecentes. Entonces Renata optó por replicarle:

—¿Tocarme mi novio? ¿Pero si no le he confesado ya que sólo me ha besado en los labios?

—Explicáme, y cuando te besa, ¿qué sentís, muchacha?—, seguía el confesor sin dar importancia a los escrúpulos de Renata. Esta, sonrojada hasta el blanco de los ojos, le contestaba:

—Idiay, un placer ... Un placer muy intenso que culebrea por todo mi cuerpo hasta electrizarme el último átomo y reventar en estremecimientos que me provocan un algo desconocido para mí antes ... Antes de que él me besara, quiero decir ... Mi pecado es el beso de él, padrecito, y ... y ... el placer inevitable que me dan sus besos. Perdón, padrecito. Mi intención no es ofenderlos a usted ni menos a Dios, pero no pude evitar su beso ... No puedo evitar sus besos. El ansia de sus besos es más fuerte que mi voluntad ... Este es mi pecado, Padrecito.

—¡Ave María Purísima! ¡Válgame Dios! ¡Grave! ¡Muy grave es tu corrupción! De ahora en adelante, hija, si querés de veras el perdón de Dios y salvarte, tendrás que abstenerte de besar a tu novio. Es tu penitencia. Y cuando él desee darte un beso, le ponés la mejilla, o la frente, con castidad. Eso sí, CON CASTIDAD. Como deben hacerlo las muchachas que esperan ir puras al altar. ¡Y nada de sobaditas!

—Pero ... Pero es que si hasta cuando me besa así, como usted dice, en las mejillas ... O me toma de la mano, Padrecito, siento ese culebreo que le conté. Es como si estuviera cargada de electricidad negativa y al menor contacto con él, que es la f uerza positiva, se produjera en mí una corriente de vibraciones incontrolables ... Sí, lo confieso, Padrecito, incontrolables ... ¿Qué quiere que le diga? A usted no le puedo mentir, porque hago de cuentas que estoy ante Dios y El lo sabe toditico.

—¡Malo, malo, muy malo! —Con voz de enojo, del otro lado de la rejilla la regañaba con severidad el cura—. Tendrás que irte al María Auxiliadora a hacer un largo retiro espiritual para limpiar las más íntimas fibras de tu ser de ese pecado tan feo que te consume y que vos llamás, haciéndote la bobita, "carga eléctrica". ¡A mí con carguitas eléctricas! ¡Yo, que me sé todas las trastadas del demonio! Clarísimo, hija, que es el demonio mismo el que te produce esos ... trastornitos. ¿Que no ves que es el demonio el que llevás en los dobleces de tu espíritu? De ahí tu resistencia a venir a confesar, como me dijiste al principio, ahora lo entiendo ... Y ya ves, si te descuidás una pizquita, será tu perdición total. ¡A salvarte de una vez por todas antes de que sea demasiado tarde, incauta! Acuérdate que será para una eternidad y los besos y manitas de aquí, de este bajo mundo, ¡qué efímeros son! Salváte antes que sea tarde ...

Después, la culpa. Siempre la culpa y miles de veces, la culpa. ¡Culpa, culpa, culpa, culpaaaaaa! Culpa, cuando el cuerpo vibraba con el alma, junto a Antonio. ¿Por qué esa culpa, si el cuerpo, como el alma, también salió de las manos del Hacedor?

Las aeromozas servían ya el cóctel que había de preceder la comida, pero Renata había perdido en ese momento hasta el interés en su acostumbrado martini; cerró los ojos y siguió sumida en los pensamientos. El cuerpo. Pensaba que su generación y las generaciones anteriores habían hecho del cuerpo un anatema. Sonrió recordando aquel charlatán de la serpiente, aquel idólatra del cuerpo, el que durante una multitud de jueves, en la plaza de su infancia, edificaba con los poderes mágicos de su palabra, cuerpos sólidos como rocas, como catedrales góticas, sanotes como el aire del altiplano:

—¡Vengan, vengan!, acérquense a ver el juego de esta serpiente que es el mesmito Pisuicas—, repetía el charlatán cada jueves en la plaza, frente a la iglesia de las dos torres achatadas, las cuales, en las tardes de intensos celajes vibraban embellecidas por las voces metálicas de las campanas que cantaban el Angelus.

—¡Vengan ustedes, doñitas y doncitos!, ¡y ustedes tres, muchachitas lindas, porque esto va con ustedes! Acérquense a ver el juego de la serpiente. Mañosa, sí, pero yo la tengo domesticada y le ordenaré saltar y hacer cuanto me dé la real y santa gana. No, no tengo pacto con el diablo pingo, porque yo creo en Dios y en María Santísima.

Se quitaba el sombrero con respeto, para persignarse. Dos campesinos descalzos que habían venido al pueblo a vender su mercancía, se quitaban el sombrero de paja, se lo ponían sobre el corazón, y hacían la señal de la cruz como el charlatán.

—Vení, vení vos, muchacho. Decíme, güililla, ¿sos valiente como todo buen macho?

—Pos muuuchooo … Sí, señor, muy valiente—, respondía el aludido ahuecando la voz para parecer más hombrecito.

—¿Te gustan las mujeres?

—Pos sí, una barbaridá.

—¡Ah!, entonces sí sos un machito de veras. ¿Cómo te gustan las mujeres, lindas lindas, o como caigan?

—¡Idiay, como caigan, hombreee!

—¡Carambitas, mirá que sos macho de los de pelo en pecho! Ahora decíme, ¿cuál culebra querés tener en la mano? Esta de trapo, o ésta, vivita y coleando que se muere de ganas de pegarle un ñangazo al primero que se le arrime?

El chiquillo, —siempre era uno diferente, escogido en la multitud de curiosos, donde no faltan los niños—, con ojos desorbitados, optaba por la de trapo, por supuesto, pese a que se moría por aparecer más hombrecito de lo que hasta entonces había parecido a los fascinados mirones —o por lo menos eso pensaba él— por el aura de macho que ya se definía a pesar de sus pocos años. Un mágico alivio le daba alientos al verse apoyado con murmullos aprobatorios de los espectadores a su alrededor.

—¡Ah, chacalín, no me digás que ahora, después de fachendear de muy machito, te me rajás y tenés miedo—, el charlatán daba un dramático suspiro de desengaño y fingiendo resignación, proseguía.

—Bueno, ¡qué le vamos a hacer! Entonces tomá la culebra de trapo y escuchá bien lo que tenés que hacer: cuando yo dé una palmada, la apretás muy fuerte. Cuando dé otra palmada, la aflojás. Y cuando dé la tercera y última, se la tirás derechito a la culebra verdadera que tengo aquí enroscada en mi brazo, ¿okay?

Dio la primera palmada, "niño, ¿cómo la tenés?", "muy apretadita, como usté se sirvió ordenarme".

—Muy bien, chacalín. Ahora yo les voy a dar un regalo a veinte personas. ¡El gran regalo del siglo, que nunca soñaron tener! ¿Ven esta pomada? ¡Véanla toditicos! ¡La ven? Esta pomada es el famoso ungüento Kelsa. ¡De cuántos dolores se habrían librado don Quijote y su fielísimo Sancho, con el ungüento Kelsa si hubiera existido en aquellos gloriosos tiempos de la caballería quijotesca. Bueno, pues por las curas maravillosas que ha hecho, este ungüento vale en las farmacias cien pesos. ¡Una barbaridá de pesos, ¿verdá? ¿Quién quiere un frasquito por cien pesos?

Silencio completo entre los espectadores.

—¡Nadie, por supuesto! Bueno, no se alarmen, que no los dejaré ir a casa con las manos vacías, porque yo lo daré por sólo diez íngrimos pesillos. Como les dije, ¡un verdadero regalo! Y sólo se lo daré a aquellos que amen su cuerpo y se laven las manos.

¡Niiiñooo!, ¿cómo tenés la culebra? Bien, bien, seguíla apretando
que pronto viene la segunda palmada. Sí, un regalazo, les daré
el ungüento Kelsa, el que vale cien pesos, por sólo diez a los que
amen el cuerpo y se laven las manos, porque las uñas, ¿saben?, las
uñas son el depósito de todas las enfermedades. Hay que ser limpi-
tos para ser sanos. *Homo limpiun, homo sanum* decía el romano
Aristósfeles. Ahora, en estos tiempos atómicos, electrónicos y mi-
croóndicos, les habla otro hombre, el cual, como Aristósfeles, ama
la limpieza, la adora, la idolatra, porque ama, adora e idolatra
el cuerpo. Hay que amar el cuerpo para ser sano. A este servi-
dor le duele más la camisa mugrosa que cualquier dolor en los
huesos, en los músculos, dondequiera. Y porque soy tan limpio,
miren, miren bien, mi pellejo está tilinte, lisito como tobogán, sa-
note como fondillo de bebé. Y es que yo amo el cuerpo, lo adoro,
lo idolatro y por lo mismo lo trato con el ungüento K elsa. Eso
de la suciedad es crónico. Hay quien se rasca, se le pega a la uña
una grasita y piensa, "caray, ¡qué gordo me pongo!", pero es sólo
la costra de la mugre. ¿Por qué no amar, adorar, idolatrar, cuidar,
mimar, prestarle atención al cuerpo, templo que guarda el hos-
tiario del alma? Con las manos limpitas y el cuerpo aseado, Kelsa
obra prodigios: quita granos, espinillas, comezones, juanetes, zar-
pullidos, sarna, caspa, orzuelos, herpes cutáneos, quemaduras, ci-
catrices, forúnculos, y hasta las jediondeces del sudor, el aliento y
de todas esas toxinas que echamos por todos los poros y huecos
del cuerpo como volcanes en continua y muda actividad, repug-
nando a los demás. Pero si quieren tener resultados maravillosos,
apliquense Kelsa con las manos pulcras. ¡Niiiiñooo, que doy la
segunda palmada! ¿Cómo tenés la culebrita de trapo? Bien, muy
bien, la aflojaste ... , y ahora a prepararte para tirársela a esta
culebra viva que sostengo apretada en la mano y enroscada en el
brazo. ¡Kelsa!, el ungüento prodigioso del siglo, no lo olviden, sólo
es para los que aman el cuerpo y lo mantienen limpitico como una
patena. Un regalo milagroso por diez pesos no más. ¿Cuántos
potes quiere usté, doñita? ¿Y usté, niña? ¿Y usté, preciosa? ¿Y
usté, doncito? ¡Maravilloso! ¡Cuántos adoradores del cuerpo hay
en este pueblo! ¡Niiiñooo ...

Renata se preguntaba cómo olvidar la magia avasalladora del
vendedor de Kelsa, amador del cuerpo? Si hubiera comprado un
pomo de aquel ungüento prodigioso, tal vez ...

"¡qué cosas se me ocurren! eso, cuando chiquilina,
cuando esperaba con ansias que el muchacho tirara la
culebra de trapo a la de veras que el charlatán tenía

agarrada del cogote, entonces se le enroscaba toda en
el cuerpo, se retorcía como un demonio hasta hacer
retroceder a la multitud que lo rodeaba,
la víbora no se aquietaba hasta que no entraba en un
saco de gangoche, ¡para quitarle a cualquiera el a-
liento!,
"es que mi cuerpo está inmaculado, ¿lo ven?, por eso la
culebra no me hace nada. ¿se convencen ahoritica?",
y sí, nos convencía, me convencía a mí que deseaba con
todas las ganas del mundo comprar Kelsa y emba-
rrarme toda para preservar mi cuerpo, mi tersura, y
volver eterna mi juventud,
poder enrollarme serpientes como él, pero claro, yo no
sabía que aquélla era una boa inofensiva y que a mí
un día me iban a regañar en el confesionario y a dar
penitencia por culpa de mi cuerpo, porque el cura
no lo amaba como mi charlatán de Kelsa,
porque desde niña me repetí que había que amar el
cuerpo y llegué a amarlo con limpio fervor de lo-
ciones aromáticas y sensuales enjabonaduras,
porque mi cuerpo entero me culebreaba con los primeros besos de Gerardo - Rafael - Juan - Abelardo -
pasajeros - novios - del - momento, y que hacían al
cura dar puñetazos en el confesionario,
me maldecía,
me mandaba una vez y otra vez a los infiernos,
pero antes, se volvía todo oídos escuchando los detalles
de mis pecados que él mismo me pedía desmenuzar,
y yo adivinaba un deleite morboso en su manera de
preguntar y de escucharme,
pero para mandarme a las calderas de Pedro Botero u-
saba una voz ríspida y cavernosa, como venida del
fondo del mismito Dios,
¡el susto que me daba!,
pero Señor, ¡qué gloria era entonces el goce del cuerpo
culebreándome con los besos de él, de ellos, pasaje-
ros-novios-del-momento".

* * *

Hermosa doncella fenómeno: tiene cuatro piernas y viste trajes
largos para encubrirlas. Ante mi asombro, porque sus andares son
armoniosos, me demuestra cómo aprendió a caminar coordinando

el movimiento de las dos derechas a la vez, con el de las dos de la izquierda. Al final, me explica:

—Si yo no te lo hubiera dicho y hecho patente, no habrías notado nada, pues lo disimulo requetebién. Debajo de los trajes y las máscaras, ¡cuánto se oculta, Renata!, ¡cuanto! Es preciso aprender a calar lo que se esconde para que no te metan gato por liebre ... ¡No olvidarlo, aprender a penetrar y utilizar las variadas formas del disimulo!

Al despertar, me pregunté cómo pude haber visto tanta belleza en un monstruo con cuatro piernas. Traté entonces de revivir la imagen onírica y sí, había en esa criatura un algo divino, como de diosa salida de la mitología. ¿Y qué quería decirme?

IX

DE LA PERVERSIÓN

Cuando la líder anglosajona de la liberación femenina, Gloria Steinem, visitó Puerto Rico en 1971, se dirigió al Club Femenino de Prensa, una organización que se originó debido a que el Club de Prensa que existía previamente había rehusado admitir a las mujeres como miembros. Después de que Ms. Steinem terminó su discurso, la Presidenta del Club, Angela Luisa Torregrosa (viuda de Córdova Chirino) contestó las observaciones de la invitada haciendo hincapié en que en Puerto Rico no había necesidad de un movimiento de liberación femenino porque las ciudadanas de la isla ya estaban liberadas.

San Juan Star, marzo 2, 1971

El matrimonio es la cura de Keeley para la intoxicación del amor.

Helen Rowland

Se me acerca muy despacio una extraña mujer vestida de amplia y larga bata negra. Desde lejos distingo que lleva colgado al pecho un bellísimo pájaro negro con corona de oro y diamantes; sus alas se extienden siguiendo la forma del escote. De cuando en cuando, el pájaro hace un intento de agitar las alas que están prensadas en la bata, con alfileres. El esfuerzo desmayado del ave denota una angustia agónica. Poco a poco me siento también presa de angustia, como si el animalito y yo fuéramos un mismo ser. Al acercarme, reconozco a la extraña mujer: es mi madre muerta hace unos años. Tan pronto como llego a su lado, el fantasma comienza a sermonearme como una tarabilla, sin pausas entre las palabras:

—¡Ay de vos Renata si perdés la virginidad! Ni la punta del pelo te dejés tocar si no querés ser una perdida PER-DI-DAAA ¿lo oís bien?

* * *

Aquella primera noche de bodas el desbordamiento apasionado de Antonio le enseñó a Renata a poner mordaza a su dolor físico y moral. Lo retuvo en las entrañas como una culebra que se retorcía y por dentro la iba emponzoñando larga y violentamente. Con el tiempo se le fue volviendo un grito que le entraba espeso en su carne, y se le clavaba vertical ahí donde por siglos la mujer ha sangrado fecunda y repudiablemente. Ahí, en el triángulo prohibido donde se guarda la ofrenda suprema del placer, ahí se le quedaba a Renata el grito, gangrenándosele, eternizándosele en gritoestalactita y en gritofósil. Mil veces mil los katunes se repitieron en su proceso de eternorretorno y mil veces mil millones, su grito de rabia-dolor-protesta-rechazo-ira-odio quedaba hundido en las concavidades de lo más íntimo de su ser.

Poco a poco el espejo la puso frente a frente de sus propias facciones, ahora tensas, endurecidas, apretadas como si un combate de músculos y nervios se estuviera perpetrando tras la blancura de porcelana de su tez. Con horror comprobó que esas facciones eran el calco de tantas mujeres, de infinitas mujeres que pululaban en el laberinto de los días por la calle, por el mercado, por las fiestas y por los deberes cotidianos de guisos-fregaderos-planchadores-trapeadores-microondas-limpiacocina-lávalotodo.

Mujeres con la mirada opaca, que echan carnes, mondongos, adiposidades, las cuales crecen dentro de los vestidos como grasosas distancias; son otra vez Brunilda protegida ahora, no por un círculo mágico de fuego, sino por la rastrera gordura. La obesidad y el desaliño juntos, las protege de la tentación-hombre-machopríncipeazul, quien podría acercárseles algún día a despertarlas del sueño obligado, el que les ha impedido percatarse de su miseria.

Son mujeres pasivas que se dejan aplastar y reducir al mínimo tamaño del más mínimo y despreciable insecto ... Se arrastran bajo la abrumadora tarea de cumplir la jornada diaria ... Sísifo-Penélope del interminable hacer, deshacer, rehacer, terminar, volver a comenzar.

—No entiendo por qué decís que exijo de vos más de lo que puede dar cualquier mujer—, le reclamó un día Antonio. —Sabés que te escogí para esposa porque vi en vos todo el potencial para ser la mujer perfecta, la mujer total, la que sería modelo entre modelos, la que me daría los hijos más hermosos y listos. Sabés que espero de vos la personificación de la suprema excelencia.

Renata ya ni recuerda cuándo lo dijo Antonio. Sin embargo, se le ha quedado en la memoria como marca de hierro candente que él le imprimió cuando ya en el altar se habían jurado seguir unidos hasta la muerte, para bien o para mal. Los hombres suelen esperar al momento en que se ancla en la tierra de nunca-más-volver, a la encrucijada de ya-no-puedo-echarme-atrás, para abrir el arsenal de su artillería pesada, y masacrar sin miramientos el amor conyugal ... Siempre los hombres y siempre en el momento de ya-no-puedo-echarme-atrás ... ¡Siempre los hombres!

—Me paso preguntándome si la Iglesia está enterada de que casarse en esta sociedad machista equivale a ponerse grillos voluntarios de esclava sin más esperanzas de libertad que la muerte—, comentó con pesimismo Faustina, quien miraba, esceptica, la alegría bulliciosa de Gabriela el día de su boda. —Estas muchachas no saben en lo que se meten. Todas piensan (nosotras también lo pensamos) que a ellas les va a ir diferente, pero se equivocan de parte a parte.

—Bueno, y si lo sospecharan los de la Iglesia, ¿harían algo por mejorar la situación de la mujer?—, replicó Renata. —Recordá que la Iglesia está integrada sólo por hombres que manipulan a su manera las cosas. Es importante para ellos declarar indisolubles los lazos del matrimonio para salvar a la familia.

—Muchachas—, intervino Faustina, —¿saben lo que escuché en la conferencia del sábado?

—¿Otra de esas locas conferencias de las que salís chorreando existencialismo y sartreanismo y feminismo?—, bromeó Sonia con su interminable natural sonrisa.

—Otra, sí, deberían haber ido ustedes, porque fue de lo mejor. Escuchen, que esto tiene enjundia: la conferenciante explicó que en el mundo actual la mujer y el ladrón ... Fíjense bien, nos ponen juntos a la mujer y al ladrón ...

—Ya antes, en la época de la conquista nos habían equiparado con los cargamentos de grano y enseres que traían los barcos a América, ¡perra suerte la nuestra!—, se lamentó Renata.

—Repito, la conferenciante decía que la mujer y el ladrón se ven obligados a trasgredir las normas de la sociedad y a rechazar su censura porque somos el OTRO, condenados como vivimos a un estado de continuas represiones de toda índole.

—Lo que se me pone color de hormiga es eso de colocarnos a nosotras, dignísimas descendientes de Eva-Lilith mano a mano con los rateros—, reaccionó de nuevo Sonia. —Al menos el caco se apodera de algo y hasta tiene tiempo de gozarlo. A nosotros ni ese gustazo nos dan. ¿Pecaste rompiendo los dictados de tu sociedad?, pues ¡rácata!, a pagarlo para toda la vida sin derecho a perdón alguno.

—¡Burra, más que burra!—, interrumpió Renata. —¿Que no ves la relación? Lo que explican las feministas de hoy es que para realizarse y realizar lo que en el hombre es faena aceptada y aplaudida por todos, por siglos la mujer se ha visto obligada a "robar" momentos de su quehacer doméstico, de sus obligaciones matrimoniales, de sus deberes de madre. Así escribimos, así esculpimos, así cantamos, así mantenemos el espíritu guardado en el recinto de la poesía, de lo bello, del arte, mientras deambulamos en los meandros de la rutina familiar. El placer del ladrón al robar lo experimentamos robándonos el tiempo que niega la sociedad a nuestra realización como profesionales, artistas, escritoras, compositoras. No se dan el gustazo las que no roban así su tiempo, como nosotras; se apantallan tras el pretexto de "antes que nada, atender las necesidades del marido y de los hijos". No anticipan el futuro. Es una anticipación necesariamente obligada para toda mujer en este país donde los hijos se dispersan, se van a otros estados; después, apenas si se acuerdan de la madre, como nos cuenta Faustina de sus dos hijos. ¿Qué habría sido de ella si no se roba ese tiempo para la carrera?

—¡Ah, pues explicado así, no sólo me gusta, sino que lo firmo hasta con mi propia sangre. ¡Esto es hablar, Renata!, lo demás son cuentos—, Milagros aplaudió. —¡Y qué duchas nos hemos vuelto en el arte de robar nuestro tiempo, porque mirá que no es así nomás que se hace lo que todas nosotras hacemos a pesar de nuestros maridos, hijos y ¡qué sé yo cuánto más que siendo amor, es impedimento en nuestra vida! Hay que reconocer que somos bastante especiales, pero como nosotras, hay muchas otras.

—Tendríamos que leer el libro de la venezolana, doctora en

leyes, María Gabriela Matheus—, comentó Sonia dejando a un lado el chaleco que había seguido tejiendo mientras las otras hablaban. —Su libro se titula nada menos que *La mujer, una incapaz como el niño y el demente*. Estudia las constituciones de dieciséis países latinoamericanos de las cuales saca la conclusión de que en la mayoría, por no decir en todos nuestros países, se discrimina contra la mujer. Donde resulta más obvio, es en el castigo de dos a tres años de cárcel al marido que mata a su esposa por adulterio y más de treinta años a la mujer que mata al marido por la misma razón.

—¡Ah, sí!, vale la pena leerlo. Es muy revelador—, participó Faustina mientras se hacía la manicura.

—¡Lástima que no lo leí antes de casarme! Al final, la Dra. Matheus deduce que en el mundo hispano una concubina tiene más derechos que una esposa: ésta, bajo la patria potestad del marido, no sólo no es dueña de sus propios bienes, sino que si el marido tiene hijos ilegítimos y le da la gana llevarlos a convivir con los legítimos, la esposa debe aceptarlos con sumisión. ¡Fijarse en este horror y error, cuidarse de los hijos ilegítimos y encima esos arrimados tienen tanto derecho a heredar, como los chiquillos del matrimonio. Total, ¿Qué saca a su favor la mujer al casarse si pierde hacha, calabaza y miel? Y encima todo se vuelve deberes para ella, y para él, gozar con otras para traer hijos ilegítimos. De veras que hasta en leyes permanecemos en la Edad Media. Si lo hubiera leído antes de casarme, ni amarrada me habrían llevado al altar.

—A mí tampoco ... Concubinita desprestigida habría permanecido, pero muy feliz y dueña de mi voluntad, mis bienes y los derechos de mis hijos—, metió baza Milagros, haciendo las morisquetas de asco que la caracterizaban cuando algo no le caía bien.

A esto Faustina, quien estaba enteradísima de todo lo que tiene que ver con la liberación de la mujer, salió con que el día anterior había leído un artículo de un tal Swindler, sobre "Jesucristo fue un feminista", "*Jesus Christ was a Feminist*".

—El autor considera la ley de los judíos que prohibía a las mujeres el estudio de la Torah. Cita a Eliezer, quien afirma que antes de poner la Torah en manos de una mujer, más vale quemarla y que quien enseñe a su hija las sagradas escrituras, comete el mismo pecado que si le enseñara a ser lasciva. A las mujeres no se les permitía formar parte del coro de celebrantes; no podían servir como testigos; un hombre decente no debía dirigirse en público a una mujer; un rabino no hablaba en público ni con su esposa ni con su hija; y como si eso fuera poco, a las pobres se les consideraba impuras durante la menstruación.

—¡Ya caigo!—, exclamó Sonia. —Jesús no se sometió a esas reglas estrictas y habló en público con la samaritana y hasta con María Magdalena, la pecadora arrepentida. Nunca pensé en lo revolucionario de su comportamiento.

—Hay que reconocer con el autor que Jesucristo era un feminista radical—, continuó Faustina. —No sólo rechazó la tradición sobre la impureza de la mujer en los días críticos, sino que también curó a la que sangraba sin cesar. Y como si fuera poco, ¿a quiénes hizo testigo de su resurrección? A tres mujeres. ¿Y su amistad con Marta y María? Ah, y San Pablo no era el misógeno que asoma en el *Nuevo Testamento*. Parece que tal actitud proviene de las interpolaciones del llamado pseudo-Pablo. El apóstol de Cristo iba siempre acompañado de mujeres que escuchaban su palabra. Y en Filipos se alojó en casa de Lydia, una rica comerciante.

—A mí siempre me olió a chamusquina el *wonderful* pasaje que dice: "los maridos deben amar a sus *wives* como a su propio cuerpo. El que ama a su mujer, a sí mismo se ama". Y es que lo que sigue, lo contradice—, comentó Sara.

—Bueno, pero no todo el mal en nuestros matrimonios proviene de esta sociedad falologocéntrica con herencia hebrea. ¿Se han fijado que lo peor del matrimonio es que una debe cargar no sólo con el marido, sino también con las groserías de los suegros y cuñados?—, intervino Sonia.

—¡Y eso que vos no tenés una suegra metiche y sacahuesosdelpanteón! —tercio Renata—. Siempre que doña Adelaida llega a ver a sus nietecitos con el bolsón de cuero negro repleto de golosinas y juguetes, porque a los nietos hay que darles todo, mimarlos y permitirles todo, la vieja de miér ... coles suelta, como quien no quiere la cosa, una puyita frente a Antonio, con la única intención de que él oiga y descargue la batería contra mí: "¡Qué lindos mis nietecitos, pero no sé de dónde salieron tan ariscos y poco afectuosos! ¡Con lo cariñosos que somos los Swanson y hasta los Rodríguez! ¡Qué fiasco! Y ¿cómo es que Gonzalito anda lleno de moretones, chichones y rasguños? ¡Y Gabrielita, que lleva el vestido roto en el dobladillo! ¿Cuándo tu madre, Renata, que en paz descanse, te dejaba ir así por el mundo, decímelo?, te conocí desde que eras una güililla, cuando no te levantabas del suelo ni cuatro palmos y por eso puedo hablar y por el bien de tus hijos".

"Sí, doña Adelaida Swanson de Rodríguez, sí, la falta
    de afecto la sacaron sus nietos de mi familia, de mi
    sangre, de mi incorregible manera de ser llana y di-

recta, sin melosidades,

todos los defectos de nuestros hijos, son los míos, los de mi familia, les vienen de mis orígenes,

pero entre los míos no es costumbre insultarse y pelearse como demonios para acabar besuqueándose, vieja condenada que no ha hecho más que meter cizaña entre Antonio y yo,

¿no ve usted que yo les enseñé a nuestros hijos a no ser hipócritas y ellos, "mamá, no me hagás fingir que quiero a la abuela Adelaida, porque no la aguanto, es insoportable, torrente falso de palabras y caricias, las abuelas que quieren, las de mis amigos, juegan con ellos, los llevan de paseo al parque, al zoológico, al circo, les compran molinillos de colores que se alocan al viento y palomitas de maíz para los patos",

tiene razón Amalia, la abuela sólo sabe mirarse al espejo temerosa de encontrarse una arruga más en el mapa corrugado de su cara, limarse las uñas y recorrer el camino al salón de belleza para tratar de quitarse los diez años que ya ha restado a la edad que anuncia, aunque las arrugas recorren su piel como ríos en delta,

"mamá, no me forcés a demostrarle a la abuela Adelaida que la quiero, porque sería forzarme a lo que vos no querés que haga, a mentir", me lo repite Amalia".

—Mi madre se quejó hoy de la indiferencia de los niños—, muy enfadado, recriminó Antonio a Renata. —¿Qué clase de madre descastada sos que no has sabido enseñarles a ser afectuosos con la abuela, con los tíos, los amigos, con todos, como otros niños? En estos años no has conseguido educarlos, formarlos debidamente.

—Si no estás todavía enterado, eso que decís es tarea de los dos, el padre y la madre, Antonio. Vos sos el padre, yo, la madre. No pretendás que sea sólo mi deber porque me has refundido aquí entre estas cuatro paredes y has puesto los detergentes, la escoba, los pañales, el estropajo, en mis manos, yo no he de ser la única responsable del comportamiento de los hijos. Si estuvieras aquí como es tu deber a la hora de la cena y compartieras con ellos unos momentos, aunque fueran sólo los de las comidas, otro gallo nos cantara. Y si vos mismo fueras amoroso con tu madre, la respetaras y no le dijeras las groserías que le soltás cada vez que viene, ¿crees que los niños serían indiferentes con ella? ¿Es culpa mía su comportamiento con el ejemplo que vos les das?

—Sí, sos la única responsable de lo mal que andan y vos sos la única que les llenás el corazón de odios contra la abuela para después venirme con los malos ejemplos míos. Mi madre me dijo que ...

Renata lo calló con un grito más grande que la extensión de su dolor y fue cuando definitivamente apretujó el grito en las entrañas de su ser, donde quedó sepultado, como quedaron sepultadas las frustraciones de cada día junto a aquel macho que la llenaba de hijos, le exigía perfección, la exhibía con orgullo en las fiestas y reuniones, con el mismo gesto con que exhibe el ganadero la última rara adquisición de una Jersey pura.

Fue cuando no tuvo otro remedio que llevar las dos caras de Juno, cuando él la aniquilaba con las exigencias de una casa impecable, un hogar en orden, los embarazos seguidos y después, "podés llegar lejos, Renata, tenés talento artístico. Si estudiaste, no vas a dejarlo todo a medio hacer. Debés terminar la licenciatura, sólo te falta la tesis. Con poco esfuerzo terminás. Renata, traeme un vaso de agua. Renata, llego tarde a cenar. Renata, el bebé llora, debe estar con hambre, el muy glotoncito vuelve a pedir el biberón. Renata, sacámele punta al lápiz que así no puedo seguir escribiendo. Renata, traeme la chequera pues hay que pagar las cuentas del mes y no sé ni cómo estamos de deudas. Renata, supongo que ya tenés todo listo para la fiesta de esta noche y ya sabés, a ponerte muy guapa para que te admiren y digan lo hermosa, elegante y atractiva que es la mujer de Antonio Rodríguez Swanson ... "

Renata ... Renata ... Renata ... Renata aquí, Renata allá, Renata acullá ... Así, entre tanta demanda de él, a Renata le daban las dos, tres de la mañana, para escribir un párrafo, media o una página de esa tesis que avanzaba a pesar de las exigencias de Antonio, el hombre importante que le había repetido hasta la saciedad que nunca perdiera de vista que

—Aquí, en esta casa, mi trabajo es el que cuenta para la posteridad, porque ya sabés, Renata, lo trascendental de mis investigaciones y por lo mismo mi nombre, MI NOMBRE, Antonio Rodríguez Swanson debe sonar desde ahora.

La tesis avanzaba a paso de tortuga también a pesar de los lavaderos repletos de vajilla y de cacerolas costrosas que desollaban sus dedos estudiosos hechos más para el bolígrafo y el teclado de la máquina de escribir. A pesar de los partos, de las montañas de pañales por lavar, de las hambres devoradoras de los hijos que se vivían pidiendo algo para saciarlas a toda hora. A pesar de sus juegos, cholladuras, rasguños, cardenales y chichones, a los que además de la curita tenía que aplicar un beso curandero y muchas caricias que mitigaban el dolor y hacían evaporarse las lágrimas como por arte de magia. A pesar de la suegra impertinente que venía cada año, por un mes, a instalar en la casa su presencia discordante y su voz multiplicada en zalamerías. Entre tanta zalamería siempre iba escondido el alacrán de

—¡Niños malcriados, sin disciplina! Vení, vení, m'hijito, no le hagás caso a tu mamá y vení conmigo, vamos a comprar un helado, m'hijito, no vale la pena que estudiés el piano, porque de nada sirven después, en la vida, los porrazos al piano, y menos a un hombrecito como vos, que serás muy macho, ¿verdad, Chalito?

—¡Qué sucios y descuidados tenés a mis nietos, Renata, vergüenza debería darte! ¿Qué dirán de Antonio amigos y vecinos? ¡Las cosas que hoy se ven porque las mujeres de ahora sólo van a las suyas. ¡Mirá que meterte a estudiar para la licenciatura! ¡Oh, Mrs. Robertson, sus niños crecen muy sanos y hermosos corriendo por las calles y los campos! Bendita ciudad ésta de Houston, donde hay tanto espacio y seguridad para los chiquillos! Ya se sabe, cuanto más sucios y rotosos, *don't you think so?*, menos complejos y problemas tendrán. Respirar aire libre, inmunizarse contra los virus absorbiéndolos en la mugre, es el secreto del crecimiento sano, por eso, Mrs. Robertson, usted no tiene que avergonzarse porque sus hijos están, bueno, *are dirty.* Recuerde, niño sucio, niño sano. Tranquila, Mrs. Robertson, yo sé de sobra que así son los chiquillos.

En fin, que seguía adelante con la tesis porque, y a pesar de que lloraba en un silencio espeso que se le iba petrificando por dentro, la pena de verse condenada a ser sólo madre, sirvienta y barragana en el lecho nupcial, porque ... ¿Al final de cuentas, qué es la mujer a la que el macho penetra a la fuerza, sin besos, ni caricias, ni la dádiva prodigiosa de la ternura, en noches interminables de colchón endurecido y fatigas ardientes? Barragana, con la pregunta acuciosa de que tanto hablan del orgasmo y ¿qué es el orgasmo, esa rara flor de éxtasis que el hombre le abre a la mujer suave, tierna, dulcemente y de la que cuchichean con deleite sus amigas? ¿Por qué su piel y su cuerpo, en lugar de florecer como el de las otras mujeres, con la lujuria de las primaveras que cantan pájaros y continuos renaceres, se ha vuelto muro de lamentaciones?

—*You'r kidding*!—, exclamó Sara llena de estupor. —¿De veras, nunca, nunca? ...

Con un gesto de la cabeza Renata denegó, la vista fija en las baldosas del suelo, los ojos llenos de lágrimas, estrujada por dentro por la vergüenza, el sufrimiento:

—Nunca. Es la pura y limpia verdad.

—Pero mujer, no seás tonta, si para eso está la masturbación—, dijo Milagros, muy oronda, como si hubiese recomendado una nueva dieta—. ¡No me digás que has sido tan mojigata que ni eso!

—¡Masturbarse! ¡Ave María Purísima! ¡Lo que hay que oír! ¿Estás loca o querés mandar a Renata a los infiernos?—, reaccionó Sonia persignándose.

—Sonia, por Dios, no pensés mal de Milagros—, intercedió Renata. —Precisamente en una ocasión mi ex-alumno, el Padre Genaro Pérez, me habló de eso y dijo que la Iglesia Católica lo aprueba ...

—¡Que la Iglesia lo aprueba!—, exclamaron todas a una, llenas de consternación.

—¡Qué impacientes! Ni me dejan terminar. Parecen colegialas aprendiendo lo prohibido. La Iglesia lo aprueba, según ese sacerdote, siempre y cuando sea con el propósito de prepararse la mujer para tener un acoplamiento más satisfactorio con su propio marido. En suma, por la salud y salvación del matrimonio.

—¿Y eso te lo dijo nada menos que un santísimo cura?

—No sólo me lo dijo. Lo mejor de todo es que publicó un librito sobre el tema y haciendo hincapié en lo que acabo de decir, con permiso de las autoridades eclesiásticas y de todos esos que se cuidan muy bien de lo que publican los representantes faldilludos de la Iglesia.

—Para nuestra próxima reunión tenés que traerlo para leer todas juntas esa rara joya—, concluyó Sonia. —¡Jugosas deben ser las paginitas de tu cura estudiante! ¡Mira que tienes cada alumno como para ponerlo en vitrina de museo!

—¿No vieron hoy el "Today Show"? Woody Allen (¡qué talento como actor, director, escritorsazo, y qué ingenio el suyo!, lo mejor de Hollywood, ni dudarlo ...)

—Bueno, Milagros, acabá de una vez por todas con lo que tenías que contarnos de tu *fantastic* Woody Allen—, la interrumpió Sara un poco molesta porque no era ella quien traía algo nuevo e interesante a la tertulia de los sábados; su placer era distinguirse como intelectual muy bien informada, siempre al día en conocimientos relativos al saber humano y a los espectáculos de temporada, los cuales recogía de periódicos y revistas.

—Pues mi fenomenal Woody Allen soltó en la pantalla, así, sin ambajes ni pusilanimidades: *"only two areas I master: art and masturbation"*, lo que traducido significa, "sólo domino dos áreas, el arte y la masturbación". De seguro lo dijo por hacer juego con el vocablo "master" que equivale a "dominar, domeñar" y está en el meollo de "*mastur*bación".

—¡Huy, huy!, qué vulgar tu admiradísimo Woody y tú también al contárnoslo—, se santiguó Sonia de nuevo.

—Salió disparado como un orgasmo.

—¿*Whaaat*? ¿Qué estás diciendo, Faustina? ¡Qué grosera te has vuelto, *for goodness sake!* Esto se está poniendo muy *unrefined*.

—Chica, no te pongas cursi. Para tu delicadísimo y refinadísimo gusto, dígote, Sara, que eso dijo Fulgencio, el jardinero, hablando con un amigo, y yo lo oí de pasada. "Salió disparado como un orgasmo", me repetí muerta de risa y arranqué la máquina rumbo a la peluquería, pensando que todo símil, metáfora, imagen, nace de la experiencia propia, del contacto y manipulación diarios de objetos. La falta de este contacto vital con las cosas, deja el mensaje vacío de significación.

—Lo que querés decir es que quien no haya tenido nunca la vivencia del orgasmo, no comprendería el símil del jardinero, ¿verdad?

—Pues sí.

—Entonces, tu jardinero habría creado genialmente una imagen hermética.

—Si lo quieres poner así, Sara, bien puesto está.

Todas celebraban con burlas y risas lo absurdo de la conversación. Renata, por no desentonar con el grupo, sonrió con gran tristeza:

> "Dolor, angustia, ese algo indefinido de aquel momento
>   brutal para mis ojos que no habían estrenado aún el
>   pecado,
> el agujerito en la pared por el que siempre me asomaba,
>   tenía la magia de cambiar mi cuarto desde la per-
>   spectiva de las gradas del segundo piso,
> un poco el Aleph totalizador de mi pequeño mundo que
>   compartía con Nela, cuando tuvo la crisis nerviosa,
> mi querida Nela del alma, tendida en su cama, desnuda,
>   feliz, sin el dolor de semanas atrás,
> ese dolor que le percudía los ojos y le crispaba los puños,
> olvidada de todo, se acariciaba con deleite el cuerpo,
>   los pechos, el pubis, las-partes-sagradas-lo-que-no-
>   se-debe-tocar-nunca-nunca-el-velludo-pecado,
> y era tal su arrobamiento, tal su expresión de beatitud,
> que me dejó confundida en la zona del horror, la ver-
>   güenza, la admiración,

la dicha de verla feliz en tiempos tan difíciles para ella,
se masturbaba, sí, se estaba masturbando quizás por su
    estado de ánimo,
en la candidez de mis pocos años no concebía que las
    mujeres se masturbaran,
"es asunto de hombres y la mujeres, ni hablar de ello,
    jamás se masturban", como siempre, sentenció lap-
    idaria Angelina,
y lo que Lina dijera, como lo de papá, era la Sagrada
    Escritura,
me lo guardé para siempre,
sepulté conmigo el secreto
no había vuelta que darle,
Lina ya lo había dicho, eso es asunto de hombres ... "

*   *   *

Invitada de honor, llegué muy empirindongada para ocasión
tan especial. Mujeres. Sólo mujeres me aguardaban en aquella
mansión señorial. Mujeres enjoyadas con un brillo de diamantes
y oros que hería los ojos con flechazos de luz. Una después de
la otra, con la consabida cortesía texano-sajona se fueron presen-
tando. "¡Qué raro!—, pensé, —creía que me hallaba en suelo hispano y ahora me salen estas gringas ... Debo estar extraviada en
la geografía de mi realidad interior. No comprendo".

Pese a su presentación formal, no me quedó en la memoria ni
siquiera un nombre ni unas facciones, porque mis ojos, heridos de
luz, estaban aturdidos, y las mujeres, al tenderme los brazos en
saludo con tintinear de brazaletes de Cartier y Corrigan's se me
volvieron Erinias en actitud de ataque. Yo tenía deseos de echar
a correr, refugiarme en los confines de mi propio interior —mi
salvación de siempre. Con angustia les pregunté qué querían de
mí. La que semejaba ser la dueña del palacete respondió muy
solemnemente:

—La hemos invitado para que nos dé el sentido de la palabra
"perversión"—. Tan pronto la pronunció, todas a una levantaron
al aire sendos cartelones con la palabra PERVERSION, los cuales
comenzaron a agitar como huelguistas en demanda de algo a favor
de sus derechos sindicales. En seguida añadió:

—Nadie más que usted tiene el secreto de esta palabra.

Las miré consternada, como cuando después de mucho estudiar
para un examen sospechamos que detrás de las preguntas simples y
básicas hubiera escondida una trampa intelectual, algún galimatías

nada conspicuo que es la misma trampa que nos lleva instintivamente a caer en ella dando una respuesta complicada, difícil, la
cual se desvía del tema planteado por el profe.

—Es muy simple—, les dije y comencé a enredarme como una
colegiala en la trampa, la misma que quería evitar, y me dejé ir
en elucubraciones de lo bueno y lo malo, la moral, lo que es esto
bueno y se interpreta como aquello malo. Yo qué sé cuánta palabrería se fue enmarañando en mi boca hasta que empecé a sentirme exhausta. ¿Fue para esta nimiedad que me requirieron estas
Erinias de brazaletes tintineantes y pedrería que asaetea el aire con
sus brillos?

Tomé aliento y en ese ínterim me puse a mirar con zozobra,
con mucha zozobra, la mansión y los vastos terrenos, céspedes
infinitos que la bordeaban cultivados con la prolijidad y sudores
de mal pagados jardineros (no me lo habían dicho, pero lo adiviné
en la cara de la dueña de casa; lo sabía a flor de piel, como se sabe
el aire, el frío, el calor). La alta, interminable muralla medieval
que se perdía más allá de donde tramontaba el sol, la reconocí
porque la había visto en otros dominios feudo-coloniales.

—Eso terminó hace tiempo en esta tierra, en el mundo entero—,
me aventuré a comentar señalando la muralla. —¿Cómo sigue
aquí marcándolos a ustedes con el estigma del terrateniente cruel,
ambicioso, explotador? Aquí, en los Estados Unidos, con la tan
decantada democracia, se explica menos. Terminado ese sistema,
¡abajo murallas y cercas! Hasta la muralla de Berlín, que parecía
inamovible, ya se derrumbó. No son éstos tiempos de murallas.
Hay que volver a la tierra de todos, redonda, monda y lironda,
sin recortar en parcelas ... Hay que volver a la Tierra Prometida.
Mi sueño es no morir sin llegar al menos a vislumbrar esa Tierra
Prometida ...

Las Erinias clavaron en mí su mirada de dardos envenenados
y me dejaron prensada contra el aire claro de la mañana, como
una mariposa presta a emprender el vuelo a la región de los sueños
monumentales. Entre ellas se alzó un murmullo de desaprobación,
casi de protesta, porque "ya nadie pronuncia eso, ni con las voces
proféticas de Cristo, ni de Mahoma, ni de Tupac-Amarú, ni de
Marx, ni de Quetzalcoatl, ¿quién se cree usted para decirlo así?
Usted no es más que una ilusa, *a dreamer*. Nosotras vivimos por
y para la ideología marxista, somos las líderes que ponemos el
ejemplo. Usted puede verlo ... "

En ese momento aproveché su ignorancia de yeguas salvajes
vestidas de luces y me dejé ir en un miren, distinguidas señoras,
"perversión" es llamarse marxistas y vivir a lo gran burgués. Marx-

istas de salón, de la boca para afuera, son ustedes; de las apariencias no pasan, como tantos otros que sólo desean dárselas de intelectuales, impresionar, o sacar partido de su alianza con las izquierdas extremas. "Perversión" es esos trajes extravagantes que llevan hoy ustedes y que insultan a la pobreza y al hambre del mundo. ¿Por qué no invierten ese dineral en un negocio más lucrativo como es nutrir y educar a los necesitados? "Perversión" es este palacete en medio de una verdura sinfín, entre rosas y flores exóticas y arboledas frescas, pero nutridas por alguien que las sembró y regó con su propio sudor para llevar el pan a la mesa escuálida de su familia. "Perversión" es este mitin de papagayos que aturden con su cháchara para ocupar un trocito de su ocio, para no aburrirse, para darse tono de haber tenido una tertulia intelectual donde se trató pervertidamente lo tangencial y nunca se llegó a las vísceras de las más estremecedoras realidades del mundo. ¿Comprenden ahora lo que es perversión, o tengo que ilustrárselo con otros ejemplos?

Como si yo estuviera manipulándolas con hilos invisibles para que no desentonara ninguna, todas pronunciaron al unísono un *YES* más grande que el espacio que ocupaban. Les di las espaldas y me interné en las profundidades nebulosas de mi sueño, hacia el derroche de luz matinal en la ventana de mi cuarto, rumbo a la realidad que me llamaba con el retintín del despertador.

No le hago caso a la señal del reloj y me quedo pereceando, pereceando, pereceando, hasta que de pronto entro, como otras veces antes, en la casa solariega. Desazón de verla envejecida, sucia: telarañas, polvo, soledad, apretujados en lámparas, muebles, paredes, cerrando el boquete de ventanas y puertas. En el corredor, las columnas cuadradas, tan soberanamente erguidas, que tocan con arrogancia la altura de las nubes. Paseo la vista por las columnas con marcado desaliento, pues no alcanzo a verles el remate. El desaliento crece cuando recibo la orden de que debo limpiarlas a partir de arriba, de donde no alcanza la punta de mi larguísima escoba. Sale mi madre regordeta, de delantal, como siempre, con el sonoro llavero al cinto, y armada con una simple escoba, sí alcanza el extremo y limpia cuidadosa y prolijamente cada columna. Yo me cruzo de brazos preguntándome con admiración cómo puede la escoba chata de mi madre alcanzar lo ilimitado.

X
DEL PARAÍSO PROHIBIDO

En la cosmología antigua se habla de dos fuerzas nece-
sarias y complementarias que son el fundamento del universo,
el yin, *el elemento femenino y el* yang, *el elemento masculino,*
y es posible que en épocas muy tempranas estos conceptos tu-
vieran un valor igual. Sin embargo, con el advenimiento del
confucianismo este equilibrio no fue guardado. [...] La sex-
ualidad es una de las relaciones más importantes y su finalidad
es la procreación a fin de asegurar la descendencia masculina
y la continuación de los ritos del culto ancestral. [...] El
taoísmo, en general, ha sido mucho más considerado hacia la
mujer y se ha preocupado mucho más que el confucianismo por
sus necesidades físicas y emocionales. Sin embargo, una ob-
servación cuidadosa de la actitud del taoísmo respecto del sexo
revelará que lo anterior no es del todo cierto. Para los taoístas
el fin del acto sexual es el de garantizarle salud y larga vida
al hombre. Esto se logra cuando el hombre estimula sexual-
mente a su pareja femenina, quien al llegar al orgasmo deja
fluir su esencia vital, la cual es absorbida por el hombre, que
se garantiza así vigor y bienestar físico.

Flora Botton y Romer Cornejo

La siguiente anécdota da la medida de la actitud chovin-
ista de los políticos saturados de machismo: en Washing-
ton se reunieron trescientas destacadas mujeres, entre las que
contaban la escritora Gloria Steinem, la congresista Shirley
Chisholm y la ex-Vicedirectora de las Republicanas de Wis-
consin, Betty Smith. Su objetivo era el de formar un Comité
Político Nacional de Mujeres con el fin de apoyar a candidatos
de ambos sexos, en especial a las del suyo, para eliminar el
sexismo, la violencia y la pobreza imperantes en nuestra so-
ciedad capitalista. Ante una foto de las líderes de dicho Comité,
el Secretario de Estado William Rogers comentó que aquello

"parecía una parodia", a lo que el Presidente de la Nación replicó: "Qué hay de malo en eso? Lo interesante es que en las esferas gubernamentales se han olvidado que desde 1971 la Corte sostuvo de manera unánime e histórica que una ley era inconstitucional debido a discriminación basada en el sexo.

El Monitor Feminista, julio de 1977

Cuando por consejo del confesor Renata aprendió a soslayar contactos físicos, entonces los sueños, en la noche, se poblaban de besos y caricias desconocidas hasta aquel momento: al alba despertaba con la vaga sensación de placer que le dejaba el camisón virginal humedecido por un agua viscosa que la dejaba perpleja ... Pero era un sueño ... Sólo un sueño erótico que ocurría sin su consentimiento ...

Era también un furtivo encuentro con el paraíso prohibido. Su madre, el cura, tías, maestras, las otras mujeres, todas las otras, y hasta los hombres, su hermano, tíos, amigos, colegas, ellos, ellas le cerraban bajo siete llaves el portón del paraíso, pero muchas noches ella entró por el postigo y ahí, entre la frescura verdeintensa de los prados censidos ("¿A dónde te escondiste, / Amado, y me dejaste con gemido?"); entre los aromas a mango reventado y jazmín abierto por los dedos tiernos del anochecer ("Buscando mis amores, / iré por esos montes y riberas") entre trinos y susurros de cascadas ("Allí me dio su pecho; / allí me enseñó ciencia muy sabrosa / y yo le di de hecho / a mí sin dejar cosa; / allí le prometí de ser su Esposa"); ahí, en medio de toda esa orquestación sensual, se fundía tiernamente su cuerpo en las colinas musculosas del cuerpo de él como una sola carne ... ("Cuando tú me mirabas / su gracia en mí tus ojos imprimían; / por eso me adamabas / y en eso merecían / los míos adorar lo que en ti vían"). Era entonces cuando ella experimentaba la intensidad emotiva de "El cántico espiritual" ("Gocémonos, Amado, / y vámonos a ver en tu hermosura / al monte y al collado, / do mana el agua pura; / entremos más adentro en la espesura"). Hacía mucho lo memorizó para la clase de literatura, lo repitió hasta la saciedad, pero sin comprender que era el erotismo de las imágenes el que le trasmitía raptos estremecedores, pues en esos tiempos ignoraba que en lo más profundo de las palabras estaba vibrando un intenso mundo espiritual.

—¡El demonio, hija, el demonio! Lo tenés metido en tu ser y debés deshauciarlo—, seguía el cura con su letanía cuando Renata le hablaba de sus sueños y que —no puedo, padre, evitarlo ... ¿Cómo controlar mis sueños de la noche? ¿Qué culpa tengo yo si dormida no soy dueña de mi voluntad? ¿Es acaso pecado hacer algo sin poner en ello la voluntad?

—¡Ah!, pero el gozo que te proporciona, te lleva inconscientemente a desear tener ese sueño perverso ...

—Que no es perverso mi sueño, padre, no, porque me deja en la mañana lacia y feliz ... Como si tocara el cielo con las manos.

—¡El demonio siempre simulando dichas y placeres para los incautos como vos! Es preciso extirpar, anular todo placer de la

carne, hasta el de los sueños. Vete a dormir con la idea de que
en cuanto comencés a ver esos prados florecidos en el sueño, vas
a despertarte para espantar al demonio. Debés acondicionar tu
subconsciente. Que estás poseída por el demonio, lo prueba el
placer experimentado por vos hasta el orgasmo ...
—¿Hasta qué dijo usted, padre?
—Hasta el orgasmo ... ¡Hasta el orgasmo! ¡Vergüenza debería
darte! Y encima, hacerme repetirlo, como si también te gozaras
con la palabreja de marras.

> "¿Orgasmo?,
> verlo en el diccionario,
> ¡orgasmo!, entre cuchicheos maliciosos de temas pro-
>   hibidos, hecho una maraña con pecados, entredi-
>   chos, chistes vulgares,
> orgasmo, manzana prohibida ... "

Era muy niña —muchísimo antes de estas confesiones—, cuando Renata comprendió que había una larga lista de palabras que
sólo se podían pensar o susurrar ... Sin embargo, sabía que cada
una de esas palabras designaba una cosa, un acto, una realidad
velada, como si fuera un repugnante aborto. Si las pronunciaban
a media voz, entonces debía haber en el mundo muchos tapujos,
hipocresías, disimulos. Se preguntaba con angustia por qué, si
la Creación salida de las manos de Dios era tan perfecta, estaba
integrada por esas zonas oscuras que había que eliminar definitivamente, como eso del ... or ... gas ... mo ... Preguntarle al padre
Vargas sería desatar más su enojo. En el diccionario lo leyó, pero
como si nada, porque no alcanzó a comprender el significado: "*Orgasmo*: exaltación de las propiedades vitales de un órgano". ¡Ah,
pero si era cierto que las propiedades vitales se exaltaban, ella no
quería despertar como le recomendaba el cura! Más bien habría
prolongado el sueño paradisíaco hasta el fin de sus días!, pero al
lado de alguien, alguien impreciso en su deseo de adolescente con
ansias de definirse como mujer.
—Debería darte vergüenza—, prosiguió el padre Vargas. —
Tomá como ejemplo a la Virgen Santísima, modelo de virginidad,
dulzura, mansedumbre y amor puro para toda mujer. Seguíla en
todo, ofrecéle en un acto de amor y fe, la pureza de que sos capaz
y vas a ver cómo alcanzarás la felicidad suprema cuando te casés
...

> "¡Oh noche que guiaste,
> oh noche amable más que la alborada,

oh noche que juntaste
Amado con Amada,
Amada en el Amado transformada!

Sin embargo, cuando Antonio le abrió en flor el capullo de la
virginidad con aquella herida sangrante, Renata no durmió en toda
la noche: con la mirada fija en las tinieblas, perpleja, se repetía: estoy en los umbrales del infierno y ya no me puedo volver atrás, en el
altar juré un siempre que ha quedado marcado por la eternidad ...
Un infierno interminable de incontables noches, noches sinfín, sin
amor, ni besos, ni caricias, sólo sexo maltratado, sólo el cuerpo ra-
jado brutalmente en dos, proporcionándole a él todas las gamas del
placer mientras el espíritu, ¡el pobre espíritu!, y la ternura también
("En mi pecho florido, que entero para él sólo se guardaba ... ")
los apartó como un despojo indeseable, como la cáscara inútil de
la fruta que se come con deleite. Atrás quedó el paraíso de sus
sueños, el que tanto intentó anular el padre Vargas en sus largas
sermoneadas.

Durante aquellos dos años de noviazgo, sometida su voluntad
a los mandatos del padre espiritual, Renata aprendió a doblegar su
cuerpo hasta dejarlo manso, lacio, sin ansias de amores; lo entrenó
en el difícil arte de no responder con vehemencia al beso ni a la
caricia,

—Hija, recordá siempre a la Virgen Santísima y comportate
como una doncella casta que no ha de permitir a ningún hombre
traspasar los umbrales de tu honestidad. Bien sabés adonde van
a parar las que se dejan llevar por ese oscuro impulso que llaman
amor y no es más que pasión desordenada. ¿Lo sabés, verdad?

"Chelita, ¡pobre Chelita!, con el hijo del pecado a cues-
        tas, tocó a todas las puertas y todas se le cerraron
        sin misericordia,
sin embargo, hoy ese hijo es el único tesoro, la única
        dicha de la pobre Chela, quien nunca se casó ...
una sociedad deshumanizada rechaza a esas mujeres
        que se entregan valientes al amor,
las llama prostitutas,
pero se hace de la vista gorda cuando la noche de bo-
        das, mientras me abre precipitadamente el camisón,
        Antonio susurra entre besos sin ternura su anhelo
        de que me comporte como toda una mujer y le llene
        sus apetencias de esos dos años de noviazgo,
porque 'una mujer de veras, es señora en la casa y puta
        en la cama', sabés eso, Renata, ¿verdad?",

era la primera vez que lo oía, y me atravesó un escalo-
    frío,
"me reclamás una sabiduría que no tengo, porque nunca
    la he aprendido, Antonio",
"¡bah, bobita!, ¿no ves que nada de eso se aprende, es
    atávico, si sos una mujer de veras, responderás a mi
    pasión con la misma pasión y seremos uno en una
    misma carne",
¿y el espíritu ... ?,
¡que me arrebatan mi tierno sentir!, ¡me lo roban!,
mis pobres besos, la sacudida de la carne joven que
    prueba las primicias del placer,
"es el demonio, es el infierno",
"señora en la casa ... , puta en la cama ... ",
mis besos, mis sacudidas sensuales, reprimidos por
    mandato del Padre Vargas,
respondieron con torpeza, hasta con miedo, a la avidez
    lujuriosa de Antonio,
a la red de violentos embates de pasión sin ternura al-
    guna, que él desplegó sobre mi piel virginal.

La sensualidad de Renata, como una cascada de cabellos tren-
zados una eternidad, se negaba rotundamente a entregársele, a
soltarse, ("¡pecado!, el demonio ... , puta en la cama ... "), y
él sin comprender, impaciente, poseído sólo por el deseo no saciado durante los dos años de noviazgo, sin acordarse siquiera que
Renata era un caudal de afecto y ternura y espiritualidad ...
    —Tu espiritualidad, Renata, tu espiritualidad, es mi orgullo de
varón que te ha enamorado, porque vos lo hacés todo poniendo
el espíritu, hasta tu cuerpo fino, espigado, tiene delineamientos
espiritosos—, le había dicho él mismo de diferentes maneras, en
varias ocasiones.
    ¡Frustración, desaliento!, ella estaba engurruñada en el capullo
de vetos y negativas y represiones de tantos años, mientras en el
otro lado de las palabras del padre Vargas, durante el té de las
tardes, las amigas susurraban entre guiños y malicias lo otro, lo
ilícito, la manzana, y ella, escindida en dos, terminaba en el lecho
conyugal con una indefinida sensación de más, un más vergonzoso,
exasperante.
    "Sólo una cualquiera apetece más después de todo este juego
erótico consumado por Antonio, soy insaciable, un monstruo insaciable, ¿será la carencia de ternezas, el hambre de palabras satu-
radas de afecto que con caricias y besos, fueran penetrando paulati-

namente las capas más difíciles de mi cuerpo por la vía del espíritu
y del sentimiento?, ¡más, más y más!, una perdida, el infierno, el
demonio anunciados por el Padre Vargas, confusión, entretanto él,
cuando no me llama puta ni me grita, me dice que es muy feliz y
que yo le sacio su ser entero hasta desbordarlo ... , ¡pervertida!,
sólo una pervertida como yo puede experimentar esta apetencia
incontenible, este impulso irrefrenable de rogarle a Antonio que
no me deje así,

> "¿A dónde te escondiste,
> Amado, y me dejaste con gemido?
> Como el ciervo huiste
> habiéndome herido;
> salí tras ti clamando y eras ido",

desamparada en la oquedad de mi avidez amorosa, mientras
él se da vuelta en la cama y se duerme tranquilo, dichoso, con la
copa de su erotismo colmada ... , ¡una viciosa!, ¡una depravada!,
confesarlo, ¿y el padre Vargas, célibe, sabrá lo que me pasa, podrá
comprender mi extravío sensual? Dios, ¿cómo confesarlo, no ha-
llando palabras para definirlo, y encima, con esta vergüenza que
me amarra la lengua?, ¿cómo?, y el éxtasis, ese éxtasis supremo
que hacía tan seductora la experiencia erótica para mis amigas,
¿cómo es que se me niega a mí?, ¿o es que las demás, las que lo
cantan, le han bordado al amor total hechizos que no tiene, emociones rotundas, ímpetus que no le pertenecen, raptos que rayan
en un místico sortilegio, porque es sólo eso, encantamiento, mentira, otra trampa más, ¿y a quién preguntarle si es el éxtasis divino
lo que en realidad yo busco entre sus brazos, con ansia frustrada?

> "Debajo del manzano
> allí conmigo fuiste desposada,
> allí te di la mano
> y fuiste reparada donde tu madre fuera violada".

*   *   *

Renata conduce por la autopista. Regreso de un largo día
de sesiones literarias, mesas redondas, discursos, en los que el
tiempo fue matado con interminables ponencias y discusiones sobre el escritor don Mengano y la escritora doña Sutana; y que si la
semiótica, el deconstructivismo, el estructuralismo, el postestruc-
turalismo y toda la legión de ismos de la nueva crítica; y por
supuesto, no faltaba el falologocentrismo de las feministas; en fin,

mataron el tiempo con todo el agotador galimatías de términos, conceptos y aserciones cuya presencia es inevitable en tales eventos. Mientras conduce, Renata se pregunta con desánimo si sirve de algo todo eso en la vida.

"¡Qué lejos estamos de aquellos primeros hombres que sólo llenaban
sus necesidades primordiales!, no cabe duda de que la razón y el placer de las abstracciones aniquilaron la placidez del Paraíso ... ,
recuperar el Paraíso sería volver a la simplicidad de lo primigenio,
a Eva, Adán, la manzana ... ,
a nosotros, los del siglo XX, nos han dejado atrapados en un laberinto de conocimientos sin sentido, ni uso,
¿me sirve de algo saber si el signo lingüístico es arbitrario?,
¿se puede comer con eso?,
¿y si recogiera a ese tipo sucio, barbudo, desgarbado que hace auto-stop con la mochila al hombro?,
¡peligro, Renata, mucho peligro, recoger a alguien en estas planicies texanas,
es sentar a la muerte al volante!,
pero es incontrolable mi deseo de hundirme hoy en la médula de la aventura,
detener el auto, dejarlo entrar,
buenos días, ¿hacia dónde se dirige usted, joven?, lo encaminaré,
porque yo llego a mitad de su trayecto,
trae consigo toda la suciedad del mundo,
todos los sufrimientos,
todos los paisajes, horrores y maravillas vividos,
y quién sabe si trae también la muerte,
mejor acelerar, resistir la tentación, "hay muy variadas formas de suicidio", me lo dijo Alberto una vez,
el tánatos me obsesiona, me atrae,
acelerar, acelerar, acelerar,
seguir embutida en la monotonía del vivir,
¿y esa larga cola de mujeres a las dos de la tarde de un sábado?,
alguna nueva tienda, un baratillo,
esperan que abran el local,
daré la vuelta, a lo mejor encuentro la blusa color azul

eléctrico

que me falta para el traje nuevo,

porque ¿qué motivo tienen esas mujeres para aglome-
rarse en filas de larga espera si no es para comprar
a precios reducidos?,

¡santo Dios!, es "La Bare", el nuevo cabaret de hombres
que se exponen desnudos para gozo de las mujeres,

¿gozo?, ¿pero es que las mujeres de hoy han llegado,
hemos llegado a eso?,

imagino a todas ésas de la cola en la penumbra sicodé-
lica del cabaret, tendiendo ansiosas las manos para
tocar,

para llegar a ellos,

perversión, eso sí es perversión,

menos mal que me percaté a tiempo, pero tengo curiosidad,

¿qué habrá detrás de esas paredes?,

¿qué ocurrirá a las dos de la tarde de un sábado con
esas mujeres que hacen cola y los hombres que se
exponen desnudos por dinero?, ¡ah!, el cartelón lo
dice: hoy sábado, a las dos de la tarde es el super-
estreno de "La Bare" y para atraer clientas, ofrecen
dos copas por el precio de una, con entrada gratis,

¡una verdadera ganga!,

el infierno se abre para esas incautas pervertidas, diría
el Padre Vargas ... "

*   *   *

¿Un burdel de hombres? ¿Dónde se ha visto algo parecido,
si la prostitución del hombre no conoce paredes, es una baba incontenible que se mete hasta por las rendijas? ¡Y una larga cola
de mujeres que van a pagar el amor! ¿Desde cuándo las mujeres
pagan por lo que se les ofrece gratis y sin restricciones? Yo hago
cola con mis alumnas para entrar en el prostíbulo. Cada una de
ellas busca, encuentra su pareja y se retira a las recámaras ador-
nadas con cortinajes y colcha de damasco escarlata con orlas de
oro de mal gusto caro. Me quedo sola. Nadie se fija en mí, ellos
las quieren menores de treinta años y yo, ¡pobre de mí!, ya paso
el límite. Además, debe ser cierto lo que repite Antonio de mi
frigidez: estos hombres son buenos sabuesos para detectar la incapacidad sexual de las hembras. Ante tal verdad, regreso a casa, la
casa de mi niñez.

A mitad del camino, topo con un ridículo hombrecillo en bicicleta, quien lleva bigotes a lo Dalí y viste de smocking. Frena, y a boca de jarro, me brinda sus servicios. En este preciso instante, mientras él formula la propuesta, comprendo al fin que he pasado toda mi vida buscando equivocadamente lo que menos me interesa y que el prostíbulo es uno más de los muchos equívocos de mis cuatro decenios de vida. Pese a esta conclusión, pese a que ya sé mi verdad profunda, pese al error del burdel, por cortesía, por no herir sus sentimientos, por acomodarme a los convencionalismos de los otros, con espanto me siento obligada a decir que sí a la propuesta del excéntrico: trémula de miedo, me voy con él, en bicicleta, rumbo al burdel donde momentos antes dejé a mis alumnas muy orondas con la pareja que cada una escogió a su gusto y medida ... El sol del amanecer entra a raudales trayéndome con la tibieza de su luz el alivio de despertar en mi propia cama; el consuelo de entrar de nuevo en mi habitación y no en aquélla del burdel donde me esperaba el hombrecillo excéntrico con la flor del pecado en una mano y en la otra, un báculo de vejete caduco.

XI
DEL AMOR Y LAS DIVERSAS FORMAS DE MANIFESTARSE

CONFRONTAMIENTO DE FACCIONES OPUESTAS DURANTE EL GRAN MITIN NACIONAL FEMINISTA DE HOUSTON Desde hace más de un siglo no se ha visto nada parecido en los Estados Unidos: unas dos mil delegadas y más de mil doscientas observadoras se reunieron en el Coliseo Sam Houston para llevar a cabo la Conferencia Nacional de Mujeres. Esta se efectuó en el término de tres días con el objeto de plantear efectivas estrategias para ganar terreno en el campo de los derechos de la mujer. En otro extremo de Houston más de quince mil mujeres marcadamente opuestas al feminismo se reunieron en señal de protesta. Este grupo considera que el Plan Nacional de Acción de las feministas no refleja de ninguna manera los ideales judeo-cristianos de nuestra nación.

El Monitor Feminista, noviembre de 1977

La belleza se nos revela tan pronto como se sienta en el trono de la gloria; pero nos acercamos a ella en nombre de la lujuria, le arrancamos la corona de pureza y profanamos sus vestiduras con nuestras fechorías.

Kahlil Gibran

Alarmante fue para Renata la voz melódica de Felisa declarándole con acento de pitonisa-malagüero que Antonio no la quería:

—¿Por qué lo dice, Felisa?, ¿qué la lleva a afirmarlo?, ¿tiene evidencias?,

—¡Uuuyyyy, hartas evidencias tengo, señito!, pero la evidencia más evidente es que ni la cela ni la pega como mi Rufino me desloma, allá, en La Joya, de purititos celos. También cuando no le llevo el sueldillo, harto se enfurece, me da una paliza padre y me deja las carnes con moretones que dan miedo. Ah, pero mi corazón queda lacio, feliz, como si estuviera saturado de gozo, porque entonces yo sé que él me quiere, ¡y cómo me quiere!

—¡Dichosa, Felisa, muy dichosa, porque sabés amar hasta el sufrimiento extremo y con una entrega total!

—Es que a usté don Antonio ni le grita, ni le pega, ni la amenaza con matarla ni rajarla a palos como mi Rufino adorado, ya ve que yo hasta le perdono la mujer y los chamaquillos y hasta les aporto el sustento de cada día de puro amorzote que le tengo. Lo de don Antonio y usté no es amor, señito, ¡ni soñarlo!, abra los ojos harto grandes y póngase viva, porque sólo verlo a don Antonio entrar, salir, moverse por la casa, pasarse reclamándole los gastos del mes, pidiéndole cuentas de lo que han hecho los hijos durante el día, no lo que usté ha hecho, sino los hijos, como si usté fuera su mucama y su niñera, pero la trata a usté mismito un zombi. Da coraje, está aquí, en la casa, pero está muy lejos. ¡Huy, huy, qué lejos está de usté!, como si una chamaca rechula y ardiente, con ardores de brasa, le sorbiera todas las potencias del amor y a usté nomás le dejara una miajita. ¡Si don Antonio le pegara, otro gallo le cantara, señito, créamelo!

> "Felisa, Felisita del alma, Antonio no me pega, pero me
>   maltrata, me tritura, me aniquila por dentro,
> ¿no lo ves, Felisa, en la infinita pena que llevo prendida
>   en la mirada?,
> ¿no lo ves en mi gesto desmayado ante el espejo cuando
>   me estoy maquillando,
> ante los papeles del escritorio, cuando escribo o califico
>   exámenes,
> ante los hijos cuando están conmigo?
> ¿No lo ves en mi desgana ante la comida?,
> si Antonio me pegara como tu Rufino, al menos me
>   daría motivo para abandonarlo, acabar con él de una
>   vez por todas, bueno, confieso que perdí la oportu-
>   nidad, cuando me tiró contra la pared porque tenía

dudas de ser el padre de Gaby,

y vos tenés que confesarme quién es el verdadero padre
porque yo no me la trago así no más, el muy canalla,
primero me deja embarazada y después,

inseguro de su capacidad viril, la toma conmigo,

Mariano igual, con Sonia,

el tiempo se encargó de cincelar en Gaby un parecido a
él,

como de calco, pero en mujer, tanto que cualquiera
podría decir que él solito la parió,

la firma del Creador a mi inocencia,

ni perdón me pidió y como siempre, seguí con él por
los hijos,

¿ves, Felisa, como tenemos las mujeres que agachar la
cabeza y aguantar?, ¡si pudiera contártelo, Felisa, si
pudiera!

ellos, los hombres, son los amos, y el mío, como tu
Rufino, espera que regrese de la universidad el día
de pago, para sacar de mi bolso el cheque del mes
que yo no vuelvo a ver,

sus queridas sí, son ellas las que lo ven materializado
en antojos y placeres suyos, yo, nada, soy su mujer
para cumplir con deberes y ser decente,

pero gozar de sus palizas, como vos gozás de las de
Rufino, Felisa,

no, eso no, no soy masoquista,

ahora acato, lo que Felisa quiere decirme es que para
amar de veras, con pasión devoradora, una debe
consumirse del todo en ese fuego, padecerlo todo,
aguantarlo todo y desear el sufrimiento máximo por
él,

como ella sufre por su Rufino,

como sor María Marcela padece y anhela padecer por
el amor de Dios cuando confiesa: le pido continuamente al Señor me lleve al infierno en su amistad
y gracia que allí, padeciendo por su amor y por lo
mucho que le he ofendido, le estaré gozando pues
su majestad está en todo lugar y yo no quiero más
gloria que su majestad que lo amo sólo porque lo
merece, porque es digno y dignísimo de que todas
las criaturas le amen, no por interés de gloria, sólo
por quien es,

decíme, Felisa, ¿por qué tanta tiranía hasta en la relación

del alma con Dios?,
¿qué me falta a mí para entregarme a Antonio en un
   arrebato de locoamor y sufrir por él
como vos,
Felisa, por tu Rufino,
como sor María Marcela por el Señor?,
¿qué maldiciones pesan sobre nosotras, condenadas en
   el amor a ser víctimas propiciatorias?,
no sólo aceptamos nuestro trágico destino,
también nuestro regodeo en el sufrimiento toca los límites del masoquismo enfermizo ... "

* * *

11 de julio de un año perdido en los confines del recuerdo,
cuando todavía yo arrullaba esperanzas, sueños, ilusiones ...

¿Cómo describirlo con esa sonrisa de amplios infinitos que se
expanden hasta el horizonte y matizan de celajes coloreados la
emoción de estar con él, de ir a su vera por la Avenida Central
comiendo dulces o palomitas de maíz, de sentarme con él a leer
Alexandre, Vallejo, Lorca, Neruda, Rilke, Whitman?

¿Cómo describirlo, si el color de sus ojos se diluye en los oros
reverberantes de los soles querenciosos de mis trópicos y me llena
de cálidas sensaciones hogareñas con bebitos acurrucados contra el
corazón; aromáticos vahos de bizcochitos recién horneados; café
mañanero que avasalla todos los rincones de la casa como ubicuo
invasor del último sueño al filo del despertar junto a él, congujada
con él?

¿Cómo describirlo, si el tamaño de su estatura me reduce a
mí al tamaño sinfín de mis deseos enamorados que le han puesto
pedestal de dios - héroe - sansón - adonis - narciso - lucifer?

¿Cómo definirlo, si su voz fluye como agua llena de peces dorados, se remonta poblada de pájaros blancos y flores viajeras,
me deja transida de gozo de ámbitos inexplicables como misterios infantiles de rincones ocultos, prohibidos, pecaminosamente
deliciosos?

¿Cómo? ¿Cómo puede el amor primero decir la postrera palabra de alguien, de algo que está más allá de las palabras y de todos
los límites, porque el amor de esos años no tiene nunca límites?

Eso fue ayer. Hoy ... ¿Hoy, qué? ¿Hoy? ... Hoy sé que sólo
aquello que transcurre en los ámbitos del deseo, del sentir y de la
espera, no tiene límites. Lo demás, lo compacto, lo que manipu-
lamos a diario y ocurre en los convencionalismos de la realidad,

se atomiza un día cualquiera, llega a su final, a su límite, a su frontera; tropieza con la muerte como mi joven amor de locas mistificaciones que quedó en el lecho conyugal hecho un montón de frustraciones - desengaños - no - lo - esperaba - y - menos - de - él - creí - tener - el - mundo - en - las - manos - pero - era - sólo - un - puñado - de - cenizas ... A partir de entonces, Sísifo se levanta a duras penas y a duras penas también sigue empujando la piedra-vida hacia la cumbre.

Aquella noche de mis deseos, quedé con la angustia de saber que me había condenado para toda la vida. Así me sentenció mi madre; mi hermana; me lo confirmaron las amigas; me lo demostraron todas las mujeres de la tribu. Es una angustia que se estira como una poderosa liga desde ese momento en el primigenio lecho nupcial, hasta hoy ... ¡eternos treinta años-katunes!

Durante treinta años-katunes su hipócrita voz melíflua para los demás, me ha roto toda por dentro. Se me ha metido hasta en el último resquicio de mi ser y me ha triturado las entrañas hasta arrancarme gritos y llanto. Su voz, antes (en un antes muy lejano), llena de peces, palomas y flores, se ha instalado en esta casa y se ha henchido de puta - carajo - te - romperé - el - lomo - a - palos - todavía - no - sabés - quién - soy - yo - yooo - YOOO - Antonio - el - único - dueño - de - todo - esto - hasta - de - vos - Renata - el - que - puede - hacer - con - todo - esto - lo - que - le - dé - la - real - y - santísima - gana - y - vos - cabrona - no - tenés - aquí - ni - puta - de - derecho - a - protestar - porque - yo - sólo - yoooo - oílo - muy - bien - sólo - yo - mando - aquí - ¿lo - oiste - imbécil - de - mierda?

Durante treinta años-katunes el tamaño de su estatura, que quería hacerse del tamaño de su inmensa voz, fue corrugándose, reduciéndose, y de dios en pedestal, bajó a hombre, sólo un hombre como los demás, con sus cualidades y errores; poco a poco fue disminuyendo hasta metamorfosearse en un nudo apretado de rabias, mentiras, engaños, acusaciones, rechazos, palabras soeces, bajezas. Lo que me queda ahora, en la devastación de este monstruo social que llaman matrimonio es un sórdido mequetrefe liliputiense que sólo ocupa un ínfimo reducto de mi vida, en la mera región del dolor ... Sin embargo, en el diario vivir sigue inmenso, aplastante. El es avalancha y cataclismo a cada segundo, a cada minuto y a cada hora de mi existencia.

Durante estos treinta años-katunes sus ojos se pusieron color día de lluvia y tempestad, y eliminaron para siempre los soles querenciosos de mi trópico añorado —el de las islas encantadas con tesoros-piratas y palmeras que tocan mágicamente el firmamento—; diluyeron el olor a bizcochos recién horneados, a café mañanero. Y aquellos rapazuelos que acurruqué con maternal afecto contra el corazón, los que iban a crecer al arrullo del amor, se estremecieron desde la potencial y deseada cuna, maltratados por las repetidas maldiciones contra su madre potencial.

Y la sonrisa de amplios infinitos, durante estos treinta años-katunes se transformó en un crujir de dientes, en un rechinar de iras.

Todo, absolutamente todo, durante treinta años-katunes, desapareció desde el principio y en proceso inverso a la creación, en vez de surgir de una nebulosa y concretarme en formas definidas, quedé sumida en las más espesas tinieblas. Mi estigma: desesperación, dolor, resentimiento, odio, malestar, deseos de fugarme, de dejarlo para siempre ...

—Nada de divorcios, ¿me entendés? Si me abandonás, ya lo sabés, cabrona, te iré a buscar al filo del mundo, te sacaré del pelo, arrastrándote por los suelos hasta que tragués el polvo entero de la tierra y la gente sepa la mierda que sos. Después, te rajaré, te rajaré a palos y te haré picadillo. ¿Te gusta mi plan, *amorcito*?

El mismo día del níveo altar y el juramento inevitable, se rompió todo entre los dos. Desde entonces han pasado treinta años-katunes durante los cuales crecen y crecen las distancias entre los dos. El cuando - seamos - uno - en - el - matrimonio permanece arrinconado en el desván de la memoria, me he quedado sola, arrullando contra mi pecho la esperanza de que los hijos, mi única posibilidad de dicha, crezcan felices ...

*   *   *

En la duermevela comienzo a tiritar. No por fuera, porque mi frío no es de piel ni de huesos. Se me sale del más recóndito hondón del ser, de ese profundo vacío íntimo donde las cosas pierden su contorno y solidez y se diluyen en riachuelos de arcoiris, se vuelven lagartijas de oro, flores de cristal y cantan sin voz.

—Tengo frío, mucho frío. El frío no me deja dormir—, me quejo buscando calor dentro de mí misma.

Y yo misma, sin desgarrarme de mi propio yo, unida toda a mí misma, detrás de mí misma, me río indiferente, invulnerable al frío, envuelta en el halo de mi propio calor que me viene de no sé ni de dónde. Descubro entonces que soy dos dentro de mí misma:

—Que la otra tirite, se congele y quede ahí en la cama para siempre, abierta a los gusanos—, me digo convencida de que es lo mejor. —¿Quién puede tener compasión de alguien tan poca cosa como yo?

Mientras lo digo-dice, yo-ella sé-sabe que ese frío, esa queja, están integrados en mi yo. Sin embargo, estoy tan desprendida de mí misma, que me vuelvo un caos de indiferencia y risa nerviosa entre las sábanas.

* * *

Amordazada, hecha un montoncito de miedos, la dejaban las amenazas de Antonio. Amordazada también la dejaban las amigas. Faustina la sentenció:

—Ni darle vuelta, Renata, todo es culpa tuya. Haces algo que le suelta a Antonio los resortes de la cólera y los dispara derechito contra ti. ¿Por qué no analizas las situaciones en que recurren sus violencias? Tal vez un siquiatra, ¡yo qué sé! Con nosotras, tus amigas, Antonio se vuelve una pura miel y hay que ver con qué cariño te besa y las maravillas que habla de ti. Con los niños dices que no se mete para nada . . .

—Indiferente. Indiferente por completo con los hijos. Ni por ahí te pudrás, les dice. Y ellos, que papá, vamos de paseo. Papá, ¿por qué no me llevás con vos a pescar? Papá, en el zoológico le nació a Cecilia una girafita. Queremos verla. Es claro, son niños, ven a sus amiguitos con sus padres y no comprenden que él no quiere nada con ellos, sólo ocuparse de su trabajo para alcanzar la cima de la gloria, pienso yo. Antonio los hace a un lado, cierra la puerta de nuestra recámara con gesto amargo y se echa en un sofá a fumar. Fuma, fuma, y fuma como una chimenea . . . Bebe, bebe, y bebe hasta embrutecerse. Hay dinero para tabaco y whiski, pero no para los chiquillos y ni para mí.

—Bueno, pero al menos no tiene con ellos reacciones violentas. ¿Ves, Renata, que yo tengo razón y tú eres la culpable de todo? Deja de torearlo y verás que no te volverá a atacar.

Renata sólo había mencionado a sus amigas las rabietas y ataques verbales de Antonio. No se atrevía a contarles lo demás . . . ¡Era tan humillante! De todos modos, sabía que hiciera lo que hiciera (se callara, hablara, tratara de desaparecer y hacerse invisible, estuviera en la cocina, en el último rincón de la casa, corrigiendo tareas o exámenes de alumnos, cosiendo, lavando, sentada o acostada), Antonio siempre estaba listo para atacarla, insultarla, humillarla. Se le notaba en la mirada felina, en lo apretados que se le ponían los músculos en la cara, en el cuello, en los puños, cuando estaba con ella . . .

Sin embargo, delante de los otros, de sus amigos, colegas, extraños, reciénconocidos, vecinos, una verdadera miel, la cortesía en persona, humorista con un interminable repertorio de chistes y bromas. Ante los otros, la sonrisa de antes —la que le conoció Renata durante el noviazgo, cuando aún ella no había trasgredido la línea de su intimidad de macho—, los ojos se le volvían a llenar de oros reverberantes, volvía a tener la misma fascinación de otrora. ¿Sería eso lo que la seguía atando a él, o sería más bien que estaba poseída de un sentimiento sado-masoquista?

Entonces, ante los otros, Antonio se esponjaba con que "Renata es la inversión más fructífera de mi vida. Ustedes tienen que reconocer que no hay en el mundo entero mujer como Renata". Esto, con ligeras variantes, era su repertorio siempre que podía meterlo de cuña en la conversación.

Faustina comentó una vez con suspicacia:

—Una de dos: o Antonio adora de veras a Renata, o tiene la paja detrás de la oreja y claro, este despliegue de amor ante los demás lo redime a los ojos de ella.

Cuando Antonio la lisonjeaba ante los otros, a Renata se le abría un abismo en el estómago y unas ansias ineludibles de vomitar. Estaba segura de que entre los trozos de comida devolvería a grandes pedazos el odio que comenzaba a devorarle las entrañas. Fue entonces cuando se le clavó la sospecha de que la pesadilla de su vida conyugal había comenzado en el momento en que ella había trasgredido la línea limítrofe entre ellos dos, porque a Antonio había que mantenerlo a distancia, o mejor dicho, ella debía mantenerse a distancia, en la distancia en que permaneció durante el noviazgo, cuando apenas si habían pasado al corto diálogo de un encuentro fortuito, después, paulatinamente, a las conversaciones.

Distancia sobre distancia en el noviazgo, abrió un abismo insalvable entre los dos en la intimidad del amor: distancias físicas de hay - que - proteger - la - virginidad; distancias espirituales de cuidado - con - el - pecado - manzana - del - edén; distancias intelectuales de no - me - hablés - de - eso - que - no - es - de - mujeres - tocar - el - tema; distancias emotivas de esos - apasionamientos - no - son - de - muchachas - como - vos.

Trasgredir esa línea limítrofe entre dos cuerpos, el de él y el de ella juntos, acariciándose en el lecho conyugal, exhalando placeres copulativos entre las sábanas íntimas y el amor tibio. Todo eso era una irrupción imperdonable para Antonio, en el fondo herméticamente cerrado de su ser. El crimen de Renata fue haberle arrancado aquella primera vez todo un derroche de ternura, de palabras dulces, de emociones y de goces que le habían sido vedados antes:

—¡Puta! ¡Más que puta! ¿Dónde aprendiste todo eso, si no fue en la práctica con otro hombre?

"¡Las sábanas ensangrentadas como testimonio evidente de mi inocencia, y Antonio duda de mí!" ¿Qué más pruebas querrá?"

—¿Cómo has logrado excitarme hasta el paroxismo? Sólo las rameras poseen el secreto ... ¡quién sabe con qué hombrecillos te has metido, gran cabrona del carajo!

—Es el amor el que opera el milagro, Antonio ... El amor que ha venido quemándose en mi interior, durante estos días de eterno noviazgo, es sólo el amor que hoy opera su sabiduría instintiva de tanto que tu presencia distante fue abriéndome en cada uno de los poros heridas sabrosas, el amor que sólo tu caricia masculina aliviaría, al penetrar en la mansión de mi cuerpo listo desde hace mucho para recibirte, señor y dueño de todos mis rincones que guardé sólo para vos, es sólo el amor, Antonio, el que me da esta sabiduría de caricias, que lo confirmen las otras mujeres, todas las mujeres que han amado ...

* * *

—¿Cómo pretendés, Gaby, que después de todos estos años al lado de tu padre, hecha a él y por él, yo pueda ir con otro? ¡Ni pensarlo! ¡Una verdadera locura! Después de tantos años de vivir sin el menor contacto físico con él ni con hombre alguno, a mis años, ¿qué puede hacer una mujer inexperta, porque tu padre nunca me enseñó los secretos del amor?

—No me digás, mamá, que no tenés experiencia a tus años.

—No, Gaby, ahora que sos mujer y podemos hablar de mujer a mujer, sin tapujos, debo confesarte que durante todos estos años de "matrimonio" yo sólo fui lo que tu padre me hizo: un ser pasivo que sació únicamente las apetencias sexuales de él y que jamás logró esa rara química, conseguida en la fusión de cuerpo y espíritu por medio del "amor"; soy una ignorante en la vieja pericia de las parejas.

—Y tenés miedo, mamá. Miedo a hacer el ridículo y por lo mismo seguís estancada en algo que por darle nombre, se le llama matrimonio sin haberlo sido nunca y menos ahora. Anulás tu vida íntima y aniquilás la felicidad ... ¿No sabés aún que el amor posee tal sabiduría, que llegado el momento, no tenés que aprender caricias ni ademanes, porque la intensidad del momento abre la cajita china y te quedás entonces sorprendida de lo que sos capaz? Mamá, hacéme caso, dejá de una vez por todas a papá, si no querés acabar tus días sola y amargada, sin haber conocido la flor y esencia de la vida.

—¡Y sos vos, Gaby, mi propia hija, quien me alecciona en las artes en las que debería ser yo la maestra! No te has casado todavía, pero abundás en el viejo saber de todas las mujeres, ese saber que hace muchísimo tuve, pero a fuerza de reprimirlo, ocultarlo, negarlo, para que Antonio no estallara en insultos, languideció y murió, y aquí me tenés, a mis cuarenta años, sin haber conocido otra cosa que el sexo porque se me negó siempre el Amor ...

—¿Así es que ni siquiera has gozado del éxtasis del orgasmo, mamá?

—¡¡¡Gaby!!! ¡Por amor de Dios! ¿Cómo se te ocurre hablarme así? Me abochornás, chiquilla ...

"¡Oír esto de labios de mi propia hija!, no cabe duda de que todo está patas arriba, el absurdo se ha instalado en el mundo y no se reconoce derecho ni revés, esto es el acabóse, sin darle vueltas, ¿a mi edad, será posible aprender de nuevo lo que aquella primera noche Antonio estranguló?"

* * *

El paraíso que mágicamente se fue desplegando en el ritmo voluptuoso de sus dos cuerpos jadeantes, entretejidos por espasmos gloriosos de amor, lo demolió Antonio con sus palabras, el primer ataque verbal contra Renata, a los veinte años, en su noche de bodas, cuando el amor pudo comenzar a hacerse entre ambos ente palpable. En verdad su arma de ataque al principio fueron palabras, palabras, y más palabras, puta, no servís para nada, no me vengás con majaderías y no te me hagás ahora la estrecha que no querés hacer chiquichaca te jodés de una vez por todas porque tomá tomá y requetetomá por majadera, imbécil ... Palabras, al principio. Después, llena de esperanzas de que todo se arreglara en sus relaciones matrimoniales, Renata le anunció el advenimiento del primer hijo. Enfurecido, la lanzó contra la cómoda y se desgañitó gritándole:

—¡El hijo de tu vientre no es mío! ¡No puede ser mío! Sólo vos sabés con quién te revolcaste y ahora venís a meterme gato por liebre. Sos una vampiresa vulgar, una putilla cualquiera que has embarrado mi vida de mierda ... ¡Maldito el momento en que te conocí y más maldito aquel en que te hice mi mujer!

Gritos y golpes contra la pared, hasta dejarla sin sentido. Entonces, —amor mío, ¿qué te he hecho? ¿Cómo he podido atacarte, maltratarte, humillarte, asesinarte con mis palabras, con mi violencia irrefrenable? ¿Cómo, si te quiero más que a nadie en este mundo, si vos sos todo para mí? ("Ni dudar que es ambivalente la conducta de su marido, Renata, hay algo en él que no sé, necesito más datos para ayudarla a usted", comentó el analista).

—Escucháme, Renata, te amo, te amo con alma, vida y corazón, te adoro ... ("Lo de antes es la voz de su suegra, Renata. Ahora está hablando él mismo y es sincero, pero ya la dejó herida".).

—¡Canalla! Soy un canalla. Vos sabés bien que te amo. Vos sabés que mis palabras ... Bueno, lo que te dije, mis palabras no expresan lo que siento ... Fue la frustración, el cansancio ... He trabajado mucho, demasiado ... Vos sabés, el proyecto de investigación que tenía entre manos se jodió. Me rechazaron la propuesta a la Fundación, ¡y ahora un hijo! Sí, Renata, un hijo es una boca más, más gastos y pocas entradas ... Llevamos poco de casados y se sabe, se comienza con las vacas flacas ... ¡Todos los ahorros a la mierda con este hijo por venir! Si no me perdonás, tenés toda la razón, amorcito. Sé que no tengo excusas. ¿Cómo explicarte todo lo que se levantó dentro de mí cuando me lo dijiste, Renata? ¿Cómo explicártelo si es irracional mi conducta?

"Sí, Antonio, se levantó tu verdadero yo, ese monstruo que día tras día crece dos palmos y me va aplastando dentro de mí misma, me va triturando, haciéndome polvo ... nada ... una nada sin quejas, ni preguntas, ni reproches, sin voz propia para llenar el espacio físico que ocupo en el mundo".

Renata ya ni recuerda cuántas veces los golpes le dejaron marcado el cuerpo. Tampoco cuántas mentiras dijo a sus amigas, a los conocidos, a sus hijos, por los moretones en la cara: me di un golpe con la puerta, reacciono muy fuertemente a los efectos de las aspirinas que dibujan hematomas en mi cara, vos sabés que soy muy sensible a todo medicamento, pero claro, un dolor de cabeza es un dolor de cabeza y yo tengo que quitármelo así la pague caro, sí, sé que hay nuevos productos farmacéuticos, pero las aspirinas me quitan mis dolores, y claro, la reacción no tiene importancia, me lo dijo el médico.

*   *   *

Muero minuto a minuto, carcomida por una angustia sin forma ni límites. Muero cada día rompiéndome contra el mundo, los seres, las cosas; contra las voces y los actos míos y de los demás. Me siento morir en el silencio de mi ser poblado de susurros inoportunos. Ya Sísifo no tiene ni el recuerdo de la esperanza ... Sin esperanza, el dolor se intensifica. ¡Pobre Sísifo, el del esfuerzo sobrehumano e inútil, ya ni te queda la imaginación para vislumbrar en el horizonte el miraje de la libertad!

* * *

El sueño del Minotauro que dormita en el dédalo de mi alma, se torna ligero. Despertará en cualquier momento, sé que despertará, lo siento rebullir ... Yo todavía no estoy lista para combatirlo. Vivo aturdida por una multitud de voces que musitan dentro de mí, y trepan con angustia por mi garganta ... ¡No puedo ya más! ¡No puedo! Todavía estoy joven, muy joven y la sangre me arde por dentro con ansias violentas de amor, de ternuras, de un algo que yo misma no me sé ...

* * *

Voy a encender la luz, pero el interruptor, que es un botón como el de los timbres, en lugar de encenderse, se hunde y mi dedo queda atrapado en el orificio.

Entonces comienzo a hundirme en un charco de colores: primero el amarillo; después, el rojo; por último el negro, negro, negro. Me hundo ... Me impregno de colores que se diluyen como la niebla. Mientras los colores me saturan, me repito hasta la saciedad:

—El rojo es la muerte, el negro es la nada, el rojo es la muerte, el negro es la nada ...

Al penetrar el negro en mi cuerpo, compruebo que no se desvanece ... El negro es un color sólido, es un tapón que cierra el embudo de la nada donde los otros colores me han empujado ... Con un desalado respingo, caigo, sin esperanza alguna, en la vorágine de la nada ... La angustia me da un socollón que me hace despertar en la cama de siempre, con el amanecer a una distancia de tres horas y al lado de Antonio, quien ronca ... ¡Y la angustia que no me deja dormir!

XII
DEL YUGO SIN FIN

En su libro titulado La dialéctica del sexo (The Dialectics of Sex), *Shulamith Firestone analiza los múltiples escollos que deben salvar las feministas blancas para alcanzar sus metas. Esto la lleva a concluir que tiene más desventajas ser mujer que ser negra.*

El Monitor Feminista, julio de 1971

Durante el siglo pasado la esclavitud era el tema del momento y las asociadas de Stanton se unieron con impaciencia a la lucha por los derechos de los negros. Porque ellas creían que la abolición implicaba derechos iguales para todos, blancos y negros, hombres y mujeres, se dieron a la tarea de hacer discursos, recaudar fondos y firmas, confrontar insultos y hasta amenazas físicas. Sin embargo, cuando la Guerra Civil se ganó, se llevaron la chocante sorpresa de saber que la recientemente declarada Décimocuarta Enmienda a la Constitución Nacional garantizaba la ciudadanía completa a los negros, pero sólo a la población masculina. Fue éste un momento clave en el que su conciencia se abrió a la dolorosa verdad de que como mujeres tenían menos derechos que los mismos esclavos. Así se iniciaron los movimientos que condujeron a la liberación femenina.

El Monitor Feminista, junio de 1984

—¡Renata, tienes un maridazo tan interesante y atractivo! ¡Y qué cultura y humor los suyos!—, le comentó Sonia con voz preñada de fascinación cuando después de un rato de charla con las amigas del té, Antonio se hubo retirado. —Lo has tenido muy escondidito, como si no supieras, a estas alturas de tu matrimonio, que tu Antonio está chocho de amor por ti. ¿Sabes lo que me dijo?

Renata no salía del asombro la primera vez que lo oyó, era como si le estuvieran diciendo que Antonio hablaba de otra y no de ella misma.

—¡Dichosa!, no tienes por qué quejarte como algunas de nosotras, Renata, tu Antonio no halla dónde ponerte, y eso que ya te tiene en un altar—, le reveló Sonia mientras pasaban el rato tomando té y desgastando con palabras la soledad de sus vidas. —Sólo falta que te encarame en los cielos al lado de la Santísima Virgen. La verdad es que si pudiera, como el loco Calixto apasionado se declaró melibeo y no cristiano, Antonio se declararía renato ... , y te colocaría por encima de Dios.

> Quise alcanzar el sol,
> la luna no: es pequeña, pálida, no está lejos,
> y por aquellos años yo tenía anhelos de distancias, de
>   fuegos devoradores, de tamaños titánicos,
> quise alcanzar el sol y cuando ya casi lo tocaba,
> se derritieron mis alas de cera, caí, caí, caí de bruces,
> contra el suelo, no, no,
> contra mi propia miseria,
> y aquí estoy hundida en su espuma de angustias,
> ya ni hago esfuerzos por salir,
> porque a cada amago de salvación
> me hundo más, más más,
> no tengo otra alternativa: quedarme aquí,
> aceptar mi condena de Eva-Lilith-Icaro,
> para no hacer más infernal el infierno en que vivo.

—Hago todo lo que puedo para darle gusto a Andrés con las comidas—, comentó Sara. —Hasta sigo clases de cocina y economía doméstica, pero aunque le prepare el manjar más *delicious*, nada le gusta, todo es *trash* no sé ni cocinar bien y en cambio su mami sí, que le hacía manjares *out of this world*. Un día que fue Antonio a vernos, nos dijo que tenés una cuchara de primera y que en tu casa comen como reyes gracias a tu "magia culinaria" dijo como lo oís: *magic cooking*, ¡un verdadero poema para mis pobres oídos que sólo han escuchado improperios contra mi cocina. Arroces, aliños de carnes y guisos, salsas, ensaladas, ¡qué sé yo!, para él nadie adereza ni guisa, mejor que vos, Renata. *How lucky you are*, Renata, con ese maridazo que vale oro.

Renata se puso triste y apagada.

—Mujer, ¿qué te pasa? Cualquiera diría que en vez de lisonjas, Sara te hubiera apedreado—, Milagros le soltó con sorna, con la máscara de inocencia que se ponía cada vez que atacaba a alguien, como siempre. —Si mis amigas me dijeran la mitad de todo eso, yo sería la casada más feliz del mundo y no querría nada más que eso, que a mi maridito se le cayeran las babas por mí ...

—Y ... Pero queridita, *for Goodness' sake*! ¿Qué más querés si ya hay en tu colección tres maridos? ¿Cómo no has aprendido a complacer a esos seres incógnitos que nunca quedan satisfechos con nada? Contás con tres experiencias y muchos añitos a tu haber para que todavía no sepás hacer babear a los hombres ...

—¡Conmigo no te metás, Sara, que tengo mucho que contar de ti. Con el tejado de cristal que tenés, no le tirés piedras al techo vecino, ¡preciosa! Guardátelas en el buche para que con el peso se te reviente y no salgás más con tus ataques de miér ... coles.

—Por lo visto aquí se armó Troya. No olvidemos que estos tés de la semana son para escapar por unas horas de las tensiones familiares y las rencillas cotidianas—, trató de apaciguarlas Sonia.

—¡Tranquilas, tranquilas, para seguir disfrutando del momento!

Renata intervino para cambiar el rumbo de la conversación, explicando que se había puesto tristona porque se había acordado de Laura, quien permanecía internada en el hospital con un melanoma que no le dejaría ni tres meses de vida

—Nosotras aquí, riendo, gozando, hablando como en nuestros mejores tiempos y Laura muriéndose en un hospital ... A todos un día nos ponen en jaquemate, pero siempre escuece, cuando se trata de una persona amiga y querida. Del grupo, será la primera que se nos vaya. ¿Quién le seguirá?

> Palabras salvadoras, palabras máscaras, palabras biom-
> bos, palabras parapetos, palabras murallas, palabras
> fortalezas militares tras las que nos escondemos a
> cada momento para cambiar el gesto como se cam-
> bia de traje,
> palabras que dicen, pero no significan eso que designan,
> sino lo otro, lo que queda ahí dentro, pudriéndose
> en el fondo de nosotros mismos, cáncer devorador
> de verdades dolorosas que se van metamorfoseando
> en mentiras,
> poses estudiadas, gestos frívolos, modales refinados,

formas safias de tapar nuestra propia desnudez,
de ocultar con palabras las llagas, supuraciones pesti-
lentes, granos purulentos infectados, úlceras sangrantes que por una eternidad —desde que perdimos la
inocencia y entramos en el círculo vicioso de apariencias sociales—, han ido acumulándose en el desván de nuestro ser y nadie debe verlas,
porque está en juego el prestigio de Antonio,
porque se derrumbaría como una torre de naipes la familia,
porque los hijos sufrirían al enterarse y quién sabe cómo
reaccionarían ante la verdad,
porque los amigos volverían las espaldas,
porque "sos una mentirosa, Antonio es el ideal de marido, ya lo quisiera para mí!",
porque él ha dejado minuciosas pruebas de que la verdad es esa máscara-biombo que ha ido desplegando
por ahí con la pericia del que arma con palabras —
sólo con palabras— un rascacielos-laberinto-palabra
firme y lleno de complicados cubículos, sótanos, galerías, pasillos, recovecos, rincones, vestíbulos, cuartos,
porque la suya es un rascacielos-palabra que se va soli-
dificando con el tiempo y ya nadie lo podrá derribar,
y yo, menos que nadie, porque mis propias palabras
fueron las primeras que cimentaron ese rascacielos-
laberinto inenarrable e inexpugnable, en boca de Antonio las palabras-mentiras dejaron de ser signos ar-
bitrarios, se hicieron cosa, realidad, "res",
todo se vuelve palabrería, y la realidad no resiste el
ataque de las palabras, se pulveriza, se aniquila al
contacto con las palabras, apocalíptico proceso evolutivo de la creación que nació con la palabra, con
el verbo divino ...

Ese día, Sonia se quedó con Renata un momento después de
que las otras se marcharon.

—Es preciso que te lo cuente, Renata. Esa talporcual de Milagros, ¿no lo sabías?, es la causa ... , bueno, en parte es la causa
de que Laura esté a un paso de la muerte. Mariano se encontró
con Alberto en un restaurante donde trabaja ahora de camarero
desde que lo echaron de la Universidad. Imagínate a Alberto de
camarero, con ese paquete de intelectual que se gasta. ¡El pobre!,

tras de esto, el mal incurable de Laura ...

—Bueno, pero no me tengás en ascuas, contáme, ¿qué pitos toca Milagros en todo esto?

—Verás: tú bien sabes que Milagros fue quien te lo recomendó de profesor y no te dejó ni a sol ni a sombra cantándote sus preces como educador. Movió cielo y tierra para que viniera, ¿no es cierto?

En el momento en que Renata asiente, entra Faustina con el pretexto de hablarle sobre los cursos de otoño. Esta ocupa la posición de directora desde que Renata renunció al puesto, a raíz del despido de Alberto. Desde hace algunos meses Renata sospecha que Faustina se trae algo entre manos, pues siempre que la ve acompañada busca un pretexto cualquiera para impedir su diálogo con otros.

—Está celosita, Renata ... Ya sabes de qué pie cogea la pobre y tengo el pálpito de que tú no le eres nada indiferente. Sobre todo ahora, después de la muerte de su íntima Carla ... —, le dice medio en broma Sonia, al comentar el asedio descarado que le hace Faustina.

* * *

Aquella tarde de tertulia, inadvertidamente comenzaron a preguntarse si de veras existe la felicidad.

—Yo creo que la he buscado de manera equivocada donde menos se la puede hallar—, observó Faustina. —He oído decir por ahí que la felicidad consiste en no desear nada. Entonces yo me digo que no puede haber felicidad porque vivir es llevar el corazón ardiendo en deseos que no se apaciguan con nada.

—¡Qué bien lo has dicho, Faustina—, comentó Renata. —La emoción de la música, de la flor; el suspenso ante el crepúsculo y las doradas tardes de otoño, ¿qué son, sino mínimos instantes en los que el alma cesa de palparse las carnes rotas? La intensidad del poema, las palabras de ternura y amor, ¿qué otra cosa son, sino chispazos infinitesimales de dicha?

—Y es que el fondo de todo es la desilusión, el desengaño, la muerte, acaso Dios ... ¿Dios? ¿Y dónde encontrarlo? Dios, felicidad, paz, amor ... uno y lo mismo: alcanzar la estrella, besar el alba, crear el Poema. Arder en inquietudes y deseos no es la felicidad. Anonadar el sentir, tampoco es la felicidad. ¿Qué es entonces?

—¡Ah, no!—, protestó con vehemencia Renata. —No me vengás con esas entelequias que te gastás siempre, Faustinita del alma.

Aquí venimos, y ya lo hemos dicho, no a escuchar cosas trágicas, sino a encontrar en la compañía de todas y cada una, solaz y descanso a nuestro agotador quehacer de mujeres modernas que a la fuerza se tienen que volver supermujeres ...

Faustina la interrumpió, terciando hacia otro de los temas de su predilección:

—¡Supermujer! Debería figurar esta palabra entre las prohibidas. ¿Se han dado cuenta de que en nuestro mundo democrático nos sentimos impelidas a defender el derecho del proletariado: no hacerlo trabajar más de ocho horas, como prescriben las leyes.

—Sin embargo, nosotras, las mujeres, cargamos sobre nuestras espaldas hasta veinte horas entre el trabajo con el que aportamos dinero para ayudar con los gastos, y todas las horas que nos lleva el cuidado de la casa y la familia—, intervino Sonia. —Cada noche descanso a lo sumo de cuatro a cinco horas, mientras Mariano duerme hasta ocho y diez y más horas. ¡No es justo!

—En resumen, nos llaman liberadas, pero ahí seguimos en el yugo jooo ... robadas y bien jooo ... robadas—, remató Milagros con desparpajo y su ancha sonrisa de camanances.

—¿Y ustedes creen que de veras nos van a permitir liberarnos al punto de que nuestros hombres lleguen a compartir con nosotras todo, *absolutely* todo, hasta la *kitchen* y el cuidado de los hijos? Por lo visto ustedes todavía se tragan lo de Santa Claus ... ¡Dichosas! *Good luck to you'll*!—, protestó Sara.

Sonia, quien permanecía reconcentrada en el tejido de un primoroso tapetito, estaba llorando en silencio. Al percatarse de que las otras tenían la atención puesta en ella, suspiró hondo, dejó sobre el regazo la labor y con tristeza fijó los ojos en el vacío. Dando señales de preocupación, le preguntaron las amigas qué le ocurría.

—Es que ya lo tengo decidido y nadie me hará cambiar de parecer.

—Pero ¿qué has decidido? ¿Puedes explicarlo? No nos vengás ahora con que se trata de un suicidio, pues con esa cara fúnebre que tenés, no se nos ocurre otra cosa—. Renata le tomó las manos con afecto y la hizo reclinar la cabeza contra su hombro. —¿Qué te ocurre, bonita?

Sonia se enjugó las lágrimas, y retocándose el maquillaje, contestó:

—Nada, nada. Estoy cansada, eso es todo ... No me hagan caso—. Las otras, aunque preocupadas, no se atrevieron a insistir y continuaron:

—No cabe duda que el divorcio es una salida a tanto abuso, pero conviene mirarse en el espejo de las que ya estamos divorciadas como yo, por lo crudas que la pasamos al principio—, explicó Milagros pasándose la lengua por los labios con la sensualidad y coquetería que eran el sello de su personalidad.

—Además, por desgracia el matrimonio proporciona el apoyo y respeto de la sociedad. La condición es la de seguir uncidas al yugo del hombre. Tener un hombre, es tener nombre. Lo curiosito es que nuestra sociedad no hace distingos entre la "hache" de hombre y la "ene" de nombre. En el divorcio, con el *h*ombre, se pierde el *n*ombre. ¿Lo oyen?, hasta juegos de palabras salen de mi desgracia de mujer divorciada. Y como si eso fuera poco, hay que luchar por la pensión de los hijos. ¿Y quién acalla los remordimientos por haberles quitado el padre a los chiquillos? ¿Y la conciencia del pecado contra los preceptos católicos? Y patatín, patatán ... Una cree que va a alcanzar la libertad con el divorcio, narices contra un infierno multiplicado. La verdad es que no hay salida. Sin embargo, las muchachas siguen casándose ...

—A todas las verdades que has dicho, Faustina, hay que agregar la maldita conciencia de siervos que acusa Octavio Paz en los mexicanos, la cual es igualmente latinoamericana, porque todos tememos ser nosotros mismos—, añadió Renata. —Esa conciencia abruma también, y con doble fuerza, a la mujer hispana, quien en su relación con el hombre se somete al ninguneo.

En este instante, a Renata la inunda una oleada de desalientos al comprobar que ni sus amigas y colegas intelectuales escapan a la devastadora conciencia de siervas. ¡Y ella que creía ser la única!

Comentaron también un fenómeno repetido en los de su generación: la mayoría de los matrimonios de veinte, treinta, cuarenta años de convivencia, hijos, amor, rencores, rencillas, odios, son parecidos: las mujeres adocenadas, ya en las tareas domésticas, ya inmersas, como ellas, en libros y papeles y trabajo, braceando para mantenerse a flote y sostener la familia, todo el peso de la familia sobre sus endebles hombros de mujeres ...

—¡Y pensar que entre "hombros" y "hombres" sólo media la pequeña distancia de la vocal "o", pero esa diminuta "o" es una abracadabrante catástrofe en la realidad cotidiana! Sí, eso, sobre los endebles hombros (no sobre los hombres) de la mujer—, siguió con sus juegos Faustina. Secundándola, y gozándose en el juego, Renata finalizó la idea:

—Entretanto, él, ellos, Antonio, Mariano, Perencejo y Zutano, los demás maridos (los HOMBRES, no los hombros de la mujer), muy sentaditos, de corbata y chaqueta, detrás del escritorio, dándoles órdenes a las secretarias; llevándoselas a la cama; téngame lista la conferencia para el jueves; póngale una llamada

de mi parte al señor gerente del Credit Bureau para aclarar este
lío; llame mejor al otro número, dígale a mi mujer que no llegaré
a cenar hoy, que es día de junta; toda esta semana estaré fuera de
la ciudad, que se las arregle mi mujer con lo del partido de béisbol
de Gonzalito y que me disculpe ante las maestras y la directora del
St. Francis Day School porque no podré ir a la reunión de padres
de familia, sí, una semana entera permaneceré en Washington, una
emergencia que no puedo desatender, para eso ella es la madre de
mis hijos, que se despabile. Y los condenillos dicen *mis hijos* como
si nosotras no hubiésemos tenido arte ni parte en su nacimiento
. . .

Por su parte, Faustina comenta:
—¡Observo que la mayoría de matrimonios de nuestra generación consiste en dos que siguen y siguen y siguen y siguen por
apatía, más bien por conveniencia, quizás: él, porque ¿qué gana
con dividir en partes iguales los bienes comunales?, ¿quién quita
que ella muera primero?; también, ¿quién mejor que ella para
prepararme las comidas a mi gusto, tenerme la ropa como se debe,
mantener el debido orden en horarios, hijos y muebles?; ¿quién me
guardaría una fidelidad a prueba de bomba?; ¿quién, sino ella? ¿A
qué entonces probar otra? Que siga ahí lidiando con los chiquillos,
disciplinándomelos, impartiendo instrucciones a la servidumbre,
haciendo la compra, preparando platillos exquisitos.

Medio en broma y medio en serio, Sara complementa las palabras de Faustina:
—Si lo tengo todo, hasta mejor que de soltero, pues las mujeres
se me rinden sin compromisos con eso de que saben que estoy
casado, ¿por qué voy a divorciarme? ¡Ni que fuera cretino! Ella
con los hijos y las cacerolas, y yo, con mi ancha, infinita libertad,
y ¡*Vive la vie*! Lo tengo todo, ¿a qué levantar el oleaje del divorcio
en las aguas quietas de mi matrimonio? Para eso me casé, sólo
para eso.

Para el grupo es un alivio cuando Sara intercede en las conversaciones con comentarios de tal estilo, pues ya están cansadas
de oírla repetir la historia de su "*glamorous*" juventud, cuando los
hombres enloquecían por su belleza; collaba por su inteligencia y
Harvard le abrió las puertas, le dio una beca, pero . . . "trasladaron
a Andrés y entre una cosa y otra perdí tan grande *opportunity* y
aquí me tienen trabajando a medio tiempo, *part time*, porque por
cuidarme del marido y la familia, no hice nunca el doctorado. Ya
se sabe que éste es el país de los Ph.D., los pe-hache-des . . . Ah,
¿pero han visto cómo me mira el Dr. Ferguson, el de arquitectura?
¡Se ve que está chocho por mí,!

Milagros no comprende el hambre de compensaciones que tiene Sara y le recrimina constantemente con que "sos un disco rayado. Dejá en paz el pasado, decíle *requiescat in pace* y chau, ocupáte de tu rebosante gordura si de veras querés ser *glamorous* como decís, Sara, Sarita".

Puestas a hablar de matrimonios, para variar, ese día, entre bromas y risas leyeron y comentaron el artículo que traía la revista *Más* y que llevaba por título "Se venden parejas — 'matrimonios' con facilidades de pago" Matrimonios garantizados para durar por lo menos tres años, pagaderos en tres plazos, con absoluta reserva y conducentes a la residencia legal permanente en los Estados Unidos, son el negocio de Don Juan". Desde hace unos veinte años, este nuevo don que cambió los papeles con la Celestina, se vive buscando ciudadanos o residentes norteamericanos que deseen casarse con inmigrantes indocumentados para legalizar su situación en el país. El negocio le sale redondísimo, ya que según el servicio de inmigración, 30.000 personas se casan con otras tantas de esta manera al precio de $8.000 por pareja.

—Casualmente hace un mes, un *student* mío *from* Venezuela, me anunció que faltaría a *classes* porque se casaba en esos días—, cuenta Sara. —Yo le hice la observación de que no sabía que él estuviera comprometido. Me respondió que se casaba con una *American* sólo porque se le había vencido el visado y temía que se le deportase a su país. "Matrimonio por conveniencia, profe, no tengo más remedio si no quiero interrumpir mis estudios aquí, en este país. Y ella feliz porque no tiene ni cama donde morir". ¡En la que se ha metido el pobre y a sabiendas, porque no quiso escuchar los argumentos que le aduje en contra.

*   *   *

—Laura es pintora. Ganó un resonante premio en Guatemala. Es probable que exponga en la Galería Moody.

Laura es pintora. Laura gana premios. Laura decora la mansión de quién sabe qué señorones del River Oaks. Laura expone en las galerías de moda. Laura se ha casado una vez, pero enviudó. Laura tiene un hijo que es un verdadero genio. Laura es ávida lectora de Joyce, Kafka, Kundera, Claudel, Sunkist. Laura ama la poesía de Rilke, Gibran, Jorge Guillén. Laura tiene su tertulia artística cada primer jueves del mes a las ocho de la noche.

Laura siguió ramificándose en la fantasía de Renata: su belleza plácida se eternizó en imágenes igualadas sólo por las pintadas por Boticelli, Murillo, Rafael ... En la voz y las palabras de Alberto,

Laura se volvía para Renata la concreción de un imposible y la angustia de no poder ser algo tan único y especial.

—Quiero que conozcas a Laura, ¿verdad que vendrás uno de tantos jueves, Renata?—, le preguntó Alberto cuando recién instalado en Houston, Renata se convirtió en su mejor colega y amiga.

—¿Estás enamorado de Laura?

—¿Por qué lo dices?

—Cuando hablás de ella la voz se te pone cálida.

—Laura es sólo mi amiga entrañable. Durante estos días que está de viaje, yo me siento perdido sin ella. Se va por unos días y por ese tiempo yo ando como un sonámbulo, con un vacío espiritual.

—¿No es esto amor, Alberto? Si no lo es, ¿qué es entonces el amor?

Pasado el tiempo y ganada su confianza, Alberto le confesó la verdad:

—Es muy íntima nuestra relación. Hace más de un año vivimos juntos, pero no me había atrevido a declararlo a nadie porque ... Bueno, la verdad es que no sabría cómo lo tomarían los sacerdotes de esta universidad ...o si se enteran. Me guardarás el secreto, ¿verdad? Sí, ya sé que los alumnos preguntarán y se sabrá todo. De patitas a la calle en menos que canta un gallo, ¿qué te apuesto?

—¿Y por qué no se casan?

—¡Bah! Laura y yo queremos que lo nuestro crezca hacia lo indisoluble sin contratos ni juramentos. Que se afiance en el trato mutuo, en el goce de cada día y en el dolor compartido.

Renata le rogó entonces que hiciera algo por ocultarlo; que llevara por lo menos una alianza; que no mencionara nada a nadie porque ella, como directora del Departamento de Español, lo había contratado para enseñar, por recomendación e insistencia de Milagros, quien le aseguró que no había mejor profesor que él para el puesto vacante.

—Si se sabe lo de tu lío con Laura, también me expulsarán a mí, Alberto. No querrás que después de los méritos que he ganado, me destituyan con vos. ¿Cuándo me la vas a presentar, Alberto?—, Renata se aventuró a preguntarle tímidamente. Hace más de un año que somos amigos y todavía no la conozco. Cuando él la invita, Renata da una excusa. Dentro de ella se agita un temor infantil: piensa que siempre es lo mismo con la ilusión, se desmorona a veces sólo con palabras; otras, en contacto con la realidad. Renata no sabe por qué desea que Laura persista en su esperanza y siga creciendo hacia la plenitud imposible en todo lo humano. Y así ocurrió, brutal y despiadadamente se estrelló contra la realidad aquella imagen impecable de Laura.

—Aquí tienes a Laura, Renata. Al fin la vas a conocer ...

El aire fresco y azul de la mañana se suspendió; se volvió asfixia y oscuridad al estrechar Renata la mano de aquella mujer envejecida y contrahecha, cuyo único atractivo se había anidado en los grandes ojos verdes, inteligentes; ojos que irradiaban algo exótico, misterioso. La sonrisa serena, sabia; sonrisa de Noemí bíblica, que trasmitía a sus facciones un algo trascendental no visto antes en nadie por Renata. Comprendió entonces que ella había pasado la vida rozando sólo superficies; admirando la belleza física. Frente a la intrínseca hermosura que Laura, contrahecha y fea, irradiaba de un venero interior, Renata se sintió avergonzada de su frivolidad.

Por lo mismo reaccionó violentamente cuando llegó Milagros, llena de ponzoñosos chismes de —hay que hacerlo saber a los curas: Alberto y Laura viven amancebados. Llevan el anillo para disimular, pero en una universidad católica, vos sabés que no estaría bien visto por nadie. Como directora, Renata, debés tomar cartas en el asunto y poner a Alberto en su lugar, por impostor. ¡Habráse visto atrevimiento!

Renata defendió a Alberto como un basilisco. No estaba dispuesta a desprenderse de tan excelente profesor y amigo por hablillas de una colega que entonces ella consideraba que le tenía envidia profesional. La verdad de por qué Milagros quería deshacerse de él, era otra. La supo mucho después, cuando Laura ya había muerto y a él lo habían dejado cesante en malos tiempos, cuando el único trabajo que pudo encontrar para sobrevivir fue el de camarero y después, para su desgracia, el de mayordomo en una mansión cuyo dueño era un pervertido, pero esto queda para después ...

*   *   *

Faustina, siempre trae a sus tertulias el tema suyo predilecto: la mujer y las diversas formas que la sociedad machista utiliza para discriminar contra ella, y esa tarde, no fue excepción.

—¿Se han fijado que la palabra esposa es palabra vil, cuyo infame sinónimo es "grillos"? ¡Nada menos que grillos!, los mismos que ponen a los reos ... , ¡y pensar que a las otras, aquellas que un día u otro fueron nuestra pesadilla, se las llama dulcemente "queridas", "amantes". Las casadas son sólo "esposas", o simplemente "mujeres" de algún hombre! Muchas de nosotras, las casadas o que un día lo fuimos, ignorantes de la ley que protege derechos, nos aferramos al matrimonio desgarrándonos la carne del espíritu en la maraña de sus espinas, pinchos, clavos, poseídas de mil miedos: miedo a la pobreza, miedo a dejar a los hijos en la calle, sin hogar, sin estudios, ni profesión, ni perro que les ladre ...

Las otras, una a una van agregando miedos, el que habían vivido o estaban viviendo en carne propia:

—Horror a la indigencia ...

—Pánico al qué dirán, al desprecio de los otros porque ya no nos honra el nombre del marido, ese buen hombre que nos ha dado todo y se dobla de sol a sol por nosotras y por los hijos ...

—Horror al horror de quedarse sola, con una soledad sin presencias ni voces, porque la soledad del matrimonio conlleva la presencia del otro. Es muy importante que dentro de las paredes de la casa resuene una voz masculina, reticente, sí; regañona, también; quejumbrosa y reprochadora, hay que admitirlo; pero es una voz, una presencia, algo que aniquila en parte el vacío de la soledad ...

—"¿Qué será de mí si no sé hacer otra cosa que cuidarme de la casa, de los niños y de la cocina?", lo he oído a mi hermana y a tantas mujeres en defensa de un matrimonio que hace mucho dejó de ser matrimonio, porque aunque ambos están viviendo en la misma casa, hace tiempo, muchísimo tiempo, levantaron en la cama un muro invisible, indivisible también; despojaron al amor del poder de fusionarlos en uno ...

como lo despojamos Antonio y yo,
pero nadie ni nada hará que me doblegue como ellas, las
    que quedan adocenadas, vencidas por la conciencia
    de siervas,
soy diferente, original, individualista, no sigo patrones,
    nunca los
he seguido,
busco la autenticidad,
¿y qué es la autenticidad, acaso otro molino de viento,
    otra Dulcinea?,
pero la autenticidad se paga cara: los demás la recha-
    zan, es un lujo que no admite ni las hipocrecías ni
    las mendacidades de nuestra sociedad farisea, a ve-
    ces quisiera renegar de ella,
siempre he sido diferente a las aburguesadas, por algo
    he vivido lo que he vivido, he pasado hambres, fríos,
    desprecios, permanezco en soledad, una soledad con
    dimensiones de vacío, saturada con la angustia de la
    nada,
¿por qué dejarme vencer ahora?, esas aburguesadas que

sigan la corriente, yo me desvío,
se hace preciso romper el patrón, destrozar las tradiciones, introducir la novedad, aunque parece que
pasada los cuarenta, la vida está por terminarse,
eso, en otros tiempos, no más convencionalismos para
mí, tirarlo todo por la borda y comenzar a vivir,
ahora que los hijos se han ido por los senderos forza-
dos de la vida.

¡Ser diferente, ser diferente, SER DIFERENTE!, repetítelo a
vos misma, Renata, una y millones de veces para no caer en lo
mismo que las otras. ¡SER DIFERENTE A LAS DEMAS!, pero
sin dejar de ser auténtica ...

* * *

—Sos algo excepcional, nunca visto, mujer. Tus ojos, color
de jade, tus dientes, de jade, tus uñas, esmaltadas de verdejade
... Algo nunca visto. ¡Y hasta llevás collares y pulseras de jade!
¡Qué rara sos, mujer!—. Un sentimiento de malestar me comenzó
a invadir ante la extraña figura de ídolo de aquella mujer.
—¿Te sorprende, Renata?—, replicó la mujer de jade. —Yo soy
la sorprendida porque sos muy diferente a las otras: juro que no
había visto a nadie como vos, con un ojo castaño y el otro, azul.
La tierra parda y generosa en un ojo. El cielo traslúcido y lleno de
misterios, en el otro. ¡Ja, ja, ja! Sos lo más extraño que he visto
en mi vida. Tanto quisiste ser diferente y ya ves que te fuiste a
extremos ... ¡Cuidado, cuidado, Renata!
La voz del ídolo de jade se confundió con el despertador y la
desazón del día que comienza atiborrado de deberes ... ¡Diferente
a las demás, vaya ironía la del ídolo!

XIII
SU VIDA NO HA TERMINADO

Por siempre jamás,
hay algo
más allá.

$*$ $*$ $*$

En un continuo ciclo de vida
cada final deviene un génesis
y la vida
siempre está en proceso de llegar a ser ...
Siempre en proceso de llegar a ser ...

$*$ $*$ $*$

Una semilla,
vida eterna ...

G.Frostic

La Conferencia Puertorriqueña de la Mujer celebrada del 10 al 12 de junio de 1977 surge como parte de una resolución tomada por el gobierno de Estados Unidos en la Conferencia Cumbre del Año Internacional de la Mujer celebrada en Méjico en 1975.

$*$ $*$ $*$

[...] se aprobaron en los talleres resoluciones tales como: ampliar el concepto de violación para incluirse la violación dentro del matrimonio. Que las mujeres tuvieran el derecho al aborto en los primeros seis meses de embarazo. Se aprobó que los hospitales públicos, por ley, atendieran los casos de violación y se diesen las facilidades de aborto. Boicotear aquellos

productos que utilizaran a las mujeres como objeto sexual en sus anuncios. [...] Que se reglamentara la participación proporcional de las mujeres en la dirección de los síndicos. Exigir que se construyan Centros de Cuidado Infantil en los centros de trabajo. Que no se traiga como evidencia la vida sexual de la mujer en los procesos por violación, etc.

Perspectiva Mundial, 29 de agosto de 1977

—Resulta absurdo condenar a la mujer casada a que llene todas las necesidades de su espíritu sólo con la compañía del marido—, fue la reacción de Milagros al leer en el periódico el crimen pasional del marido que mató a su mujer por celos: la sorprendió conversando con un amigo en un restaurante y eso bastó para que la acribillara a balazos. Sonia también reaccionó:

—¿Por qué la mujer ha de consumirse enclaustrada en el hogar trajinando con la casa, la cocina, los hijos, los quehaceres repetidos que abaten las alas de la imaginación?

Faustina, quien después de su segundo divorcio, hundida en libros y trabajo, se salvó de la soledad y la incomunicación volcando su erotismo —su amor no—, en las mujeres, estaba de acuerdo:

—No cabe duda de que la soledad es el sino de la mujer: soledad mientras espera que germine en el marido la ternura; ¡inútil empeño! El apetito sexual, la lujuria, todo germinará en él, menos la ternura.

—Entretanto, soledad para la mujer mientras espera la voz amistosa que comparta un momento de emoción sin precipitarse tras las agujas del reloj para cumplir deberes y más deberes—, continuó Sonia con tono melancólico. —Soledad, mientras espera la conversación íntima, sin que interfiera entre los dos el periódico, la revista, el televisor, el cállate-que-quiero-oir-esa-noticia-de-la-radio. Soledad, mientras espera el paseo por el bosque, mano con mano, gozando juntos de la forma de una hoja, del color y aroma de una flor, del trinar del pajarillo en la copa de los pinos. Soledad, cuando él no quiere compartir el momento intenso de la sinfonía o la sonata, de la poesía o la página literaria.

—Yo, signo tus palabras—, intervino Renata. —Cierto, son años y años de soledad, esperando que un día el marido (ese extraño que entra dando portazos y después del ¡hola!, pregunta qué hay para comer o a qué hora se va a comer) se vuelva amigo entrañable; amante que encienda nuevos fuegos de pasión; compañero que cancele definitivamente la angustia de saberse atada a él por lazos indisolubles, a pesar de que él siempre ha sido un ser ajeno a su fastuoso mundo interior. ¿Han observado ustedes cómo los hombres, gran mayoría de ellos por lo menos, viven para afuera, descuidando los espacios del espíritu que nosotras, bueno, muchas de nosotras, cultivamos con esmero? El paraíso para ambos sería el acoplamiento de nuestra Jauja interior y la que ellos tienen en potencia pero la aplastan entre las cuatro paredes de su oficina, laboratorio, salón de conferencias y anfiteatros, en su afán por llegar a la cúspide. Comienzan el matrimonio preocupándose por poner el pan en la mesa y de ahí se disparan con la única mira: la gloria.

—¿Gloria, has dicho? ¡Glorias burocráticas, glorias pasajeras como las nieves y las eras de antaño! ... Pasajeras como todo—, Faustina, como siempre, puso el sello de su pesimismo.

—Ya se sabe—, agregó Milagros, —los maridos viven sólo para deberes, periódicos, noticias, cartas por contestar, conferencias en lejanas geografías ... mientras la mujer sigue sola, muy sola, totalmente sola ...

* * *

Almorzando en Buteras, un día en que pudieron desprenderse de Faustina que no dejaba a Renata ni a sol ni a sombra, Sonia le contó que desde los comienzos de su matrimonio, Mariano, su marido, terminaba sus noches de pasión burlándose de ella, "eres frígida, Sonia, más frígida que un pedazo de hielo, no sirves para el amor y ni sé para qué puedes servir".

—Renata, sus palabras me han hecho tanto daño, ¡tanto!, que escuchadas día tras día, semana tras semana, año tras año, yo las creí a pies juntillas.

Renata le recordó que Antonio también la acusaba de lo mismo y la hacía responsable de lo mal que andaba el matrimonio. El consejero de matrimonios le advirtió a él que si algo andaba mal en su matrimonio, era su eyaculación prematura, la cual impedía una respuesta normalmente afectiva y efectiva de parte de cualquier mujer. Sin embargo, la misma noche de esa verdad aplastante para él —porque fue lo mismo que si le hubiesen dicho que tenía lepra o sida—, le dijo a Renata, con odio, que la detestaba.

—Lo demás, vos lo sabés de sobra, Sonia, porque te lo he confiado. Lo que no sabés es que sí salí de casa, pero ante los ojos de todos, fue sólo para irme a Madrid a realizar investigaciones para mi tesis doctoral. El amor de Antonio por mí es tan mínimo que prefirió nuestra separación al tratamiento, que según el siquiatra, no requería mucho esfuerzo. Aquí me tenés, Sonia, esposa de él ante los demás, al filo del medio siglo, sola, muy sola, deshecha, peor que cualquier divorciada, pues éstas al menos pueden hallar consuelo en otro y yo, por respeto a mis hijos y a él mismo que se presenta como mi esposo, no tengo más remedio que compensar mis frustraciones saturándome de trabajo. Nadie conoce la extensión de mi soledad. Si no fuera por los hijos, Sonia, si no fuera por ellos ... Y algunos amigos como vos ...

Con los ojos nublados por las lágrimas, se quedó pensativa, pero reaccionó en seguida:

—Me salí por la tangente, Sonia. Me ibas a confiar algo importante porque desde la tarde que nos interrumpió Faustina, te observo llena de angustia y un algo de desesperación. Te hablé de lo mío para que comprobés que todos los matrimonios pasan por lo suyo. A veces me pregunto si existe una pareja, no digo feliz, pero sí en armónica relación.

—He hecho una locura, Renata, una verdadera y estúpida locura. Necesito confiártelo, porque sé que sos discreta y no dirás nada a nadie. Más que locura, cometí el dolorosísimo suicidio simbólico de mí misma. Llega un momento en la vida en que sin esperanzas de nada, tenemos que decir como el Calígula de Camus: "El mundo no es soportable. Por eso necesito la luna o la dicha, o la inmortalidad, o algo descabellado quizás, pero que no sea de este mundo". Como no soy Calígula, ese algo lo busqué fuera de *mi* mundo, donde no tengo derecho alguno a buscarlo.

Entonces Sonia contó cómo durante ese tiempo, para compensar el naufragio de su vida con Mariano, se había vivido buscando a alguien que le brindara la copa de su placer. Entretanto, como amigo y colega en la corporación donde Mariano era gerente, para hablar de negocios, comenzó a visitarlos Bob Cooper.

—Entre cumplidos, atenciones y miradas furtivas, comprendí, Renata, que también era yo el motivo de sus asiduas visitas. Sabés bien que a quien quiero y he querido siempre es a Mariano. Sin embargo, como no he conocido más hombre que él, consideré preciso hacer la prueba con otro, necesitaba saber si de veras el defecto era mío. Bob no me atrae ni me atrajo en lo más mínimo, pues es todo lo contrario de lo que a mí me gusta en un hombre: gordo, bajito, lampiño, semicalvo, inteligente para los negocios y muy preparado en informática, pero cero de sensibilidad y un mucho de erotismo; para colmo, se burla de las mujeres que estudian o tienen carrera, porque según él, la mujer en casa, la pierna quebrada y colmando de cuidados al maridito y a los hijos; la mujer no tiene nada que hacer del hogar para fuera. Porque no era mi tipo, lo escogí, calculada y fríamente, lo escogí por temor a poner en peligro nuestro matrimonio, si me enamorara ...

—¡Vos, Sonia! ¡Vos que has sido un dechado de virtudes para mí, no me digás que ...

Con un movimiento de cabeza y llorando con desconsuelo, lo confirmó:

—Sí, Renata, yo, la que ustedes creen virtuosa, luchando contra todos los escrúpulos y principios, a sabiendas de que cometía adulterio ... , me vi obligada a hacerlo por deber. Mi razonamiento era que debía descubrir en mí la verdad de mi yo erótico para aceptar o rechazar las acusaciones que se pasaba haciéndome Mariano. Fue para salvar mi propia identidad. Fue un sacrificio para mí, que hice destrozada por dentro, con desesperación. Pese a que no había ni pizca de amor y en él todo era lujuria, creeme que por primera vez gocé de los placeres que nunca me proporcionó la manera abrupta de poseerme Mariano; el otro usaba un algo de ternura desconocida para mí. Esta penosa experiencia entre el sexo satisfecho y la rabia contra mi marido, me dejó cavilando.

—Feliz que tuviste el valor, el cual yo no tengo ni tendré nunca, de comprobar que lo de la frigidez no tiene nada que ver con vos ... ¡Si yo pudiera comprobarlo!

—¿Te das cuenta, Renata? Sí soy capaz de responder como mujer a la caricia del hombre. Lo trágico es que mi deseo fue siempre tener tal vivencia con el hombre que Dios, ¡alabado sea su nombre!, me destinó. Avergonzada de lo que hice, y aunque no creo en el divorcio ... Bueno, quiero decirte que desde entonces no puedo ni mirar a Mariano en los ojos, de lo mucho que me pesa el pecado, y eso que ya fui a mi confesor para aplacar mis escrúpulos; pero los sacerdotes, ¿saben acaso algo de las necesidades de las mujeres y de las canalladas de los hombres?

*   *   *

Esa mi soledad de mujer casada, me llevó a ti, Ricardo. También mis sueños, porque antes de que te concretaras en la realidad, yo te conocí, Ricardo. En el largo tiempo de soledad, cuando mi pesadilla de silencios prolongados gestaba fetos indefinidos de seres posibles que me salvaran, adiviné tu voz y tu ademán varonil. Y ahora que te tengo, mi espíritu agoniza consumido por el deber de la esposa y el ansia de dichosa libertad ... Comenzado el ascenso, o se alcanza la cima, o se cae en el abismo ...

*   *   *

Me cortaron la lengua; estaba carcomida de cáncer. No hicieron la operación en el quirófano, sino en la silla del dentista. El miedo avasallador, no al corte, sino al filo del bisturí, disminuye inadvertidamente; se convierte en gozo al comprobar que el instrumento es una especie de tenaza roma, rematada en dos puntas redondas.

Ejecutada la operación, sin tratamiento médico alguno, sin más ni más, me levanto y me voy preocupada, muy preocupada porque no sé cómo va a salirme la voz sin lengua. Recorro un camino estrecho, oscuro, solitario, anhelando poder hablar, decir algo para probar mi nueva voz; claro, no voy a ponerme a hablar a solas, en media calle; me creerían loca, y eso no, ni en sueños ... Corro hacia una niña rubia que diviso en una curva, le hago gestos, la llamo.

La niña abre muy grandes los ojos de cielo en los que se define una nube de terror, y escapa a estampía. En dirección contraria, viene hacia mí un hombre cabizbajo, le hablo, me mira, "¡oh, no, no!", exclama llevándose las manos a los oídos y apresurando el paso. Una vieja muy vieja me dice:

—Por la cara te reconozco, Renata, ¿pero qué pretendés con ese grotesco parloteo de cotorra alborotada?

—¿Parloteo de cotorra alborotada? ¿Cómo?, ¡si yo escucho dentro de mí mi propia voz y es cántico de serafines!

*   *   *

Vivir con intensidad, aunque la vida se vaya en un soplo, mi lema. Amar, gozar, sufrir, llorar, reír, trabajar dándome entera en cada minuto, en cada acto. ¿Autodestrucción? Quizás ... Quizás me esté dando a la muerte, mientras me voy quedando a pedazos en gestos, cosas, seres. Una vida larga sin hondura, no me interesa.

Faustina comentó una vez que continuamos viviendo después de la muerte, pero sólo en los hijos que dejamos y en nuestras obras. No cree en la vida del más allá.

Me quedé pensando en lo que podría quedar de mí en los hijos. ¿Un rasgo físico? ¿Algún tic nervioso? ¿Gestos, costumbres, manías, capacidades? ¿El prodigio de la ensoñación? ¿De las emociones intensas? Si algo mío quedara en mis hijos, sería el recuerdo que ellos guarden de mí, grato en las veladas de los cuentos de hadas, los largos paseos por el zoológico o el parque Memorial, desafiando el terreno escarpado, en la dulzura de la tarta de pecanas y el helado de chocolate; desagradable en las regañadas, los castigos, la difícil disciplina. Muerta yo, de una tarde a la otra; de un amanecer al otro, ese recuerdo, grato o ingrato, se irá diluyendo poco a poco; cada vez más, hasta quedar hecho ceniza de olvido; o una fotografía en el álbum de familia a la que algún dedito nuevo —el del biznieto, o el del tataranieto— señalará con la consabida pregunta de quién es ésa; y alguien responderá que no se sabe, que ahí ha estado desde mucho tiempo atrás y por eso la foto se ha puesto tan amarilla y borrosa. Eso será lo único que quedará entonces de mí, una borrosa imagen amarillenta que fue captada por el ojo de una cámara y recoge la pupila de un niño que no ha probado aún el dolor de vivir ...

—¿Y tus alumnos, Renata? ¿No crees que algo tuyo se salvará en ellos y con ellos?

—No lo sé ... Sólo sé que ellos crecerán más allá de lo que les he ido dando todos estos años. La verdad es que temo que no quede nada, absolutamente nada de nosotros y entonces me pregunto para qué seguir viviendo ...

—Con una visión tan pesimista, ¿a qué desear la muerte, si será el final de todo?

No quise decirle a Faustina que sigo viviendo únicamente para cumplir con mi responsabilidad hacia los hijos. Cuando se puedan valer por sí mismos, la muerte será un consuelo. La llamaré, la sobornaré, la retaré ... ¡Qué placer supremo yacer para siempre, los ojos cerrados, olvidada de todo! Descanso prolongado al infinito ... para mí sería el mismo cielo que prometen las religiones. Porque la esencia y sentido de la vida, es el dolor; su culminación, la muerte, pero muerte como desenlace y liberación y no como tangente del dolor. Es preciso dejar espacios libres, para que haya nueva vida.

* * *

Me detuve un momento junto al San Francisco de piedra para contemplar la caída lenta, agónica, de pétalos de las últimas rosas de otoño. Rubicundo y sonriente, pasó el Padre Bernard a mi lado, "buenos días, ¿todo bien?", "sí, de maravilla, no puedo pedir más, que Dios la acompañe, hija". Siguió muy campante con su perro, por las aceras del recinto universitario y se perdió entre unos arbustos. Iba tan feliz, tan feliz, que me quedé pensando, sin dejar de contemplar el penoso desflorecer de las rosas: ¡quién fuera él, tan feliz! Su presencia y su sonrisa me dictaron siempre esos pensamientos. ¡Tantas cosas me estaban abotagando el espíritu y la vida toda era igual de monótona de lunes a viernes!, pero había que seguir. ¡Quién fuera él! Rubicundo, gordo, joven, con su perro y su sonrisa, silbando o tarareando una festiva tonada, "¿por qué no me da el secreto de esa alegría?", y él se detiene para decirme:

—No hay tal secreto, hija. Se nace así, y eso es todo.

Entonces se me vino a la memoria sor María Marcela; pocos folios antes de cerrar su autobiografía, declara algo parecido: "no me falta benignidad porque Dios me dio naturaleza suave, tratable, apacible, en el obrar y en el hablar, en preguntar y responder, sin afectación alguna, pues querer hacer lo contrario es imposible". Y yo, ¡pobre de mí, que soy impaciente, irascible y vivo habitada por mil demonios que dan en disfrazarse de inquietudes! Si pudiera, como el padre Bernard, como sor María Marcela, poseer dulzura, perdón, fácil trato, sin esfuerzo alguno ...

—¡Vale!, admito que se nace así, pero no me va a negar que su alegría se la completa Sansón. ¿Acierto?—. Como si supiera que hablaban de él, moviendo el rabo, me miró desde el misterio negro de sus ojazos. —Dicen por ahí, que hasta lo acompaña al aula y se echa, muy calladito, debajo de su mesa, mientras usted imparte sus lecciones.

—Cierto. Es mi gran amigo y compañero. No sé qué haré cuando se muera, porque se me está poniendo viejo y achacoso. No sé qué haré sin él ...

Estuve a punto de preguntarle qué sería de Sansón si fuera quien se quedara sin él; si los otros curas de la comunidad lo acogerían. Pero era tan rubicundo, gordo y alegre, que resultaba ridícula esa suposición ... ¡ni imaginarlo siquiera!

Con su perro, Desapareció silbando la alegre tonada tras el robledal. Yo me quedé rumiando mi amargura, la amargura con que nací.

Al cabo de una semana, Sansón andaba vagando solo, como perdido, bajo los frondosos robles; agitó el rabo al verme y a mi pregunta de qué hacía tan solito cuando siempre iba con el Padre Bernard, gimió triste y dulcemente, y siguió adelante.

Rubicundo, risueño, alegre, el Padre Bernard se había marchado, al amanecer, por las calles inaplazables de la muerte. Todos lo buscaron esa mañana de niebla y no aparecía. Todos lo llamaron y no respondió. Todos quedaron conmovidos cuando lo encontraron sonriendo, abrazado a la muerte; a sus pies, gimoteando, Sansón velaba la perennidad de su sueño.

Ahora yace ahí en ataúd verdetriste y oro. Vigilan su paz interminable seis velas lacrimosas. En el grandor de la iglesia Santa Ana una voz clerical dice que es preciso que lo corruptible se vuelva incorruptible y que este ser mortal se revista de inmortalidad, para que se cumplan las Sagradas Escrituras, para que la muerte sea vencida.

Mientras resuena en las naves de la iglesia la voz clerical, afuera, una ambulancia esparce por las calles el grito angustiado de su sirena. ¿Irá también la muerte en la ambulancia?

Para desaliento mío, alguien dice desde el altar:

—Su vida no ha terminado, sólo cambió ...

*   *   *

¿Sólo cambió su vida?

Penetro en el mundo de Borges, doy un paso falso en la realidad y caigo de bruces en dimensiones inquietantes: leía "Abenjacán el Bojarí, muerto en su propio laberinto". Aún vagaba por mis noches sin sueño la sombra nefasta del cobarde y criminal Zaid (¿y si hubiese sido más bien el bravo y valiente Abenjacán?), cuando, sin más motivo que desearme felicidades y prosperidad para 1972 llegó a mis manos un obsequio que ha comenzado a obsesionarme tanto o más que el cobarde visir; se trata de una agenda nueva para 1969, la cual no tiene nada de particular. Lo inquietante es que procede de la lejanísima Paquistán, donde yo no conozco un alma que me mande regalos; y más inquietante es que trae consigo una tarjeta impresa en la que dice:

> La naturaleza no tiene fin;
> cada final es el principio.

Emerson

F E L I Z A Ñ O N U E V O
Hakim Mohammed Zaid

Infinitas formas de recomenzar ... , ¡desaliento!, vuelta y vuelta y vuelta y siempre Zaid, el del cuento de Borges (¿imaginación o más realidad que mi carne y mis huesos?), Zaid el de la agenda 1972 y la tarjeta; Zaid el ... ¿Qué seguirá después? ¿Se continuará la cadena de los Zaids-cobardes-valientes?
"Su vida no ha terminado, sólo cambió ... "

* * *

A propósito de traidores cobardes, ahí está Milagros. Sonia me contó lo de Alberto. ¡Cuánta sordidez!:
—El mismo Alberto se lo explicó a Mariano cuando se encontraron en el restaurante donde quedó reducido al miserable puesto de camarero: "No quiero saber más nada de los maquiavelismos académicos, Mariano—, le dijo. —Aquello es el laberinto de Minos multiplicado por cien. No le guardo rencor a Renata porque ella, como directora, no tuvo nada que ver con mi despido. Fue Milagros, la dulce, talentosa, ingenua Milagros, quien con su sonrisa, su hábil tejemaneje de la moral católica universitaria y su troteada cama lujuriosa para los que eso buscan, manipula a todos por allá, a los puritanos curas y a los pecadores".
—Me tenés en vilo, Sonia, contáme, ¿qué hizo la llamada amiga y colega nuestra y primita mía?—, pregunté, sin imaginarme siquiera que yo misma había sido utilizada por ella al aplicar, en dicha ocasión, sus artes marrulleras de siempre. ¿Y no voy enterándome entonces que ella me metió hasta la médula de los huesos a Alberto, como la persona idónea para el puesto vacante, pero

según Alberto, lo había recomendado porque lo quería para su placer y beneficio, más que por los méritos académicos que yo observé en nuestra entrevista?

Sonia continuó el relato de aquella infame traición a Alberto y Laura, a la Universidad, y a mí misma:

—¿Recuerdas que nos preguntábamos qué había ocurrido para que la administración fuera tan tajante en ese despido, que ni esperaron a que pasara la Navidad para comunicárselo a Alberto? Lo más cruel de todo es que por ese tiempo Laura estaba muy delicada de salud. Pues fue que Milagros, al no poder seducirlo ...

—¿Qué me decís? ¿Que Milagros me usó a mí para seducir a Alberto? ¿Toda la gran tragedia de nuestro amigo ocurrió por un caprichito de mi queridísima primita?

—Como lo oyes, su única intención era seducirlo y como le salió el tiro por la culata, quiero decir, apareció con Laura y la dejó mirando para el ciprés, les llevó a los mandamases el *flash* de que Alberto estaba amancebado y que era un escándalo, que los estudiantes ya hablaban de eso, y que los padres por algo los habían matriculado en una institución católica y que si patatín o patatán. Ella sabía bien que Alberto había abandonado su prometedor puesto en el norte para venirse, porque le interesaba integrarse al claustro de profesores universitarios, pero ya ves lo caro que pagó su ambición, todo por una calientavergas como Milagros, que lo engatuzó y nos engatuzó a todos. Alberto quiso ocultárselo todo a Laura para evitarle el disgusto, pero Milagros, por venganza, movió cielo y tierra para que Laura lo supiese. Laura entonces perdió el interés por seguir viviendo y para colmo, faltaron medicinas, se interrumpieron los tratamientos requeridos en tan larga y grave enfermedad, y ya ves el desenlace trágico ... ¡La muerte! Siempre al final, la inaplazable muerte. —Crimen premeditado, sutil y maquiavélicamente cumplido. Milagros es una cochina traidora y criminal sin entrañas ...

¡Cuántos crímenes de esta laya existen en el mundo y nadie ni los sospecha siquiera! ¡Cuántos! Abenjacán-Zaid, el traidor cobarde ...

* * *

Voy por un camino de piedra encerrado por dos elevadísimos paredones; debo atravesar por un paisaje de aridez indescriptible. Por las vestimentas que llevan quienes me acompañan y por las estructuras arquitectónicas que se divisan en lontananza, sé, sin lugar a dudas, que son los tiempos de Roma. También sé que tengo una misión muy precisa: he de dar testimonio de algo. Después de un largo andar, llego a la plaza pública y me hundo en un bullicioso mar de gentes, entre las que me pongo a hurgar con ansiedad. Sin decir una palabra, me detengo en seco y sin titubeos ni remordimientos, señalo con el índice al culpable, quien se parece a Antonio, pero no es Antonio; se parece a mí, pero no soy yo; la verdad es que se parece a todos y a nadie al mismo tiempo. No sé cómo describirlo. Lo señalo con la convicción de que es para extirpar del mundo un mal muy pernicioso y por lo mismo siento un gran alivio cuando los centuriones se lo llevan para crucificarlo.

XIV
LAS FORMAS DEL INFIERNO

El temor al infierno es el infierno mismo, y residir en el paraíso es el paraíso en sí.

Kahlil Gibran

Existan leyes o no, es trágico comprobar que las mujeres no reciben todavía salarios equitativos. Las maestras de escuela secundaria reciben sólo el 81% de lo que se les paga a sus colegas masculinos y las científicas, únicamente el 76%. En el Congreso se cuenta con la escueta presencia de diecisiete mujeres y ninguna ha ocupado un cargo en la Corte Suprema de Justicia. El Presidente Carter sólo nombró el 13% de mujeres en una planilla de trescientos un empleados de gobierno. Hoy en día las mujeres comienzan a ponerse alertas ante la situación y hasta las más jóvenes declaran que no es necesario ser radicales para ser feministas: basta comprobar que otras mujeres que no comulgan con el feminismo ni nunca consideraron entrar a dichas filas, hoy experimentan la misma discriminación y la misma necesidad de reclamar sus derechos como lo están haciendo las liberadas.

El Monitor Feminista, diciembre de 1977

Desde pequeña, Renata había venido buscando una justificación a la vida. Milagros, quien no se pierde una película de Woody Allen y siempre lo trae a colación en las tertulias, le pregunta a Renata si ha visto *Stardust Memories* (*Enjambre de memorias* es la libre traducción de Sara):

—Como vivís obsesionada por justificar la vida, *Stardust* te vendría como anillo al dedo. Trata de un director de cine, quien se cuestiona el rumbo que ha tomado su vida y su profesión. "*I got to find meaning,*" ("tengo que encontrar sentido"), repite el protagonista-director-actor con la cara de babieca de Woody Allen. Con tal empeño, concluye que debe abandonar su actitud de comediante que hace reír con escenas humorísticas y chistes. Entonces piensa que ha de dedicarse a algo más útil, y hasta considera hacerse misionero, como vos, Renata. ¿Te acordás que una vez, allá, en los años de upa de nuestra adolescencia quisiste hacerte monja misionera para darle sentido a la vida? Sandy, (o un nombre por el estilo, no recuerdo), el personaje, comienza a hacer películas realistas, sin humor. Los críticos dicen que mucho realismo no es lo que la gente quiere, pero él se empeña en eliminar de sus películas el humor. Cuando muere, una enfermera comenta que él murió sin encontrarle sentido a la vida.

—¿Moraleja?

—Para mí, que la vida no tiene sentido alguno. ¿Y para vos, Renata?

—¿Se podrá de veras encontrarle una justificación?, es mi pregunta repetida.

*   *   *

La búsqueda de Renata se hizo día con día más y más inútil, perdida como ella estaba en una eterna noche de desesperación. Comenzó a considerar la posibilidad de poner fin definitivo a tanta miseria. A las frustraciones de su existencia, se sumaba la salud precaria que le dejó el último parto. Sólo en la noche, durante las poquísimas horas de sueño que le permitían sus muchos deberes, lograba poner alivio a su malestar físico y sobre todo a unas incontenibles náuseas que se habían apoderado de ella. Comenzó entonces a languidecer, pues apenas si probaba bocado en todo el día. Se miró al espejo con atención y sólo vio el rostro maciliento de una anciana de treinta años cuya mirada ya se atomizaba en el polvo de la tumba. En esos treinta años no se vislumbraba un solo sueño, un solo anhelo, ni siquiera las esperanzas para el futuro que traen consigo los hijos. A los tres no los vería crecer, vivir, sufrir, gozar, casarse, tener familia. Se quedaría ahí, reducida para siempre a nebulosa de los orígenes, mientras ellos florecerían en el árbol de la vida.

Los médicos no acertaban con su mal. Ella se dejaba morir paulatinamente. Morir era su única meta del momento. Con egoísmo, sólo pensaba en sí misma, sin pensar en los pequeños, quienes necesitaban de ella, de su amor, desvelos, cuidados. Aquella noche Renata escribió una elocuente carta a Antonio. "Antonio el prodigioso", lo llamaba ella en lo más recóndito de su intimidad, porque él nutría la cornucopia de su sexo con gloriosos goces arrebatados a la miseria de ella, su mujer-incompleta- huérfana-de-orgasmos-amor-placer; y cuando terminaba, repetía muy satisfecho: "No hay en el mundo una pareja más perfecta y feliz que la nuestra, Renata". Maltratado el sexo y maltratada el alma, ella se ponía a llorar en silencio, larga y desconsoladamente, sin encontrar más que la muerte como única salida del laberinto donde quedó atrapada desde el primer día de su matrimonio.

La carta decía:

Antonio:

He querido decirte de diversas maneras que ya no encuentro razón alguna para seguir viviendo, pero no tenés tiempo para escuchar mi lenguaje de mujer descorazonada. Mi desesperación ha desbordado el vaso de mi propia existencia. Quiero que comprendás que durante estos años a tu lado he aprendido a quererte y aceptar tus debilidades. Ausente yo, no me juzgués peor de lo que soy. Por lo mismo te aclaro que durante nuestros muchos años de casados, no he podido ni una sola vez acercarme a vos a colmarte con mi ternura; ¿no has visto cómo la ternura se me desborda por todos los ángulos de mi ser con tal ímpetu que aún repartida entre los hijos, no se me agota y tengo que dilapidarla en el quehacer doméstico y en mil futilezas? Es la reserva de ternura almacenada para vos, pero no has comprendido, nunca comprendiste; ni siquiera al principio comprendiste que mi ternura no requería sexo, sólo ansiaba la calidez de tu piel en mi tez, en mis manos, en mis labios; deseaba escuchar tus palabras de amor para que abrieran en mí primaveras que se desalaran por estrenarse en los placeres de mujer recién casada; pero si no eras un mar de sexo que me ahogaba, te volvías para mí páramo despojado de frescores que pudieran aplacar el ardor de mis ansias.

Cuando te enteraste que debía tomar la píldora contraceptiva por razones terapéuticas, fuiste el hombre más feliz del mundo, porque gracias a esa redonda partícula química, fornicarías hasta la saciedad sin sembrar más hijos en la fertilidad de mi vientre ... Ni pecarías contra la Iglesia. "Preservativos no, —me dijiste con voz terminante—. Lo prohibe la Iglesia, es pecado mortal". Por eso insistís en que siga tomando la píldora: "para regularizar la regla no es pecado", me lo advertiste, queriendo decir que era un sano pretexto para satisfacer tu lascivia sin faltarle a la Iglesia. No te importa que la píldora esté condensándome la sangre y bloqueando cada una de mis venas. ¿No sabés que se me ha estancado la sangre y que me está envenenando toda por dentro? Coagulada, acabará por aniquilarme hasta la ternura, porque desde hace días sólo llevo un pozo de iras y odios: hoy pegué una bofetada a Amalia porque corría por la casa y le grité mil improperios histéricos a Gabriela porque dejó el postigo abierto; a Gonzalo por poco le rompo en la cabeza un plato que tenía en la mano, porque se había agarrado a pescozones con Toni, el nuevo vecinito. La sangre espesa me arde por dentro con un ardor insano, infecundo. No es el ardor del celo, no. Es el de mi cuerpo que se hace pavezas y va quedando reducido a cenizas. Mi sangre espesa arde, y yo me voy consumiendo en un amargo infierno ... Sólo para que vos saciés tus apetencias de macho famélico de sexo.

Hace poco comencé a comprender que hay una multitud de infiernos antes de alcanzar el definitivo ... Y ahora, después de pasar por ellos, prefiero eliminarlos y condenarme de una vez por todas cometiendo suicidio ... ¡Y tanto que lo rechacé como una salida fácil y vergonzosa! Seguir viviendo hundida en este océano de iras, desierta de afectos, sería fatal para nuestros hijos, para vos, para mí misma. Todavía tenés tiempo para que otra mujer te haga feliz, Antonio. Verás lo feliz que serás con otra que no viva como yo en la búsqueda inútil de imposibles, ternuras y amor, lo verás. Hay mujeres que serían dichosas, dichosísimas con tus derroches de lujuria. "No comprendo de qué te quejas, maja; yo daría cualquier cosa por tener un Antonio con todos los *atributos* del tuyo", me comentó mi amiga Reyes, la solterona, cuando en aquellos días en Madrid le conté de nuestra separación y le dejé medio saber cómo me devoras con tus insaciables apetencias sexuales.

Sé que no he sido una buena esposa para vos, y que más de una noche te rechacé: "que me siento mal", "que estoy agotada, dejáme", "que me duele la cabeza", "que mañana me tengo que levantar temprano", fueron mis pretextos.

También sé que una y mil veces me he preguntado por qué me escogiste por esposa, cuando a vos no te hacía falta una mujer como yo, complicada, con inquietudes intelectuales y preguntas metafísicas.

Además, sé que durante aquellos quince meses en los que pretendiste que estabas inapetente de sexo, saciaste tus necesidades de macho en otra cama y me venías con el pretexto de que el cansancio del trabajo te impedía acercarte a mí. Creíste que mi inocencia de entonces me impediría ver la verdad. A todas luces, tu voracidad de dos veces por noche no podía quedar reducida a cero en un santiamén. Se te olvidó que a pesar de mi inexperiencia, poseo ese que llaman sexto sentido, el cual me permite atravesar como rayos-X la cáscara de tus engaños, mentiras, infidelidades ... Aquellos quince meses de tu abstinencia los conté uno por uno minuciosamente, pues entonces creí que se había producido el milagro que tanto había pedido para mí, de que otra llenara tus apetencias carnales *para siempre*; pero no, fue sólo por quince meses, al cabo de los cuales, se me acabaron la gloria y la paz.

Por ese tiempo me convencí de que sólo necesitás una mujer en la cama y que te sirva de esclava-madre, sin cerebro, sin sensibilidad, sin susceptibilidades espirituales; en fin, carne para saciar la concupiscencia, un vientre fecundo en hijos y una capacidad ilimitada de trabajo para que rindan tus intereses de buen negrero.

Comprendo que te sea imprescindible esa libertad y que busqués en otros lados lo que yo no puedo darte. No es un reproche, no. Te lo digo sólo para que sepás que te conozco y que comprendo y por eso he decidido eliminarme de tu vida para siempre; lo hago por tu felicidad y la de los hijos. Cuidálos, querélos mucho y habláles con benevolencia de mí. Perdonáme por no haber sido esa parte de la pareja que habría hecho completa y dichosa la unidad total.

Hasta siempre,

Renata.

P.S.: La Iglesia Católica debería establecer entre sus muchas demandas a las parejas, que el hombre aprenda a ponerle rienda y espuelas al apetito sexual y no someta a la mujer noche tras noche a la tortura de ser montada, sí, montada hasta aniquilarla por fuera y por dentro. Pero ¿qué saben los curas célibes de los derroches ardientes de los maridos? *El perfecto casado* sería mi próximo libro; en él incluiría normas de conducta que llevaran al hombre con su pareja a alcanzar el cielo de la felicidad compartida. Sería una moderna respuesta a Fray Luis de León, quien tanto nos amarró la cincha a las casadas. Ya ves que ni en este trascendental momento del final de mi vida, pierdo el humor, Antonio ... Mi malhumor (como habría dicho Unamuno), contra la Iglesia y sus machos integrantes. Vale.

Al cerrar la carta, titubea, recuerda a Arthur Rubinstein, días atrás, en entrevista televisada. Contaba el pianista que al principio de su carrera, en una ocasión, sin éxito, ni dinero para pagar el cuartucho de hotel de mala muerte donde se alojaba, decidió suicidarse. Sin embargo, cuando estaba todo a punto, en el momento de ejecutar la decisión, comprendió que aunque no tenía nada, nada material, poseía algo más precioso que la fama, los aplausos, el dinero: poseía la vida, y con ella, la música y podía hacer un mundo de cosas porque era joven, ambicioso, gozaba de salud, y oscuro o brillante, lo aguardaba el futuro con un bagaje de sorpresas. Al comprender que vivir no es tener la mensualidad del cuarto de hotel, ni comer, ni gastar en francachelas, se aferró a su vida con la misma desesperación con que se la quiso quitar. Fue a partir de entonces que comenzó a reconocerse su talento en el mundo.

Renata piensa en Rubinstein, en la magia de su música; titubea, pero la decisión está ya tomada. Meticulosamente, prepara todo: temprano, pone a los niños en la cama y después de rezar, les pide que cada noche rueguen a Dios por ella, que los quiere mucho, muchísimo, y porque los ama, no ve otra solución.

—¿Solución a qué, mamá?—, le pregunta, preocupado, Gonzalito.

—A la vida, hijo, a esta vida.

—No entiendo, mamá, por qué hay que buscarle solución a la vida. Yo creía ... —, comenta Amalia.

—Sos muy niña para comprender. Algún día, quizás ...

Pasa con los chiquillos más tiempo del acostumbrado, pues desea hacer de aquella última noche un momento muy especial, único, inolvidable; que persista en el recuerdo de ellos en forma indeleble, como queda la emoción del primer beso; del amor adolescente; del milagro del hijo que va creciendo en las entrañas; como perduran en su emoción las tardes repetidas de celajes intensos, cuando se paseaba por la exuberancia de su País de las Montañas Azules, al Angelus, mientras tocaban a rebato las campanas de la iglesia llamando al rosario, y ella, ajena a la invitación religiosa, se identificaba con la tierra, la vegetación, el aroma penetrante a calinguero, la sierra rematada por la cruz que abría los brazos en un gesto de misericordia o quizás como una evocación del dolor, esa inevitable marca humana.

Esta noche, junto a los hijos, persisten las remembranzas de entonces, de la intensa emoción que hilaba en su ser el piar de los yigüirros y aquel disolverse toda ella en el infinito y volverse ubicua en ese entorno que había crecido con ella. Desde que vive en Houston, ha perdido la mágica capacidad de diluirse confundida con la tierra, la vegetación, el cielo traslúcido. Renata siente la urgencia de regresar una vez más, la última de su vida, a todo eso que le permitió elevarse, día tras día, por encima de las pequeñeces de su existencia y salvar de sí misma los pocos jirones que ella había resguardado contra el poder demoledor de Antonio.

Abraza a los hijos con vehemencia y los ojos arrasados de lágrimas.

—¿Te pasa algo, mamá?—, preguntan los niños con desasosiego. Ella deniega con la cabeza; disimulando, los besa y se retira a su recámara. Se ducha, se viste prolijamente, se maquilla como siempre,

> quiero que me recuerden muerta igual que en vida,
> nada de horrores, ni gestos descompuestos,
> lo único descompuesto será mi interior, náuseas, deseo
>   de volcar
> mis entrañas por la boca, vaciarlas,
> quedar limpia del presente, del pasado, de todo, re-
>   comenzar,
> pero es inútil todo gesto de salvación,
> ya está decidido,
> ya nada podrá cambiar ...

Terminada la ablución, se hinca frente al crucifijo colonial, fija la vista en las carnes laceradas de Cristo y reza con intensidad:

—Perdonáme, Señor, por ponerle fin a lo que vos, sólo vos tenés derecho de aniquilar. Perdonáme, pero ¿cómo seguir sumida en este infierno donde mi carne ya está vencida y mi espíritu, con ella, ya no puede levantarse ni un palmo del suelo, de lo mucho que le pesa el dolor, el odio, la cólera? Porque me posee la ira contra Antonio, contra todos los que se aprovechan de los otros y los hacen sus siervos ... Perdonáme, Señor, por quitarme la vida. Ya lo sé, no es ni siquiera mía, me la prestaste por un ratito y yo me arrogo el derecho de arrancármela ...

Pensativa, casi como una autómata, se echa en la cama. Cuando va a llevarse a la boca la primera cápsula, timbra el teléfono ... La voz de Antonio en la distancia le explica:

—Renata, después de la reunión aquí, en Boston, salí pitando a tomar el avión, el último. En el aeropuerto me enteré que no saldremos hasta mañana debido a una avería del motor.

—Todavía no se sabe a qué hora saldremos. No me esperés como habíamos quedado. ¿Vale?

—Sí, te prometí llegar esta noche, me lo pediste como algo especial, ¿pero qué puedo hacer yo, si no está en mis manos? Lo siento, amorcito.

—Perdonáme. Los niños, ¿están bien? ...

—Bueno, si ocurre algo, estoy en el Hotel Hilton. Me llamarás, ¿verdad?

Sin responderle siquiera, Renata cuelga el auricular como una autómata. Esa llamada ... Esa llamada no vino de Antonio, sino del cielo ... Un aviso del cielo. Si Renata se quitara la vida, ¿qué sería de sus hijos tan pequeños, tan desvalidos, durante esa multitud de horas, mientras Antonio estuviera de viaje, dando conferencias, concentrado en el análisis de un objeto milenario? ¿Y si una vez muerta ella se casara él con otra, y esa otra lo indujera a internar a los niños en un orfanato?

No, Renata no podía quitarse la vida: desde el momento en que trajo a este mundo a esas criaturas, su deber es el de cuidarse de ellos hasta que puedan valerse por sí solos ... Entretanto, ¡cuántos años, cuántos, habrá de pasar cumpliendo con el más duro deber: el deber de seguir viviendo!

Sonrió, pensando que todo este despliegue trágico del momento habría sido censurado por los críticos de la película *Stardust Memories*, porque tendía a un exceso de realismo y nada de humor que diera un alivio al lector-espectador-interlocutor. Se dijo a sí misma que si se decidía a escribir su novela, tendría que eliminar pasajes como el anterior: "humor, sexo, violencia, pide el público de hoy y hay que darle gusto al vulgo, lo dijo Lope, y lo siguen haciendo los creadores de hoy para ganar fama instantánea, lo que suena a chocolate instantáneo, a sopa instantánea, a algo rápido como todo lo de hoy, pero pasajero, más pasajero que las nieves de antaño ..."

* * *

Santi, mi hermano menor, quien murió hace mucho, y yo, atravesamos un torrentoso río. Con sendos salvavidas atados a la cintura y braceando con dificultad, recorremos un extensísimo trecho. Al llegar a nuestro destino, llorando me despido de Santi y emprendo sola el regreso. A medio camino, y todavía con la pena de la separación, con terror me percato de que para mí será imposible llegar a Nograles, porque no tengo salvavidas y apenas si me puedo sostener en el agua; para colmo, voy contra corriente y cada brazada mía me deja exhausta y en el mismo sitio, como si me hubiesen clavado ahí. El sol tramonta y ya comienza a oscurecer. Estoy paralizada de miedo y llena de angustia, me reprocho a mí misma por no haberme puesto el salvavidas; también, y sobre todo, por no haberme quedado con Santi, allá, en aquella ribera plácida y exhuberante; allá, con Santi, quien está a salvo ya. ¡Dichoso Santi!

XV
LOS MILAGROS DE MILAGROS

*En estos tiempos en los que la mujer va ganando terreno
en la defensa de sus derechos y en la igualdad socio-económica,
surgió en Nueva York y en Nueva Jersey un grupo de conser-
vadoras tradicionalistas, quienes denunciaron que la propuesta
del estado d e las enmiendas de igualdad de derechos lleva el
sello de antimatrimonio, antifamilia y hasta abre posibilidades
para establecer retretes unisexuales, asícomo permitir matrimonios entre homosexuales. Todo esto, creen dichas mujeres,
puede repercutir en la pérdida de beneficios para las viudas y
el reclutamiento masivo de mujeres en las fuerzas armadas de
los Estados Unidos.*

El Monitor Feminista, noviembre de 1975

*"La literatura de confesiones, romanticismo, amor y nos-
talgia ha desaparecido en Latinoamérica y la literatura de la
crueldad ha llegado", dice Poniatowska. "Nuestra literatura es
la literatura de los pies descalzos, la literatura de los que comen
tierra, y también la literatura de los que toman las armas y la
literatura de la ira".*

Ms., mayo de 1982

—Para colmo de los lujos, en aquellos pacatos tiempos de Maricastaña, el padre de sor María Marcela le llevó preceptores. Estos
le enseñaron música, baile, lectura y escritura—, Renata continúa
la historia de Sor María Marcela. —Con la música y el baile, se
le aumentó la vanidad, explica ella en su autobiografía. Entonces,
ya de adulta, comenzó a »concurrir a fandangos" muy decentes,
porque su padre era muy rígido y enemiguísimo de que saliera.
Siendo la mayor de muchos hermanos y habiendo perdido a su
madre a muy temprana edad, ella se cuidaba de las finanzas de la
familia, lo que le permitía "gastar sin tiento", sin que su padre se
enterara, en regalos para sus muchas amigas. Daba sin reparos ni
excepciones, con lo que crecieron las adulaciones y ella, encantada,
se "dejaba llevar del aplauso popular". Petra, la única hermana
suya, dos años menor que ella, no se le parecía en nada. Escuchen,
escuchen: ambas eran

> tan desiguales como lo que va de lo malo a lo bueno,
> porque ella, Petra, era una santa tal que por no com-
> ponerse, se andaba siempre echando hábitos de de-
> voción, cosa que yo ni por una hora me puse jamás
> y me mortificó bastante porque me daba vergüenza
> que saliera conmigo tan desaliñada. Ella con nadie
> se metía y yo con todos tenía qué hacer.
> Pero ya será razón volver tantito por mí, que aunque
> tenía tanto malo, también hacía algunas cosas bue-
> nas porque era naturalmente muy piadosa y cari-
> tativa, muy amiga de los pobres, les daba mucha
> limosna, curaba los enfermos yo misma: en sabiendo
> que en la hacienda había algún pobre en cama, no
> consentía que los criados le llevaran el sustento ni
> los medicamentos, sólo yo misma, por mi mano, se
> los administraba, hasta que sanaban o se morían.
> En una ocasión asistí a una viejecita mucho tiempo
> y con vivir lejos iba todos los días tres veces a darle
> alimento y cuando murió la ayudé hasta que expiró
> porque estaba sola. Mis padres me permitían estas
> salidas porque eran muy amigos de los pobres.
> En otra ocasión, se fue a la casa un paralítico que era
> compasión como estaba. Lo pusieron en un cuarto y
> yo no dejaba que otra persona le diera de comer, sólo
> yo lo hacía por mi propia mano hasta que murió.
> Un viernes santo en la noche llevaron una criatura llena
> de lepra, más muerta que viva y yo me la cogí, la

empecé a curar y a criar con mil trabajos, porque no había quién le diera leche, pasaba malísimas noches, pero al fin la sané, la crié y creció en casa. De esto pudiera decir mucho, pero lo omito por no alargarme; sólo diré una mucho y bien pesada que me sucedió por ser caritativa.

—Es obvio que esta confesión de sor María Marcela nos pone frente a frente a lo que Unamuno llamaba la fe del carbonero y la auténtica fe: la de la hermanita que ponía su esfuerzo en los hábitos, lo más visible de su devoción, y la que se entregaba con alma a los necesitados—, interrumpió Faustina.

—Esto se pone muy *interesting*. ¡Cuánto *inferiority complex* despertaba la religión en aquellos tiempos!

—¡Qué simpática y rechula se me hace sor María Marcela!—, intervino Sonia.

—La verdad, Renata, es que desde que comenzaste a darla a conocer entre nosotras, ha ido creciendo como un personaje de ficción.

—Vos, Faustina, siempre tan unamuniana. Sí, ya sé que la sor María Marcela que estamos recreando en estas reuniones nuestras, comienza a cobrar carne de ficción porque nos trae en suspenso desde que comenzamos a conocer su historia. Sin embargo, no olvidar que aquí el proceso es al revés del que proclama Unamuno: leemos sucesos reales que por extraordinarios y bien expresados, se nos vuelven ficción.

—Si la mentada sor María Marcela hubiese vivido en estos tiempos, ¡qué novelaza habría escrito con su propia vida!—, exclamó Sonia con entusiasmo. —Sobre todo en este país donde las confesiones, algunas para vomitar de asco, están de moda y todo quisque las publica, colgando las garritas sucias de los demás a la vista de medio mundo. Hasta mi fantasía se relame de gusto imaginando lo que una Isabel Allende habría elaborado con el manuscrito que nos lees.

—No se trata de eso, Sonia, no perdás de vista lo que pretendo al desenterrar la "Vida" (como entonces se llamaban las autobiografías) de sor María Marcela. Voy a explicarme: así como Unamuno afirmaba que los personajes ficticios tenían más carne de realidad que los autores que los habían concebido, al presentar a sor María Marcela como personaje, yo pretendo insuflarle existencia de autora, la que le han negado al mantener sus papeles amontonados, envejecidos y comidos de polilla, en la Biblioteca Nacional de México, entre los textos raros. En suma, pretendo salvar de la nada su historia, ya que a ella no la puedo sacar de donde está.

—Mira que también eres unamuniana como yo y te burlas de mis ideas—, protestó Faustina en broma. —Pero sigue, mujer, sigue a ver si de veras esa autobiografía tiene dimensiones novelescas.

Renata continuó:

"Fue el caso que tenía mi padre en casa un preso que lo tenía enojadísimo porque habiéndolo criado su merced y siendo un deudo, andaba haciendo mil desatinos: teniéndolo en la cárcel fingió estar tullido con que la justicia se lo entregó para que lo mandara curar, encerrándolo en una pieza y yo empecé a solicitar tener la llave; mi padre lo rehusaba, pero por último, por darme gusto, me la entregó haciéndome mil cargos. Yo lo primero que hice fue sacar mi tullido al sol y él lo primero que ejecutó fue saltar las tapias y irse, con lo que tuve una pesadumbre con mi padre cual nunca la había tenido. Se violentó tanto cuando lo supo que andaba por la casa como un loco, arremetiendo con los criados, no teniendo ellos la culpa. Yo de que vi esto me armé de fortaleza y con ser que le tenía tanto respeto, le dije con gran seriedad: "Señor, el preso es ya ido, Vd. se sosiegue que los balcones de la calle están abiertos y los que pasan, si oyen a Vd. pensarán que mi hermana o yo hemos hecho alguna locura pues Vd. está así". No hice más que decirle esto, aunque con gran respeto, que luego se sosegó".

—Mira por donde sale la preocupación por el qué dirán, tan nuestra y motivo de que los demás se crean que nada pasa detrás de las paredes de nuestras casas, cuando todo se ha dejado en sordina o soterrado en el alma—, observó Faustina. —Lo que me sorprende es lo humanitario del sistema. ¿Dónde se ha visto que un preso enfermo sea mandado a que se le cure en casa del amo, en el sistema judicial de nuestro tiempo? Dan ganas de investigar más entre los papeles personales de entonces para ver qué verdades nos descubre la intrahistoria.

—Bueno, dejemos a un lado a Unamuno que lo llevás metido hasta los tuétanos. ¡Ni que fueras la extensión de su pensamiento en este mundo, eso sí, por supuesto, unamunita con faldas y lampiña! Sigo resumiendo para no alargar la cosa: sor María Marcela reconoce, además, algo bueno que era no permitir a nadie "hablar cosa mala ni palabras livianas" delante de ella, con lo que se daba a respetar mucho. Desde esa temprana edad ya era tan santurrona que nunca llevó trajes escotados ni provocativos y cuando los veía en otras, se sonrojaba y afligía.

—¡Yo también harto detesto andar enseñando las pechugas como hacen muchas, pero nadie me lo toma en cuenta entre mis pocas bondades!—, interrumpió Sonia con donaire y gracia que le prestaba su cálido acento de mexicana.

—Cuenta nuestra monjita que eso era lo único bueno suyo y que quiere volver a insistir en lo malo.

—Ni darle vuelta, eran todas unas masoquistas, pues se vivían buscándose maldades hasta donde no las tenían, sobre todo esas beatas con ansias de cielo—, intervino de nuevo Sonia.

—¡Y yo, que con poquísimo esfuerzo me creo ya digna de la santidad!—, bromeó Faustina. —Bueno, ¿y qué es eso otro "malo" de nuestra autora-protagonista?

—Que su madre quería meterla de religiosa en el Convento de Jesús María de México donde ella, la madre huérfana, se había criado aunque su padre no lo permitía. Todas las alabanzas que le hacían del convento le entraban a la muchacha por un oído y le salían por otro, ocupada como estaba en sus devaneos y en leer comedias, a las que estaba aficionada.

—¡Virgencita de Guadalupe!, si eso es malo, ya me doy por achicharrada en las calderas de Pedro Botero.

—Sigo con el relato: esa afición la llevó a un lugar distante a ver una comedia con tres amigas, pero por poco mueren en un accidente porque los cocheros, ebrios, pusieron al carruaje mulas cerreras, o sea, salvajes, las cuales, de camino a la fiesta comenzaron a dar vueltas y a "encuartarse".

—He aquí un mexicanismo equivalente a "ir a la deriva". Interesante cómo se van definiendo las marcas lingüísticas y retóricas de las diversas regiones según avanzan los siglos y se deja atrás la conquista. Pero sigue, Renata, sigue con la historia.

—Y por supuesto, como en todas estas autobiografías, si se salvaron, fue por obra y gracia del Espíritu Santo. Pese al incidente, la tal sor María Marcelita no se perdió su comedia. Cuenta que a los diecisiete años Dios empezaba a darle "aldabadas" en el corazón, estorbándole los paseos con disgustos y contratiempos como el anterior:

... pero yo no desistía ni atendía a las voces con que me llamaba e inspiraba: dejar las vanidades; me era imposible carecer de mis amigas; no podía dejar las correspondencias lícitas, me parecía artificio; los pretensores a manojos, no para cosas ilícitas, sino para tomar estado que como había su poco de patrimonio, no había quién no se mostrara;

—¡Los muy recondenados! Si hubiera sido harto pobre, ni por ahí te pudras, le habrían dicho ...

"yo a ninguno despreciaba porque conocía era harta gracia apetecerme y así a todos respondía con mucha cortesía que lo que mis padres determinaran eso sería. Pero a la verdad, yo sólo a uno quería mucho y era en quien tenía la mira porque desde muy chiquita le conocí inclinación y yo también se la tuve. Pero dejémoslo aquí que después veremos lo que Nuestro Señor hizo con él sólo porque yo lo quería, y vamos a ver lo que su majestad empezó hacer conmigo".

—"¡Lo que Nuestro Señor hizo con él! ¡Dale con los suspensos novelescos mientras yo me muero por saber de ese amor, ese irremediable primer amor que nos deja amoladas para siempre. Apuesto a que o el desengaño o el dolor de su muerte la llevaron a meterse a monja.

—Cállate de una vez por todas, Sonia, que esto se nos pone bueno. Es una confesión en carne viva la que estamos oyendo y no una ficción adobada en literatura, como las que escribe Renata—, puso orden Faustina, quien se moría por saber más de sor María Marcela.

—Ahora se meten conmigo. Si lo mío no les interesa, ¿a qué tanto pedirme que les lea pasajes de mis novelas? En revancha, no voy a continuar con sor María Marcela y me las pinto a la U., a dar clase, que se me hace tarde. ¡Hasta la próxima, muchachas! ¡Chaucito!

Cuando Renata se hubo marchado, Faustina comentó:

—Para mí que Renata nos mete gato por liebre, haciéndonos creer que todo eso que nos lee es de veras una autobiografía del siglo XVIII, cuando ella, con su incansable imaginación, la ha ido inventando. Lo que quiere es ver el efecto que hace su relato en nosotras.

—Cutusas, digo, Conejillos de Indias de la literatura, eso querés decir que somos, ¿verdad? Pues estoy divirtiéndome una barbaridad y me da lo mismo que lo invente o que sea histórico, o mejor, "intrahistórico", como dice Faustina Unamuno. *Terrific*! Muero por saber lo que pasó con el *boyfriend* y todo lo demás—, intervino Sara.

—A todo esto y volviendo al tema de la lengua, ¿se han fijado cómo se proyecta en ella la discriminación contra la mujer, al menos en el español?

—¿Qué querés decir, Sonia? ¿Te referís a lo de que los determinantes como adjetivos, artículos, etc., y algunos sustantivos como "padres", »tíos", *and so on*, que abarcan individuos masculinos y femeninos y las mujeres quedan reducidos a la suma total del masculino?

—Eso y mucho más. Tal vez donde mejor se ve la actitud

machista es entre nosotros, los mexicanos. Observa que cuando algo es excelente, decimos "¡qué padre!", "fue un espectáculo padre". En cambio "madre" lo evitamos por su sentido peyorativo de mujer violada; y menos lo decimos con el posesivo, "tu madre". Y como si eso fuera poco, ¿han advertido ustedes cómo los hombres se refieren a nosotras, las mujeres, jóvenes, de mediana edad o ancianas?

—No, *How*?, digo, ¿cómo?

—¡Pues ni modo!, nos llaman siempre "viejas". Viejas para acá, viejas para allá y viejas para acullá, sin miramientos a edad, belleza, ni nada: "vamos al club a ver viejas, cuate"; "esa vieja está rebuena, compadre"; "¡ay, qué viejas para joder!", etc.

—Pues hijas—, intervino Faustina, —siendo así las cosas, nos igualaremos y declaramos aquí mismo que los hombres son de ahora en adelante viejos: viejos para arriba, viejos para abajo y además, pelados y hasta chingados, como dicen ustedes para denigrar a alguien en un máximo grado.

—¡Y que vivan los viejos chingados!—, soltó Sonia en una larga carcajada, con su alegría de siempre.

*   *   *

Renata salió con la idea fija de escribirle a Gregorio tan pronto como terminara sus clases. Le preocupaban las nuevas que llegaban de Buenos Aires, nada halagadoras, con el sesenta por ciento de alza en el costo de la vida. Y como si eso fuera poco, las noticias por satélite no mostraban una situación muy halagadora. Gregorio había puesto muchas esperanzas en el Nadal de España, pero ni eso se le dio a pesar de que su novela era excelente:

"Te imaginarás lo que siento al no ver concretada esa esperanza, ya que acá todo sigue barranca abajo: inflación, saqueos a los supermercados, problemas a cada rato que sólo te permiten sobrevivir. Eso, sobrevivimos y por puro milagro. Mi sueldo reducido al mínimo y los precios trepan en promedios alarmantes. ¡Para qué seguir contándote, Renata, si la situación se ha hecho insostenible! Ya no me quedan ni esperanzas. Trato de trabajar en lo mío, pero es muy difícil hallar la concentración necesaria; los proyectos se evaporan vertiginosamente; ni siquiera tendremos el consuelo de la temporada del Colón que se ha cerrado. Ni el lenitivo de la música nos dejan ya a los pobres bonaerenses ... "

En el mismo correo, le llegó otra carta desde Nueva York, de una amiga argentina, Beatriz, también escritora. Quizá por eso Renata, muy atribulada, no tenía ni deseos de dar clases ese día.

¿Cómo darlas si todo en el mundo andaba patas para arriba, todo manga por hombro: de nuevo la visión quevedesca del mundo al revés; y la esperanza, lo único que nos sostiene a flote, desalojada por doquier. La carta de Beatriz decía:

"Estoy en Manhattan desde hace una semana. Me vine triste por la situación argentina. Aquí, en USA, descanso moralmente. Allá, en mi pobre país lacerado, la gente está muy pobre, especialmente los profesores y escritores, porque el austral vale 220 por un dólar, mientras el año pasado, por estos tiempos, estaba a 12 australes por dólar. Imagínate cómo están los ánimos de mi gente ... "

El día anterior, 10 de junio de 1989, Rosaura, la brasileña, le había notificado que había sido invitada a dar unas conferencias en el Cono Sur:

"En Chile, la situación política es muy peligrosa. Todos los días tenemos noticias de prisiones arbitrarias, torturas y violaciones de los derechos humanos. Sin embargo no quiero renunciar a la invitación que me hacen desde la Universidad de Valparaíso para dar un par de conferencias allí. Si me llegara a pasar algo, quisiera contar contigo para que tomes cartas en el asunto, como buena amiga que eres, Renata. ¡Está el panorama chileno tan oscuro!"

Sofía, amiga de los tiempos de Salamanca, cuando iban a la Universidad, le escribe desde Chile contándole sus muchos problemas personales, que si a sus años tiene que cuidarse sola de su Juan minusválido a consecuencia de una caída; que tiene que lavar la ropa a mano porque una sirvienta que le trabajó por unos días le fundió la lavadora y le robó cuanto podía llevarse; que no pueden vivir en una casa de dos pisos porque Juan, incapacitado para subir a la recámara, está reducido a un estrecho cuartito donde sólo hay espacio para el catre y la veladora. Le cuenta también que está aplastada bajo el peso inaguantable de un nuevo ataque depresivo de Juan, quien a consecuencia de él lleva cerca de un año sin pronunciar palabra, sin mirarla, sin dar señales de que reconoce siquiera su presencia. Sólo responde a los extraños con dispersos monosílabos. Muy expresivo nunca lo ha sido, ya Renata lo sabe por las cartas, porque no lo ha llegado a conocer todavía: cuando no se ha hundido en los abismos de la depresión, a veces en un día le dirige sólo un par de palabras, una corta frase por aquí, un murmullo asertivo por allá, eso es todo. Desde la última crisis, Sofía le cuenta a Renata que está condenada a deambular por la casa como" "... una sombra de ultratumba sumida en tan sepulcral silencio, que sólo ansío el momento de salir a la compra diaria. Cada mañana, Renata, la calle se abre para mí como un camino de liberación. Repito la ruta de la compra día tras dí a. Sin embargo, siempre se me hace original con sus olores empraneros, el bullicio y tumulto de las muchedumbres, y las voces ... en el mercado, las benditas voces de los vendedores, el carnicero, el abacero, la panadera, con sólo dirigirse a mí, producen la magia de sacarme del *anhilamiento* (permíteme usar un neologismo de mi cosecha, el cual expresa mejor mi calidad de ser-en-la-nada), ese infernal estado al que Juan me ha reducido. Son voces dadivosas que por un par de horas insuflan realidad a la absurda irrealidad en la que me tiene sumida el silencio rotundo de palabras, gestos, miradas, en lo que antes fue mi hogar y hoy es mi sepulcro. Y a propósito del mercado, ¿qué te parece el problema de la uva chilena? A lo mejor ni sabes lo que ha pasado. Aquí ha tenido un revuelo inmenso, tanto que hubo manifestaciones a base de la uva. Hasta yo recibí un enorme racimo de uva blanca de exportación, que una caravana de camiones anduvo repartiendo gratis por las calles. En fin, después de tanta bulla, todo se arregló".

Renata le contesta en la suya:

"*El revuelo que levantaron dos uvas inyectadas con cianuro*, debería titularse ese infame capítulo de las uvas chilenas, pues sólo dos uvas envenenadas fueron la causa de que limpiaran de uvas todos los supermercados de los Estados Unidos. Y debajo del titular, debería leerse: *Gran boicot a la uva chilena, otra bofetada más del imperialismo dominante a un país latinoamericano*".

Nada andaba bien por esos días, pensaba Renata. Antes de escribirle a Sofía, Renata le había comentado a Alberto Casares, con sentido dolor, lo de la reciente masacre en la Plaza Tiananmen, —ahora que la China pudo haber dejado escrita en la historia del mundo una página muy blanca, porque con el comportamiento de los estudiantes y de los militares, parecía que todo iba a resolverse en paz, con diálogo y acuerdos mutuos.

—A mí me emocionó ver cómo los soldados permanecían imperturbables en la pantalla del televisor y cómo hasta intercambiaban palabras con los estudiantes en huelga de hambre, porque decían que ellos eran el ejército del pueblo y por lo mismo lucharían contra una invasión extranjera, pero jamás contra su propia gente. ¡Retórica, linda retórica comunista que llevó a los estudiantes a caer en la ratonera! ¡Imperdonable!

—Además, uno de los magnates declaró en rueda de prensa que para el gobierno los estudiantes son el futuro de la China.

—Así pues, ¡asesinaron el futuro de la China en Beijing!

—¡Cuánta sangre derramada en vano! ¡Si de todos modos el gobierno actual está en un tris de caer y más ahora que ha echado mano de la violencia! Los mismos obreros están apoyando a los estudiantes.

—¡Pensar que la revolución comunista se ha hecho para el proletariado y que en estos días son los obreros quienes quieren un cambio democrático! No cabe ninguna duda de que ha llegado a su fin el sistema que resultó de tan igualitaria revolución. Fracaso evidente ... Entretanto, lo único bueno es que hoy se celebra con grandes festejos y hasta con fuegos artificiales, *June Teen.*

A la pregunta de Renata, quien no sabía qué era eso, Alberto le explicó que un 19 de junio los negros de Texas supieron que eran libres porque Lincoln había acabado con el yugo de la esclavitud. Lo supieron en realidad dos meses después de haberse firmado el decreto.

—Desde entonces *June Teen* es celebrado por los negros en estas tierras con gran jolgorio, sólo que no es un festejo oficial, sino de pequeños grupos aislados. Ni los periódicos lo mencionan a veces. Ah, eso sí, hacen mucho ruido el 4 y el 14 de julio. ¡Pensar que estamos en un país que exalta la libertad y la igualdad! Otra vez la retórica desde el otro lado de la lente ... Todo se vuelve retórica.

—Hablando de retóricas, ¿te acordás que hace algún tiempo te hablé de la audaz, atrevida y necesaria carta que Rosamargot, mi amiga mexicana, publicó en un periódico de su ciudad? Aquí la traigo en el bolso y te la voy a leer. Verás que todavía hay conciencias claras que saben gritar la verdad. Dice así:

"Estimado Lic. Carlos Salinas de Gortari: A escribir esta carta me mueve exclusivamente mi amor por mi país y por los míos, que son todos los mexicanos, porque usted va a tomar las riendas de una nación hecha trizas por causas que ningún mexicano ignora. Por supuesto que han influido los problemas externos, y como dicen los tecnócratas, los "imponderables", pero esencialmente, se debe a errores y mala administración de dos sexenios (época a la que el pueblo ha bautizado, certeramente, como "la docena trágica»). Tal vez usted no haya tenido oportunidad, por su tiempo tan ocupado, rodeado siempre de sus consejeros y demás acompañantes, de observar la desesperación y el hambre de la mayoría del pueblo y en especial de los campesinos, para los que el problema es aún más grave (debido a mitos que no se han querido, no diga usted destruir, ni siquiera tocar) y al caciquismo, a la desnutrición y a la insalubridad que ofrecen un panorama apocalíptico".

—Mitos y panorama apocalíptico que desgraciadamente pertenecen a todos los pueblos latinoamericanos, —interrumpió la lectura Alberto, con dejo de desaliento que acompañó de un desolado suspiro—. ¡Quién pudiera desarraigar los mitos que plantó en nuestro suelo la conquista con todos sus errores! Nadie previó que los conquistadores, henchidos de ambiciones, e interesados sólo en hacer su agosto, evolucionarían hasta metamorfosearse en esos caprichosos carniceros-gobernantes, quienes abundan en las páginas de nuestra historia y siguen sustentando para su propio bienestar los errores del pasado, mientras sobre los mismos, acumulan otros peores.

—Larga es la lista hoy—, agregó Renata, —de los que desangran el continente por sus venas abiertas, para parafrasear a Galeano, quien mejor que nadie ha captado la realidad de nuestro ser de latinoamericanos.

—Y el que mejor ha puntualizado las causas de toda nuestro trágico existir; de cómo los que Darío llamó "cachorros del león español", no sólo tienen que defenderse de los superpoderes reinantes, sino también, de los sistemas corruptos diseminados en su propio suelo por su propia gente. Seguí leyendo, Renata, que esto se pone bueno.

Renata continuó la lectura de la carta:

"Yo intuyo (y las mujeres tenemos un sentido especial para hacerlo acertadamente) que usted quiere hacer mucho por este país herido casi de muerte, al que nunca le podrán convenir (por numerosas razones obvias para usted) extremos, como forma de gobierno. Cómo me gustaría que un día usted solo, vestido de proletario y confundido con la gente, sin ningún escenario prefabricado, se mezclara con el verdadero pueblo en el Metro, en los mercados, en los barrios populares; entre los damnificados … "

—Supongo que se refiere a los del terremoto de 1985—, explicó Renata.

"Entre los damnificados que aún no consiguen se cumplan las promesas que se les hicieron hace ya tres años, para que por un momento viviera en carne propia algunos de los problemas de esos infelices a quienes la justicia social sólo les ha llegado por medio de los discursos demagógicos del PRI. ¿No cree usted que un acercamiento sin ningún protocolo, sin cerebritos junto, sin "ayudantes" acomedidos, sería muy provechoso? Usted es todavía una esperanza para los mexicanos. Su imagen aún no está contaminada por promesas incumplidas ni por errores cometidos como el responsable de los destinos del país, que pronto llegará a ser. Es por eso que para mí fue terriblemente decepcionante el enterarme de que fue usted visitado por dos ex-mandatarios de tristísima memoria, cuya actuación, el pueblo (a diferencia de algunos políticos) no podrá olvidar (y mucho menos perdonar) ¡JAMAS! Creo que si realmente se quiere modernizar al gobierno, lo primero que debe hacerse es ignorar y alejar lo más posible a todo personaje corrupto. De no hacerse así, el pueblo siempre asociará al gobierno con la corrupción, el compadrazgo, el nepotismo, la rapiña, etc., etc., (pero efectivamente, no sólo en los discursos) y entonces sí se podría (con apoyo de ese pueblo) lograr un México fuerte, sano, diferente, y el nombre de usted quedaría grabado, no sólo en la historia, sino en el corazón de todos los mexicanos".

—¡Así hablan las mujeres de hoy! Apostaría cualquier cosa a que esta carta será como predicar en el desierto—, expresó Alberto medio desalentado—. ¡Pero bravo por Rosamargot, quien antes de comenzar el juego de la presidencia, puso al licenciado Salinas de Gortari en jaquemate!

—Ignoro cómo es el gobierno del licenciado Salinas de Gortari, pero que la carta debe haberle hecho mella, no cabe duda, a menos que sea otro bellaco como tantos que manejan los destinos de nuestros países y de los que hoy nos hemos ocupado extensamente. Por las noticias que se oyen por ahí, parece que sus intervenciones en relación con los Estados Unidos son bien intencionadas a favor de su pueblo y de su gente, sobre todo de los obreros de la frontera, quienes han sufrido explotación y abusos. Si es verdad o no, no lo sé. Ya era hora de que el gobierno de México se ocupara de los que aquí, en este país, rechaza la sociedad.

—Sin embargo, Renata, toma en cuenta que las noticias de estos días comentan el descontento del pueblo mexicano bajo el poder de Salinas de Gortari porque parece que sigue, como todos, manipulado por los ricos potentados.

Renata disfrutaba mucho en compañía de Alberto y de sus conversaciones que diferían mucho de las confidencias con Faustina o la cháchara medio alocada con las otras. Por lo mismo, cuando despidieron a Alberto y no volvió a saber más de él, experimentó la sensación de que espiritualmente la habían mutilado, pues había un pedazo suyo, tan suyo como su propia infancia, que se dolía de continuo por esa Latinoamérica en cuesta abajo hacia el desastre.

* * *

—Sonia, habías quedado en contarme lo que pasó con Alberto. ¿Te acordás? Faustina nos interrumpió, como de costumbre y me quedé en ascuas con tu relato.

—Renata, no quieres prestarnos atención, pero todas hemos notado que Faustina se ha enamorado de ti y un día de estos, verás, verás cómo se te declara. El vacío que le dejó la muerte de Carla, dicen que ya hizo intentos por llenarlo con el amor de la esposa de un prominente petrolero de Houston. ¿Sabes lo que hizo cuando la otra, horrorizada, se negó? Con un cuchillo de cocina, apuntando a su propio vientre, Faustina la amenazó con suicidarse si no accedía a satisfacer sus demandas. ¿Te imaginas el trauma de la mujer cuando pudo salir de casa de Faustina? Te lo cuento para que no te vaya a suceder a ti.

—La quiero tanto, que sería para mí como si Faustina intentara tener conmigo una relación incestuosa. Sí, Sonia, ella es la encarnación de la madre que tanto he deseado en mi vida.

—Tú debes prepararte, porque ya verás, ya verás ... Bueno, pero querías saber de Alberto y te dije que paró en Santa Bárbara de California, nada menos que en un restaurante, de camarero ...

—Me guardará rencor, porque ha de estar creyendo que fui yo, la entonces directora del Departamento de Español, quien lo dejó sin el puesto. El no sabe que por eso mismo renuncié como directora ya que la administración decidió su despido sin mi consentimiento.

—No te preocupes, Alberto sabe de sobra que tú no tuviste ni arte ni parte en el asunto. No lo creerás, pero el padre Donaldson le comentó a Alberto (fíjate bien, ¡nada menos que un sacerdote que todos los días consagra la santa hostia!) que muchos profesores habían protestado porque se sentían incómodos en las reuniones y fiestas académicas ante un ser tan contrecho como Laura ...

—Con lo bella y única que era como persona, que en paz descanse, ¿cómo podían repudiarla por eso?

—Alberto cuenta que a partir de entonces Laura, quien amaba la vida, perdió el deseo de seguir viviendo. Así, languideció lenta y dolorosamente. Por su parte, él no le encuentra sentido a la vida, ningún sentido, y como no es creyente, temo que acabe suicidándose.

—No me extrañaría. Era un adicto al nihilismo nitzscheano y se vivía repitiendo que cuando ya no hubiera solución, la solución era el suicidio ... Sin embargo, una vez, no recuerdo cuándo, me explicó un extraño encuentro con una congregación de trapistas que lo impresionó enormemente. Era la primera vez que me expresaba inquietudes metafísicas, teológicas y religiosas. Si se metiera a trapista ...

—Dios lo quiera. ¡Amén! Pero después de lo que le hizo el padre Donaldson, dudo que quiera algo con la Iglesia.

—Lo imperdonable es la canallada de Milagros, sólo por satisfacer su apetito voraz de poseerlo, porque lo suyo no es amor, sino una enfermiza necesidad donjuanesca de poseer a los hombres, hacerlos suyos, destrozarlos y dejarlos tan pronto como le atraiga otro que prometa una nueva aventura. No obstante, sin haber poseído a Alberto, le destrozó la vida, la íntima y la profesional. Ni una prostituta haría eso ... Ya viste cómo se metió con Antonio y fue así como descalabró nuestro matrimonio, lo cual venía buscando desde hacía mucho.

Renata se quedó rememorando con Sonia la conversación con Alberto, cuando entre las bromas y frivolidad de una fiesta, y como si dijese que el vino era excelente, comentó que hay muchas maneras de suicidarse. A Renata se le quedó muy grabado lo que dijo, porque ella lo había estado pensando días atrás. En aquellos momentos Alberto había hablado por ella. Lo que dijo era para Renata como esas verdades que se leen en un gran poema y aunque se hayan pensado, se manifiestan como una revelación. Así hablaba siempre Alberto; Laura también, y por lo mismo ellos habían llenado en parte el espacio que le dejó la muerte de Santi. "Con sólo desearlo se comete suicidio", dijo Alberto en esa ocasión. "Las células del cuerpo, y las del alma también, quedan programadas para la muerte. Es un hecho comprobado, se pierde la voluntad de vivir y ¡zas, sanseacabó! Más rápido y eficaz si te lanzas a todo dar en la autopista y diriges el auto contra un poste o alguna barrera. ¿No han pensado ustedes que entre los muchos accidentes de carretera pueda haber muertes intencionadas? Yo sí, ¡y cuántas veces! Otro método solapado de suicidio: meterse a un monasterio de trapistas donde el silencio, la soledad y el aislamiento, son una manera de autosepultarse ... Esta es la más sana solución al enredijo que llaman vida. Ahí me verán ustedes cuando todo pierda interés para mí ... Bueno, la cárcel, ¿por qué no? Que los demás decidan todo por uno es una salida eficaz y aceptable".

—Y a la cárcel fue a parar Alberto; nuestro querido Alberto, el intelectual poeta, el claro, franco y despojado de convencionalismos inútiles. Tengo aquí su última carta. Escuchá, Sonia:

"Rechula, antes de leer esta carta, te aconsejo que te sientes. Desde que perdí a Laura sólo hago locuras y la infracción de esta vez es gorda: hace ya casi un mes me di una curda de padre y señor mío y ya sabes que cuando estoy bajo los efectos del alcohol no soy dueño de mí mismo. Agrégale a esto unas chupaditas de mariguana en compañía de Milagros y ahí me tienes robándole joyas, dinero y el auto a Jerry, quien como en otras ocasiones, cuando salía de viaje, me dejaba al cuidado de su mansión para tener una chambita. Sin rumbo cierto salí disparado de Houston y tuve la suerte de llegar a las inigualables costas de California donde pasé unos hermosísimos días junto al mar. Pensaba volver a Houston, pero una noche la policía me pilló dormido en el auto y aquí me tienes en Harris County Detention Center; fíjate en la forma irónica de llamar a la chirona "centro de detención" ... ¡Estos gringos y los disfraces que ponen a la lengua! Me detuvieron hace una semana y todavía no he comparecido ante el tribunal de justicia. Estoy muy confundido, muy solo y triste. Sin embargo, tengo esperanzas. ¿Te imaginas que todavía tengo esperanzas en una vida mejor? ¿Cuál? ¿Cuándo? Paciencia, piojo, que la noche es larga ... Tú me lo repetías y heme aquí diciéndomelo para traer a la sordidez de mi vida la luz de aquellos tiempos de amistad, cuando el amor de Laura me sostenía y hasta el amanecer charlábamos, bebe que beberás, de aquel tinto, elixir de la Rioja. ¡Dichosos tiempos aquéllos que no volverán! Me imponen una fianza de $2500.00, de modo que puedo salir con $250.00. Yo no sé un comino de estos trámites, pero te agradecería cualquier ayuda tuya. Cuando pueda hablar con mi abogado defensor sabré cuál es mi situación. Los otros presos me dicen que seguramente el juez me pondrá libre y *on probation*. Ruego a Dios que así sea ... Sí, Renata, aunque te parezca que bromeo, creo en Dios y en estos momentos El es mi única esperanza. El día que llegué a la comisaría me dejaron hablar con un tipo que hace de visitador social en las cárceles del distrito y resultó ser un ex-alumno tuyo. Le pedí que te explicara en detalle lo que no puedo poner aquí. Escribí a Jerry pidiéndole que me perdonara. Ignoro si levantará los cargos, pero si lo hace, todo se arreglaría sin muchos dolores de cabeza. Es muy caprichoso y egoísta y por lo mismo bien puede salirse con una de las suyas. Para que tengas una idea, te cuento que los últimos días que pasé haciéndole de mayordomo en "la mansión de River Oaks", como la llamábamos, ¿recuerdas?, fueron un infierno; con decirte que Jerry me obligaba a salir a levantar tipos en la calle y llevárselos para su placer. ¡Una pesadilla! Te imaginas, rechula, lo humillado que me sentí: si quería comer y sobrevivir, no me quedaba otra que meterme al proxenetismo. Cumplía mi celestinesco papel llorando y pensando en mi Laura, quien si resucitara en aquellos momentos, habría caído muerta de nuevo del disgusto. ¡*Porca miseria*! A veces pienso, Renata, que he llegado al final de la cuerda, pero al mismo tiempo, y por experiencias pasadas, sé que me levantaré. Si alguien me hubiese dicho hace un tiempo que pasaría por lo que pasé y llegaría adonde estoy, no lo habría creído. Mi trayectoria de estos últimos años tiene grandes altibajos. ¿Cómo es que sigo vivo? Tengo que creer que hay una fuerza super ior que me sostiene. ¿Pero por qué entonces caigo? Todo es muy confuso,

mucho, y por lo mismo en estos momentos sólo puedo aferrarme a Dios ... Esta cárcel se encuentra a media hora de Houston y si puedes, ven a verme. Las visitas son de 8:30 a 11:30 y de 1:30 a 4:30 de la tarde, los domingos. Hasta pronto. Un abrazo,
Alberto
Reo # 157058
P.S. Te agradecería si me mandaras algunos dólares para gastos menores. Gracias de antemano.

* * *

Me puse a asar tres conejos enteros a la parrilla. Tan pronto como estaban dorados y apetitosos (daba gusto verles los músculos y el lomo color de oro viejo), para sorpresa mía, los conejos comenzaron a moverse y de pronto les dio por arrojarse de la parrilla. Ya no eran tres, sino cientos de conejos que saltaban para acabar diluyéndose en la línea del horizonte. Lo que me inquietaba en el sueño no era la abundancia de conejos, sino el que estuvieran asados y siguieran moviéndose y saltando hacia la vida; todos con las cuencas vacías, pero dirigidas hacia mí, como si la muerte, multiplicada, me estuviera mirando con fijeza por la oquedad de sus órbitas ... Me estremecí de horror y comprendí que detrás de todo eso estaban las maniobras de Milagros, Milagros-perversa-cruel-lujuriosa-desalmada, Milagros-bruja, Milagros-demonio.

* * *

La mayor alevosía de Milagros fue cuando se sometió al Comité de Rangos y Promociones la permanencia de Sonia. Todos auguraban el éxito por su impecable expediente. Sin embargo, se rumoreaba en los pasillos que alguien haría declaraciones en contra de su *tenure*. Al concluir el día señalado, todos fueron a River Café a celebrar su triunfo. Renata se excusó, explicando que tenía una cita ineludible con el médico. Sola ante su escritorio, lloró con desesperación las muchas traiciones de Milagros y cuando agotó todo el caudal de lágrimas, le escribió:
"Milagros:
Fue muy doloroso para mí enterarme que te apersonaste hoy ante el Comité de Rangos y Promociones a declarar contra mi ascenso a catedrática. Es obvio que no te enteraste a tiempo que mi caso lo aprobó el Comité en la primera de sus sesiones. Lo siento por vos porque quedaste de mezquina ante los colegas y ante mí, en total, para nada. Que soy una sicópata, inepta y que por lo mismo no merezco ascenso alguno, fueron tus declaraciones.

Se te olvidó que llevo más de veinte años en este plantel y vos sólo
diez y que yo misma contraté tus servicios; también olvidaste que
cuando ocupaba el puesto de directora defendí tu reputación ante
las autoridades académicas que desaprobaban tu segundo divorcio
y tu *modus vivendi* un poco suelto para una institución religiosa y
en cambio, en estos veinte años de servicio, mi expediente ha sido
siempre modelo. ¿Por qué seguís ensañándote contra mí? ¿Creíste
que no me iba a enterar de tus tejemanejes?

Con hondo dolor me pregunto a quién amás de veras. Yo
fui como una hermana mayor para vos (así solías repetirlo). Te
colmé de cuidados y afecto para recibir una y otra vez sólo golpes
y traición. Traicionaste a Sara; traicionaste a Sonia; traicionaste
a Alberto y a Laura; sos Judas y Yago fusionados en uno. ¿Y qué
ganás con tanta maldad? ¿Llegarás así más pronto a la cúspide de
tus ambiciones? ¿No te has preguntado si de esa manera vale la
pena llegar a la cumbre? ¿No te pesa la conciencia?"

Renata releyó la carta y se preguntó si valía la pena entregársela
a Milagros.

*   *   *

Un cielo violetaoscuro, apocalíptico, y una extensión poblada
de cadáveres destrozados. Cadáveres y más cadáveres, carcomidos
hasta los huesos; sólo les quedaba intacta la cabeza, pero seguían
moviéndose angustiosamente. Con horror, Renata recorría la extensión de su pesadilla sin comprender lo que había ocurrido ahí.
Uno de ellos, quien como casi todos, era sólo cabeza y jirones
de carne sangrante por donde asomaba el esqueleto desnudo de
músculos, se lo explicó:

—Nos devoramos los unos a los otros en una carnicería que
terminó cuando no hubo quedado uno solo entero. Entonces ce-
samos de devorarnos. Nuestra condena es yacer aquí, atravesados
por el dolor, una eternidad.

—¿Acaso es éste el infierno?

—¿Acaso los hombres necesitan del infierno? ¿No ves que ellos
lo llevan consigo desde que nacen?

XVI
LA HORA DE LAS QUIMERAS

El hombre y la mujer
llenarán la ciudad con un ruido de amor.
Los edificios despojarán el aire de su espacio,
y darán su fruto en aposento.
La catedral retoñará de oriente a poniente,
de cada torre brotará una espiga,
de cada espiga el tiempo de El Guardián
en soplo de abundancia.

Eunice Odio

Es digno de destacar que durante este último cuarto de siglo el nú mero de empleadas en trabajos con sueldo se ha duplicado, de modo que en 1976 llegó a unos treinta y nueve millones. Además, se estima que hacia 1990 se agregarán a la fuerza laboral unos doce millones más de mujeres, mientras que los hombres sumarán sólo diez millones. En la actualidad más de la mitad de las mujeres entre los veinte y los sesenta y cuatro años de edad están empleadas o buscan trabajo. Ni dudar que esto agrava el problema del desempleo que confronta la nación.

El Monitor Feminista, noviembre de 1977

"Cuando cada uno de los hijos pruebe sus alas, me veré libre de tanta responsabilidad. De una vez por todas se acabarán los problemas y ¡qué alivio!", había pensado mientras ellos eran niños, y uno se rompía un brazo; el otro llegaba con la nariz sangrando; la pequeña Gaby lloraba porque nadie le hacía caso, pues quería ser el centro de todo; no acababa de consolarla, cuando Amalia, la mayor, le mentía diciéndole a Gaby que era hija adoptiva, pues su verdadera madre la había dejado abandonada junto a la puerta de la casa y la familia no tuvo más remedio que adoptarla para que no anduviera por las calles de pordiosera, mentira que desataba otra interminable tormenta.

Después, las agudas crisis de la adolescencia, cuando todo eran quejas, reproches, lágrimas por no se sabía qué, acusaciones de no me querés porque no me dejás divertirme con las amigas hasta las dos de la mañana. Me regañás mucho. Cuando me vaya, no volveré a poner los pies en esta casa, por nada del mundo ... Porque no me comprás un estereofónico y a todos mis amigos sus papás les han comprado uno ... Porque me da vergënza llegar al colegio en el Toyota de los años de upa, que chirría atrayendo la curiosidad de todos y se queda de plantón en mitad del camino provocando una represa que levanta críticas y choteos de mis compañeros ... Porque como no me querés, es por lo que deseo morirme, para que te remuerda la conciencia y te arrepintás de no haberme comprado el Christian Dior para lucirlo en el baile de fin de curso.

Sin embargo, llegaron a grandes, terminaron sus carreras y he aquí que los afanes, las congojas, continuaban: Gabriela sufría porque Augusto, su novio de un año, se había ido con otra, la que tuvo la osadía de atraparlo en su "pubis angelical", uno de esos manjares de débil macho sibarita.

—No desesperés, Gaby, con el tiempo verás que fue para tu bien. ¿Con quién se fue después de tanta pataleta de que nada debería hacerse a espaldas de Dios y que si la Biblia, y que si el pecado, y qué sé yo cuántas pendejadas? Tanto aspaviento católico con vos, para luego irse con una bataclana que practica el despelote y sepa Judas qué otras indecencias más. Tiene razón Santa Teresa, Dios dibuja trazos rectos en líneas torcidas—. Lo dijo sin sospechar siquiera que pasado el tiempo, después de mucho sufrir la muchacha y temer otro descalabro amoroso, Augusto, desesperado, la llamaría: su mujer, casados sólo unos meses atrás, le ponía cuernos con otro, su vida se iba consumiendo de fiesta en fiesta, entre tragos y mariguana ... Años después, ya de médico y con acceso a las drogas, su propio hermano de él le contó a Gaby que Augusto vivía atrapado en la mortal cocaína como antes lo había sido atrapado en el pubis angelical de "la esposita del despelote", como Renata la llamaba.

Que la mujer le salió rana a Augusto, fue un verdadero consuelo para la chica. Hasta ahí, todo muy bien, pero sucedió lo que Renata temía y es que con esa precisa experiencia Gaby descubrió los poderes mágicos del pubis. A partir de entonces, Renata tuvo que aceptar que el sufrimiento de entonces de su hija había sido un rito de iniciación, su entrada a esta época inaceptable para ella por los rígidos principios que le inculcaron desde la niñez.

Gonzalo, quien acababa de terminar su carrera de informática, estaba en el paro por los reveses de la economía que afectaron tanto a Houston. Enamorizcado, por primera vez expresó deseos de casarse. Chayito, su novia, trataba de convencerlo de que con su sueldo de maestra de primaria podrían sobrevivir, pese a los primeros embates del matrimonio, pero él deseaba seguridad, "por aquello de que los hijos vienen después y no es justo que pasen necesidades. No, evitarlos, jamás; me lo metieron en la sesera los jesuitas, no se te olvide, Chayito. Además no estoy de acuerdo con la idea de que me mantengás aunque sea por un corto período, sería una manera de comenzar mal nuestro matrimonio. Por ahora, solteritos y amancebaditos ... Después, veremos lo que Dios nos depare ... " Renata se vivía haciéndose de cruces ante la descarada conducta de sus retoños a los que había introducido a las más estrictas reglas de conducta, pero en estos tiempos, con todo patas arriba, ¿qué adolescente escucha a sus padres?, se preguntaba ante los comentarios de sus amigas. Y menos con Antonio atareadísimo como se pasaba entre sus vejestorios de arqueólogo, intentando escalar a la cumbre de la fama.

Amalia, dulce y con su belleza boticelliana, desesperaba porque muchos la requerían, pero no llegaba el día en que apareciera el que la llevara al altar; ¡a ella, que sólo soñaba con los hijos que arrullaría en la cuna y el amor sinfín de un marido solícito! Gaby al menos parecía tener resuelto el rompecabezas sentimental con David, pero inquieta y sin poder fincarse en un mismo sitio por mucho tiempo, quería dejar el periódico donde trabajaba, porque ella pensaba haberse superado ya y estar lista para volar por espacios más amplios.

¡Esas locas ambiciones de la juventud loca que no mide las consecuencias de sus actos!, suspiró Renata ensimismada, mientras sorbía distraídamente su bebida. Jóvenes, tenían un largo kilometraje de esperanzas, lo que a ella se le había terminado.

Pensó en la vejez, tan cercana, y entonces, para escapar de los negros pensamientos, cerró los ojos y se dejó llevar, complacida, por los recuerdos de lejanos anocheceres en la habitación de sus pequeños, un día en la cama de cada uno. Momentos imperecederos que sería hermoso repetir —no iguales, se entiende, porque el proceso del eterno retorno rechaza por naturaleza el calco—, con algún nietecito ... Fueron momentos que quedaron atrás, desmenuzados en la bruma del ayer. A menudo los evocaba con Faustina, en las tardes maternales de confidencias y confesiones. Primero rezaban, "mi buen Jesusito, a tus pies postrados, rogamos bendigas el hogar amado. Que en la humilde mesa no falte nunca el pan y en nuestro corazón reine siempre la paz" ... Risas, cuchicheos, jolgorio, palabras deshilvanadas, ponían a palpitar intensamente un corazón niño en la recámara, insuflándole vida.

Cada noche, después de las oraciones, el ritual abarcaba las anécdotas del día y por último, la voz de Renata —una Renata joven que aún llevaba el espíritu poblado de sueños—, invocaba a Caperucita Roja y a veces, a Blancanieves; otras, a la Bella Durmiente del Bosque con su Príncipe Azul; el tunante de Uvieta entraba también al cuarto haciéndoles mil diabluras y triquiñuelas a San Pedro y a la horrenda Muerte; lo seguían Tío Conejo y Tío Coyote con sus trampas y enredos para ganar la partida; Peter Pan y Campanilla alzaban a los pequeños en vilo y los transportaba por mundos insospechados, mientras el Capitán Hook los iba persiguiendo y Charlotte seguía tejiendo su eterna telaraña y repartiendo su sabiduría de muchos siglos; en el rectángulo del cuarto oscuro, Alicia persiguió al conejo apurado y se sentó a una estrafalaria mesa para celebrar los no-cumpleaños; también Winnie the Poo se hinchó de miel y de nuevo los tres chanchitos se las vieron con el lobo feroz. Además, entreverada con las risas, exclamaciones y suspensos de su menudo público, Renata derrochaba noche a noche la riqueza de su imaginación, improvisando cuentos, sacando personajes de su fantasía, creando pruebas difíciles para el héroe con pretensiones de casarse con la hija del rey; buscando crueles castigos para las brujas y darles a los malos su merecido, con lo que aleccionaba a sus hijos contra entuertos.

Una noche cerraron las puertas de la habitación a los personajes venidos del País de las Fantasías, pues estaban en la orden del día asuntos muy serios e importantes; fueron precipitados por Gonzalo cuando declaró, como se afirma que hace frío, que en la escuela David y Gaby se habían besado en la boca.

—¿Qué decís, Gonzalo? No digás eso si no es verdad. Gaby tiene sólo cinco añitos y por lo mismo lo que decís es una estupidez.

—Es la verdad, mamá, yo los vi. Todos hablan de eso. Pero las maestras ni la directora lo saben. Por eso no te han dicho nada—.

Gaby se tapó la cara con la sábana.

> Atención, Renata, que muy pronto comienzan las zozo-
> bras de madre de tres niños,
> a los cinco años pensabas únicamente en jugar, leer
> cuentos y vagar
> por los aledaños del pueblo,
> y a los quince, todavía jugaste a las muñecas,
> ¿cómo tratar con tacto este asunto tan peliagudo sin
> afectar para
> siempre las relaciones de la chiquilla con los hombreci-
> tos?,
> difícil prueba por la que nunca tuvo que pasar mi madre,
> ¿si me hubiese quedado en mi país, estaría yo con-
> frontándome con esta situación?,
> ¿los niños y adolescentes de aquí, son más precoces
> que los de allá, donde los valores hispanos imponen
> someterse a la tradición?,
> ¡Señor, ayudáme a salir airosa de este embrollo!

—Gaby querida, decíme, ¿es cierto que te besó David?—. La niña afirmó sin sacar la cabeza de la sábana donde intentaba esconder su pecadillo. Renata le quitó con suavidad la prenda que la chiquilla apretaba con ambas manos contra la cara. Dominando su angustia y sobre todo el temor de hacerle daño, Renata le acarició los cabellos rubios y la besó en la naricilla respingada. Trató de apaciguar así el miedo que vio en sus ojitos azules orlados de candor; miedo de haber hecho algo malo sin saber qué. —¿Y te gustó ... ? ¿Te gustó que te besara?—Un largo silencio de siglos para la madre, finalmente fue roto por la vocecilla de Gaby, resquebrajada de puro miedo:

—Un ... po-qui-toooo ...

Renata, quien sabía de memoria los mecanismos defensivos de sus hijos, reconoció en la respuesta el que Gaby usaba cuando no quería mentir por temor al castigo: con hábiles subterfugios raros para sus cinco años disminuía la fuerza de la verdad de tal manera, que "un poquito" significó automáticamente para la madre un inmenso "¡muchísimo!, mamá, fue como tocar el cielo con las manos. Me gustó tanto, que ojalá me diera otro y otro y otro y otro más ... ". "Su interpretación la confirmaban la mirada baja y la cabeza ladeada para evitar que Renata penetrara en el fondo de su corazoncito con pretensiones de hacerse grande antes de tiempo. Cuando con habilidad hizo que la niña levantara los ojos y la mirara de frente, se sobresaltó, pues en la penumbra del cuarto había atisbado un mágico titilar de estrellitas, las mismas que ella (y miles de mujeres más) llevaban prendidas en su mirar cuando estaban enamoradas.

—Así es que te gustó *mucho* el beso de David, ¿eh?

—Só ... lo ... un ... p ... o ... qui ... ti ... ti ... co, mamá, te lo aseguro—, afirmó con dificultad, haciendo un ligero mohín para evitar de nuevo el ojo avizor de Renata. Entretanto, Amalia y Gonzalo ahogaban entre las sábanas el gorjeo de su risa tonta.

> "¡Cinco añitos no más y ya está en éstas, sintiendo como
>   una mujer!,
> ¡cuánta precocidad en los tiempos actuales!,
> esta muchacha precipita las emociones, los dolores y
>   hasta los goces
> de la adolescencia,
> hay que prevenirla,
> ¡y yo que contaba con otros seis, siete, ocho años más
>   para enfrentarme a este difícil momento,
> ¡si a mí me hubiese preparado mi madre, otro gallo me
>   cantara!,
> ahora, cautela, tacto,
> sacar de la no-experiencia una sabiduría que sólo puede
>   prestarme la intuición materna,
> sobre todo no marcar a mi chiquilla con el estigma im-
>   borrable del pecado,
> ¡es tan niña!, ¡tan ingenua y pura!"

—Gaby, mi chiquilla, sos todavía una pulgarcita que necesita del consejo de mamá. Espero que me oigás. Y Amalia, también. Un beso ... en ... los ... labios ... no es ningún pecado ... , si está lleno de amor y ternura. ¿Sabés lo que es la ternura, Gaby?

Con los ojos desmesurados, fijos en su madre, la niña no salía del asombro al comprobar que las cosas seguían rumbos tan inesperados. ¿Atención?, ¡ni soñarlo!: su corazoncito atolondrado quería escapársele del pecho y en su intento, hasta se puso a golpetear en sus oídos, impidiéndole escuchar. Tanto, que Renata tuvo que repetirle dos veces la pregunta. Gaby denegó entonces con la cabeza. Renata buscó en lo más auténtico de su fibra de mujer frustrada una definición-ejemplo que expusiera gráficamente lo que deseaba decir:

—Vos querés a Eurídice, la gatita, ¿no es así?—. Los tres la escuchaban en vilo. —Y porque la querés, la abrazás, acariciás y a veces hasta la besás, ¿verdad? Y cuando lo hacés suavemente,

Eurídice ronronea y entrecierra los ojos porque se siente feliz, porque la has acariciado con ternura. Ternura y amor verdadero son eso, manifestaciones delicadas de un afecto que no lastima. ¿Me seguís?— La niña asintió con la cabeza.

—Bien, pero a veces, al abrazarla y acariciarla, de tanto que la querés, se te va la mano, la apretás mucho, ¡yo qué sé!, le hacés daño, ella sale dando maullidos endemoniados de dolor; asustada, busca dónde esconderse. Entonces te quedás con la pena de haberla maltratado. ¿Lo ves? Así, cuando se ama, hay muchas formas de hacerle daño al ser querido y hacérselo a sí mismo. Esta forma que te expliqué es una que quizás entendás mejor cuando seás mayorcita. Otra manera es que siendo de tan corta edad, se rompa el encanto de ese beso lleno de ternura, permitiendo lo que tantas veces te he explicado que pertenece a tu intimidad, y por tanto, es sagrado, como sagrado es el altar de la iglesia y por lo mismo nadie sube a desacralizarlo ... digo, a ensuciarlo, ¿verdad? El altar de tu espíritu y de tu cuerpo, tus besos, tus caricias, debés dejarlos para cuando seás grande, para cuando te casés, como papá y yo. ¿Me comprendés? ¿Me comprenden los tres?

Con la razón probablemente no habían comprendido, pero adivinaban, de manera intuitiva, lo que Renata les había ido explicando; se apreciaba en sus ojos y en el silencio meditativo que predominó por mucho rato. Después se pusieron a preguntar sin ambajes y hasta se olvidaron que ese atardecer mamá les había prometido invocar al Patito Feo para que entrara en el ámbito encantado de sus veladas.

Días después, a la hora del Angelus, Gonzalo cerró las puertas del ámbito mágico a Pulgarcito, quien había sido anunciado ya por Renata al servirles la cena:

—Mamá—, irrumpió la voz de Gonzalo en la penumbra del cuarto. —Mamá, ¿sabés que David cumple años el miércoles y que a la única niña que invitará a la fiesta será a Gaby? Los demás invitados somos sus amigos y compañeros de clase, varones, todos ... ¿Qué va a hacer Gaby entre tanto hombre?

—¿Y a vos quién te mete, Juan Bonete, palo para tu cachete? ¡Metiche y recontrametiche!—, se atrevió a retarlo Amalia, quien siempre salía en defensa de la pequeña.

—Anda diciendo David que Gaby es la única niña de toda la escuela, ¡de toda la escuela, mamá, tenés que estar orgullosa de tu hija!, que no anda persiguiéndolo, ni se deja besar como las otras que lo besan y persiguen como moscas en los recreos y a veces en clase.

¡Tate, tate!,
no se ha levantado ni un palmo del suelo y ya está uti-
    lizando las mismas tácticas resabidas para conquis-
    tar a los hombres,
sor Juanita de la Cruz, sabia catadora de emociones,
    muy bien lo expresaste cuando dijiste aquello de que
    de tanto ser burladas por los hombres, las mujeres
    han aprendido por instinto a desdeñarlos, con lo que
    reciben una mejor paga,
por la muestra, ya esta sabiduría parece que la maman
    las criaturas en la leche de sus madres,
¡cuántas sorpresas nos reserva la vida!

Renata le preguntó a Gaby si era verdad y la rapaza, la vista en el suelo y jugando con la colcha entre los dedillos regordetes, con la parsimonia de quien busca una respuesta, afirmó con la cabeza:

—Ayer, después del recreo, estábamos en fila para entrar en clase, cuando David vino a darme un beso. No me regañés, mamá, pero es que yo le di un empujón, le puse una zancadilla y lo tiré al suelo. Mis compañeras me dijeron que soy grosera y tonta porque David es guapo, y yo lo sé, no soy sonsa, y sé también que él me quiere de veras y que no se enojó conmigo por eso. Además, yo le advertí, después de lo que vos y yo hablamos, que no me besara más porque yo quiero guardar mi ternura y mis besos y todo lo que me dijiste, para cuando sea grande como vos, mamá, y me case . . .

Mientras va sorbiendo su *bloody Mary*, Renata sonríe recordándolo. Desde muy niña Gaby tuvo una actitud ante la vida muy diferente a los demás. Ni por asomo ha conocido la modestia. Sin embargo, su engreimiento (más bien conciencia clara de superioridad), que despliega sólo en familia, y con mucho gracejo, es inofensivo. Ahora se ufana de que su profesor de periodismo le repita que ella es la mejor alumna que ha tenido en mucho tiempo. Renata sabe que el éxito es el resultado de haber hecho algo que a su hija le gusta, porque cuando algo no es de su agrado, no hay quien mueva su voluntad, pues para terca se pinta ella sola. Descolló siempre por sus composiciones y ensayos que dejaban a sus compañeras boquiabiertas cuando la maestra se los hacía leer en voz alta en clase y a todo mundo le repetía que sería escritora y muy famosa:

—Nada me gusta más que escribir, mamá. Cuando me reciba de la U de Texas, mientras practique el periodismo, pienso dedicarme también a escribir libros infantiles. Mis compañeros me preguntan cómo hago para expresar las cosas tan bien—. ¡Nuevamente fachendeando!

—¿Y qué les contestás?

—Idiay, nada, que porque me gusta mucho. También porque lo heredé. No les cuento que en las noches, cuando nos contabas cuentos e inventábamos miles de fantasías, ¿recordás aquellos momentos maravillosos del anochecer, mamá?, yo comencé a soñar que sería escritora y ya en mi cabeza fui escribiendo cuentos, muchos cuentos que todavía tengo estampados en mi memoria.

—Aún conservo tus primeros cuentos, Gaby: el de Miss Pigley y su peluca y el de la hormiguita callejera. Los guardo sentimentalmente con los papeles pintarrajeados y llenos de garabatos de los tres. Ahora que entro en la que eufemísticamente llaman tercera edad y yo llamo sin tapujos vejez ...

—No sos vieja, mamá, ni lo serás nunca, ¡nunca! Se te arrugará la piel, pero jamás te pondrás vieja ...

—Eso te gustaría, pero no es así. Ahora, a mis años, me gusta abrir la caja de la infancia de mis chiquillos y recordar ... Recordar como ahora, cada uno de aquellos momentos irrepetibles. Porque ahora para mí recordar representa una manera de justificar que yo siga viviendo.

—¿La vida tiene que justificarse, mamá?

Renata sólo comentó, pensativa, que llegar a la cincuentena es alcanzar la cúspide donde sólo queda el descenso. Se guardó mucho de explicarle a Gaby que desde meses atrás sufría frecuentes mareos, le bajaba la presión y no le apetecía comer nada. Se cuidó también de decirle que cada mañana, al abrir los ojos, la asedia la aplastante pregunta de si después de todo, algo en la vida vale la pena. ¿Vale la pena acaso comer, si después hay que expulsar los alimentos? ¿Limpiar, para que después todo se vuelva a ensuciar? ¿Reír, si detrás de la risa están las lágrimas? ¿Dormir, para despertar? ¿Para qué luchar, para qué trabajar, para qué sentir? ¿Para qué levantar el brazo, mover un pie, un dedo? ¿Para qué vivir? ¿Para qué seguir viviendo?

Desde hace mucho le duele la médula espinal del alma y resiente seguir viviendo en esa miseria de dolores físicos y morales: que la cabeza, que la colitis, que la acidez, que las alergias, que la hernia, que los calambres, que el flemón, que la gripe. Seguir así siempre, todos los días, sosteniéndose por el engaño de aspirinas, tetraciclinas, cápsulas de librium, antisépticos, grageas antigripales, fórmulas freudo-jungueanas de sicólogos, sicoanalistas y siquiatras, ¡y sepa Judas cuántos otros potingues-venenos-medicinas! Una botica atiborrada de potingues es ya su cuerpo cincuentón y todo un milagro que siga adelante, como si la decrepitud no estuviera desmoronando el engranaje de su cuerpo, venciendo su espíritu.

En lo más recóndito de su ser, ella conoce la verdad de todos sus males: cada anochecer, no más atraviesa la puerta de la calle la voz imperial de Antonio, se le agudizan los dolores. Para sobrevivir, no tiene otro remedio que refugiarse en el valium; también se pasa deseando la muerte, única solución definitiva para romper de una vez por todas los lazos indisolublemente católicos que la unen a él y dejarlo libre para que escoja su destino y la mujer que lo ha de hacer feliz.

—Sabés, Renata, que en nuestro mundo no tiene lugar el divorcio. "Lo que atares en la tierra ... " ¡Ja, ja, ja!

* * *

Estoy dentro de una casa extraña, la cual, aislada de todas las demás viviendas, mira al valle desde lo alto de una colina. Me siento mal dentro, algo inexplicable me asfixia y por lo mismo decido salir. Afuera, un espectáculo sobrecogedor: del lado del poniente, el cielo azul se rompe en lampos de nubes blanquísimas que relumbran de tanto blancor y se reflejan en un lago de aguas cristalinas; es un pedazo de cielo que bajó a reposar en la tierra. Por ese lado, todo es verde, frondoso, exuberante, pletórico de vida; invita a adentrarse en el paisaje y no detenerse nunca.

Me doy vuelta al oriente y diviso una oscuridad de noche cerrada. Siento miedo y cuando más intenso es mi miedo, de una tupida enramada vuela una hermosísima guacamaya; con vuelo sereno, traza en la negrura del cielo una línea de colores alegres que mágicamente eliminan las tinieblas. Yo me quedo contemplando tal portento mientras pienso que ya es hora de invitar a mis amistades a visitarme a mi nueva casa para compartir con los otros la quietud, felicidad y belleza de mi mundo.

Me sobresalta el martilleo electrónico del despertador; lo apago y me doy vuelta acurrucadita en la calidez de vientre materno de las cobijas y de las gratas sensaciones del sueño que acabo de tener. De pronto, me veo ante otro lago en una tarde azul sin nubes. Una multitud de bañistas arman barullo junto a la represa; más allá, las aguas espejean vuelos inauditos de pájaros y arboledas volcadas al revés. Cuando estoy a punto de abrir el portón de hierro para irme a chapotear con ellos, miro hacia atrás y me quedo petrificada ante el desconcertante panorama: el camino que pasa ante el lago, está dividido por una raya muy bien definida en el suelo; por la parte de los bañistas, la tibieza del verano vibra en el aire en el chirriar de las chicharras; del otro lado, el paisaje de nevada blancura, es frío. Sin titubeos me interno en la nieve, donde al cabo de un rato me encuentro con un joven, a quien me dirijo en inglés, pero sospecho que habla español porque en sus respuestas incluye algunos vocablos en mi lengua. Caminamos uno al lado del otro, conversando sobre futilezas. El mira el paisaje, pero yo llevo los ojos arrastrándose por la nieve, en busca de algo. Al cabo de un rato, descubro un bello hexágono cristalizado en forma de obelisco trunco, de blancura marmórea, pero con una transparencia azulosa. Más adelante, entre la nieve hallo otro, el doble de grande. El joven comenta que viene mucho a estos parajes, pero nunca ha encontrado nada parecido. Por mi parte le expreso mi decisión reciente de despojarme de muchos objetos que me han venido rodeando desde que me casé, los cuales yo consideraba imprescindibles, pero que son inútiles y ni siquiera tienen valor estético, —pero estas incomparables obras de arte de la naturaleza, que irradian desde dentro una luz de extraña fuerza sobrenatural, no puedo, no debo desecharlas.

No acabo de decirlo, cuando el joven desaparece. Sin prestarle importancia a su prodigiosa desaparición, sigo mi camino internándome en la nieve y convencida de que me espera otra sorpresa en el horizonte. Resuena de nuevo el despertador y entonces ya no tengo más remedio que incorporarme a la realidad cotidiana de los deberes y obligaciones ...

XVII
PECAN Y SON FELICES, MUY FELICES ...

Confesamos nuestras pequeñas faltas sólo para persuadir a los demás que no tenemos otras mayores.

La Rochefoucauld

No se puede decir que nada ha cambiado para las mujeres de Nicaragua, puesto que ellas han obtenido el derecho [...] de participar de una manera activa en el proceso transformador revolucionario.

* * *

De la noche a la mañana las nicaragüenses dejaron de ser señoras *y* señoritas *para convertirse en una* compa *colectiva.*

* * *

De manera más significativa, las mujeres comenzaron a sentir que estaban participando en el futuro de su país. Su opinión era tomada en cuenta. Rosario Murillo, poeta y directora de la Asociación Cultural de Trabajadores, es una de esas mujeres.

* * *

Muchas otras nicaragüenses han tenido la experiencia de dividir sus vidas en dos: Rosario Murillo puede verse a sí misma antes, sólo como hija de sus padres, y esposa de su marido. Ahora se encuentran con una nueva independencia en la cual se definen como individuos, en lugar de hijas y esposas.

June Carolyn Erlick, *Ms*, noviembre de 1984

El té de la semana: primero, ponerse al día con las nuevas personales (a Gina se le cayó el primer diente, una verdadera tragedia para la chiquilla que comenzaba a ponerse coquetuela, a Chema lo ascendieron, nada menos que a gerente de la compañía, lo tenemos que celebrar y con champán).

Siguen las noticias del país y del mundo entero (todavía no me pasa lo del asesinato de Kennedy y el gran misterio por resolver, ¡qué maravilloso hacer un viaje espacial!, no me moriré sin subirme a una de esas cápsulas y llegar a la luna, yo, a Venus, que dicen tener las mismas condiciones climatológicas que nuestro planeta, desde ahí les diré ¡chau, viejas, no vuelvo más a ese valle de lágrimas, aquí me quedo gozando de las primicias de la recreación!, ¡loca, más que loca!).

Por último, el chimenteo, como dice Sara: el curita de la parroquia fue pillado *in fraganti* en ilícita relación, ustedes saben de lo que hablo, con uno de los chiquillos de la catequesis, a nadie sorprendió mucho la nueva, pues ya se venía sospechando algo de eso, pero nunca lo habían atrapado con las manos en la masa y como abundan los que creen que ser sacerdote es ser un santo ...

—Es inverosímil que un sacerdote, un hombre de Dios, como suelen llamarlos, no sólo sea sodomita, sino que también haga tanto daño a una criatura inocente—, declara Sonia, muy apesarada, Hija de María y destacadísima devota en ese grupo de tibias creyentes o practicantes, casi agnósticas; Faustina supera el conjunto de apóstatas clerofóbicas con su ateísmo.

—Ya nada, ni la Iglesia, es como antes. Desengáñense—, concluye Milagros con su dejo de yo - siempre - tengo - razón - y - lo - que - digo - es - santa - palabra. —Ya no hay dónde poner a los chicos a estudiar para que estén a salvo de perversiones, ¡porque miren que abundan!

—¡Parece mentira! ¿Adónde vamos a parar, si además de los medios de comunicación, los espectáculos, todo, todo, hasta los representantes de la Iglesia y los planteles pedagógicos, se han convertido en antros de perversión y violencia donde peligran nuestros hijos?—, protesta Sara llena de indignación.

Recordando lo ocurrido la tarde anterior en la universidad, Renata lo comenta: terminadas las clases, se aprestaba a marcharse, cuando irrumpió en su despacho un hombrecillo de raro aspecto: vestía traje azul de corte elegante, pero desgarbado; llevaba a medio hacer el nudo de la corbata. Al cerrar tras sí la puerta, paseó por la oficina una mirada llena de extravío. Entonces ella se atrincheró, con miedo, detrás del escritorio y comenzó a buscar mentalmente un arma con qué defenderse; las constantes viola-

ciones y asesinatos de esos días por los barrios de Montrose, la
llevaron a tales extremos, aún antes de que el desconocido abriera
la boca y explicara su intempestiva presencia.

Además, hacía sólo un mes que a las ocho de la mañana Renata impartía clase explicando acerca de los males que aquejan a
Latinoamérica por la poderosa oligarquía ligada al sistema, a la
iglesia y a las multinacionales y cómo se ha sumado a esto o ha
sido consecuencia de ello, la aplastante deuda internacional que
está carcomiendo a cada una de nuestras naciones; en ese punto
fue interrumpida por una muchacha, quien entró precipitadamente
en el aula. La desconocida, pálida y sin aliento, se desplomó, gimoteando, en un pupitre. Cuando la muchacha pudo responder
a las preguntas que le hicieron los alumnos, al principio con tar-
tamudeos, explicó que frente al edificio de lenguas modernas un
hombre de unos treinta y cinco años, apuntándole con una pistola,
había intentado forzarla a entrar en su impecable Lincoln Continental; ella le respondió que disparara, y echó a correr a refugiarse
en busca de protección. En otras ocasiones habían pasado incidentes por el estilo en los senderos del recinto universitario, en
medio del ajetreo estudiantil de las mañanas. También en toda la
ciudad.

Así, no era para menos su susto ante el desconocido. ¿Y si
fuera el mismo violador del Continental? El hombre que la abordó
aparentaba unos treinta y cinco, cuarenta años a lo sumo. ¿Dónde
encontrar un arma para defenderse, unas tijeras, un martillo, algo
puntiagudo?

Después de un interminable silencio durante el que examinó
con todo detalle el lugar, el desconocido preguntó por el Padre
Spiegel. Sin esperar respuesta, se soltó a hablar:

—Quiero ser sicólogo, pero un sicólogo alemán, porque hay
que estar en paz con el mundo, con la patria, con los extranjeros,
con los comunistas, con Dios, con uno mismo. Y es que ¿sabe
usted que las mujeres no están preparadas y yo me siento llamado a
cumplir esa misión, porque no han aprendido cómo usar la píldora
anticonceptiva, ni tampoco cómo abortar sin peligro?

"¿Y pregunta por el Padre Spiegel?,
     ¿ignora acaso que en todo el recinto universitario es él,
          el Padre Spiegel, quien lleva la bandera anticontra-
          ceptivos y antiabortos?,
     Right to Life, Derecho a la vida, acabo de traducírselo
          al español para distribuirlo a la población hispana
          en defensa de tantos fetos,

tantos seres aniquilados antes de nacer,
¡la que se va a armar cuando se enfrenten éste y el
    Padre!,
y ahora toma asiento,
como si yo estuviera para visitas indeseables,
¡si pudiera escaparme!,
pero él está bloqueando estratégicamente la puerta,
no hay otra salida,
me tiene atrapada... "

—A mí me interesa la juventud. Muchachas entre dieciocho y
veinticinco años—. Renata se sintió aliviada, a menos que el hombre, además de sicópata fuera miope y no viera que ella comenzaba
a estar pasadita de años. —Porque verá usted, el mundo no puede
seguir así de trastornado. Y mientras este presidente siga en el
poder, todo andará mal, muy mal ... Hay que distribuir gratis los
contraceptivos y abrir clínicas para abortar porque ya no se puede
vivir aquí, en Houston, ni en Texas, es imposible ... Verá usted, yo
quiero ser un caballero y aquí, como van las cosas, no puedo vivir
como caballero ... En Zurich hay una biblioteca que contiene el
saber del mundo entero. Nadie podrá llegar a agotar el saber de la
biblioteca de Zurich porque es infinito ...

"Este parece un personaje salido de las páginas de Bor-
    ges, de sus Bibliotecas mentales,
¿lo estaré soñando, de tanto hablar en clase de Borges
    y de su mundo alucinante de pesadilla?,
a estas horas que son deshoras, en todo este edificio sólo
    se oye de cuando en cuando traquear la madera,
silencio,
un silencio espeso de ruidillos interiores como de pa-
    sitos asustados de insectos,
o del palpitar amortiguado del corazón de esta casona,
¿no es esto una pesadilla borgiana?,
¿y este hombre aquí, salido de la nada ... ?

—Allá, el que es doctor, es de veras doctor, no como aquí. Hay
que estar en Zurich para ser de veras un respetable caballero, pero
hay que hablar alemán. Sin el alemán no se va a ninguna parte.

"Que yo sepa, los personajes de Borges no piensan así,
    parece más bien una pesadilla en la realidad, no en el
    sueño ... ,
habla sin hilación, sin sentido ni lógica ... ,

¿busca al padre Spiegel para aprender alemán, o para
discutir lo del peliagudo aborto?

Amalia, Amalia por poco, "nueve semanas, mamá,
nueve semanas sin la regla, creí que estaba embarazada",

"¿y por qué no me lo dijiste antes, Amalia?, ¿por qué, si
en esos trances siempre ayuda compartir con alguien
las ansiedades",

"no quería preocuparte, y ya ves, todo pasó, ¡aleluya!,
hoy me vino la regla, la odio porque me da calambres, es una intrusa a la que hoy le doy la bienvenida con bombos y platillos, porque hasta estaba
considerando un aborto, mamá,

"¿y tus principios religiosos?, ¿no tenés escrúpulos,
Amalia?"

"Ronald me dijo que no me preocupara, que de todos modos estamos ya haciendo preparativos para
la boda, pero yo no quiero tener hijos todavía, deseo gozar un poco más antes de echarme la carga de
los hijos, a decir verdad, no quiero ni voy a tener
hijos, ya Ronald lo sabe y aún así desea casarse conmigo",

¿qué habría hecho yo en aquellos tiempos pacatos si
hubiera quedado embarazada?,

y durante mi matrimonio, cuando mi vida peligraba si
de nuevo quedaba embarazada, ¿con lo religioso que
es Antonio, habría accedido al aborto?,

menos mal que la histerectomía me salvó, ¡menos mal!"

El loco hablaba, hablaba y hablaba sin ton ni son:

—Para obtener mi título de sicólogo en Alemania, posiblemente
me lleve unos diez o doce años. Ya tengo cuarenta y uno. En
Zurich me ofrecieron pagarme los estudios, pero yo no quise aceptar. ¡No, eso nunca! Quiero ser patriota, y por eso vine aquí,
profesora. ¿Usted es profesora, no?

Sin esperar siquiera la respuesta, siguió su tarabilla:

—Actualmente tengo una licenciatura en sociología, pero quiero
comenzar pronto con la sicología. Por eso necesito aprender alemán en cinco meses con el Padre Spiegel—. Su voz, atropellada,
monótona, sin emoción alguna, no se detenía un segundo. En el
silencio del cuarto, Renata experimentaba el incómodo malestar
de que esa voz la reproducía en su oído un potentísimo altavoz, el
cual tensaba sus nervios y le trasmitía una angustia que le cortaba

la respiración.

—¿Usted cree, profesora, que en cinco meses pueda aprender alemán? Quiero aclararle que yo no quiero cargarme de mucho trabajo. Seis horas de jornada me bastan y dos horas para las comidas. En este país se vive sólo para ganar dinero, comprar casa, coche, joyas, pieles, pero se trabaja tanto, que no sé cuándo gozan del fruto de sus jornadas. Esperan a la vejez y entonces ya no tienen ni salud ni ánimos para gozar de la vida. Yo no. Yo quiero trabajar poco y vivir, vivir ... ¡VIVIR! Sé que en el campo del sexo me irá bien.

La angustia de Renata, que va en aumento, se mitiga un poco al contacto con las tijeras que ella aprieta disimuladamente, con el consuelo de una posible arma de salvación y con el de las oraciones que va farfullando en su perturbado espíritu.

—Usted no sabe, ni se imagina lo diferentes que son las mujeres en Alemania. Usted debe ser una persona muy disciplinada, se refleja en sus ojos ...

> "¡Ahora se mete conmigo!,
> mientras hablaba de sí mismo, de sus estudios, de Ale-
>   mania, tenía la esperanza de que yo no fuera más
>   que un oído depositario de sus locas confidencias,
>   ahora me convierte en el objeto de su observación y
>   análisis,
> ¡si pudiera salir corriendo!, pero me pesan los pies, el
>   cuerpo entero,
> atornillada en el asiento, ¡una pesadilla!, pero en ésta
>   no hay ni la esperanza del despertar,
> ¡una verdadera pesadilla!"

—Su mirada, señora, dice que para haber llegado a ser catedrática tan joven, usted lleva una vida muy ordenada. ¿Me equivoco? Yo en cambio, soy flojo, abúlico. También soy judío ortodoxo—, pero me gustan los católicos. En Nueva York, donde viví antes, vi a los católicos felices. Muy felices, pecan, y felices, confiesan, y después, ¡a volver a pecar con la misma felicidad! ¡Por supuesto, son humanos, es comprensible! Creo en Dios y en la sagrada Tora, amo la Tora, el Antiguo Testamento, pero también me gustan los católicos.

> "Si cree en Dios, si ama la Tora, le gustan los católicos,
>   hay esperanzas para mí hoy,
> ¡si alguien viniera ahora a sacarme de esta pesadilla!"

—Sí, señora, pecar y confesar, confesar y pecar, porque todos somos un montón de pecadores. Quisiera casarme. Es claro, no podré casarme con una católica. Pero primero tengo que conseguir mi título. Usted parece hispana y su país de origen debe ser una bendición de Dios porque usted es muy amable y me escucha. ¡Cuesta tanto que lo escuchen a uno!.

En esos momentos, Renata, enternecida, se olvidó del miedo, de la angustia, y tuvo deseos de seguir escuchándolo, departir amistosamente con él.

"A la postre, también yo necesito alguien que me escuche,
Antonio no es compañía, no me escucha,
sólo tiene reproches en su voz y ausencias continuas
    pasando de un avión a otro avión,
de un hotel a otro hotel,
de hembra a hembra que sacia su apetito devorador,
mientras yo voy muriéndome asfixiada en el silencio de
    mi soledad... "

—Aquí, en este país, la gente vive corriendo de un lado para otro, y usted deja sus quehaceres, sus lecturas, todo, para escucharme con interés ...

"Con miedo, mucho miedo, él ni lo adivina siquiera,
    pero es mejor que piense así ...

—Espero no estar dándole la lata. Le repito, la generosidad con que me prodiga su tiempo me lleva a pensar que de veras, su país es el más bello del mundo entero, pero yo me voy para Alemania ...

"¡Mi País de las Montañas Azules!,
¡y yo, que lo dejé como el hijo pródigo abandonó su
    tierra, su padre, los suyos!,
si pudiera regresar,
es tarde,
ahora estoy arraigada aquí por los hijos, por el trabajo,
    por los alumnos,
¡por tantas cosas que se me han ido acumulando en más
    de veinte años!"

—Bueno, más vale que no abuse de su paciencia y bondad, señora. Yo sólo quiero aprender alemán en cinco meses, a lo sumo

diez. Vendré mañana a ver al Padre Spiegel. El campo de la sicología sexual en las juventudes está sin explorar y Alemania me
espera ... ¿Ya le dije que soy judío? ¡Ah, sí!, pero me gustan
los católicos ... felices, pecan, y felices, se arrepienten ... Hasta
mañana, profesora, vuelvo mañana, dígaselo al Padre Spiegel para
que me espere. Será interesante compartir con él mis ideas sobre
la sicología sexual para las juventudes de hoy. ¡Estos católicos son
increíbles!, felices, pecan y felices, se confiesan para volver a pecar
y volver a confesar. ¡Increíbles! —Se cuadró junto a la puerta, hizo
un respetuoso saludo de despedida con la cabeza y se marchó.

Renata corrió a cerrar con llave antes de desplomarse en el
sillón. Mientras se recuperaba, en vez de pensar en el hombrecillo,
se le vino a la memoria la Condesa Alejandra de Tolstoi, la hija
del escritor, quien pocos días antes había venido a Houston con
sus ochenta y cuatro años rellenitos de carnes como cualquier burguesa apoltronada, para venderles, como producto de consumo, el
cristianismo de su padre. Renata pensaba que el cristianismo que
fue nervio vivo en Tolstoi, se había degenerado en la hija a fuerza
de repetírselo a sí misma y repetirlo al mundo que le paga bien por
cada una de sus charlas. En aquella ocasión, el público salió con-
movido al escuchar su ruego de que cada uno de los presentes, si
visitaba su amada Rusia, llevase consigo "tres Biblias para repartir
entre la gente ávida de la palabra de Cristo, hambrienta de evan-
gelio y de religión, porque se los tienen prohibidos".

"¿Y por qué me pongo a pensar en eso después de la
    visita del chiflado?, ¡ah, sí!, los católicos ... ,
León Tolstoi y sus obsesiones pecaminosas, pasajes de
    su diario revelan que se autoregañaba y se castigaba
    a menudo cuando cometía pecado,
tal como lo puso la condesa, vivía en continuo estado
    de arrepentimiento,
y como buen católico, se pasaba pecando,
¿pero era feliz?,
Sonia, desde que probó el sabor acre del pecado, sufre
    más que nunca,
¡absurdo lo de pecar y ser feliz!,
¡vaya estupideces las que se me ocurren!,
con el trabajo que tengo, mis clases, mis hijos y deberes
    domésticos, no me queda ni tiempo para dormir lo
    necesario,
¿cómo encontrarlo para pecar, arrepentirme, confe-
    sarme, ser feliz?,

¡qué disparates, después de escuchar a tan simpático
loco!"

A Renata se le hacía difícil aceptar que el ser humano viviera
avasallado por la culpa. Eran tantos los escritos sobre el tema, que
no tenía otro remedio que aceptar dicho estado como evidente. Lo
más incomprensible eran los místicos como Santa Teresa, San Ignacio, San Juan y tantos otros que se pasaban día y noche con el mea
- culpa - mea - culpa - mea - culpa a flor de labios, dándose en el pecho con los nudillos. Hizo comentarios al respecto en el círculo de
amigas y les contó que durante la vía purgativa, sor María Marcela,
quien había llevado ocho años callando y aguantando todas las in-
jurias y calumnias de las otras hermanas, mientras ella a nadie
hacía daño alguno, escribió en su diario:

> "confieso no poder por mí nada, que soy la escoria del
> mundo y la más vil de las criaturas; y esto que per-
> mitió Dios que padeciera fue suma misericordia y no
> menos lo fue el haberme sacado de tan tempestuosa
> y lóbrega noche (donde quizá hubiera naufragado), a
> un día sereno, claro, apacible y lleno de felicidades,
> como veremos adelante".

—Tal vez tenga una pizquita de razón mi loco. Escuchen este
otro bellísimo pasaje de la autobiografía de Sor María Marcela,
para que les dé envidia tanta felicidad—. Todas aprobaron la lectura, aduciendo que hacía tiempo Renata las mantenía en ayunas
de noticias de la monjita de México. Renata les contó en detalle
las enfermedades y sufrimientos que la religiosa soportó y cómo al
cabo de ellos,

> "Todo era quietudes, sosiego, gozo y como quien can-
> sado de un largo camino en que padeció grandes
> peligros, hambres, cansancios y todas calamidades,
> llega a su amada patria, se tira a descansar, y demás
> de eso se regala con la prenda que más ama, la cual,
> por su larga ausencia se halla tierna, amorosa y que
> no osa apartarse de su amado, ni él la deja un punto:
> todo esto pasó por mí, fui el caminante cansado,
> hallé mi perdida prenda y con sólo hallarla, lo hallé
> todo; hallé a mi Dios dentro de mí misma, hallábalo
> en todas las criaturas; no veía cosa que no me ll-
> evara a Dios: las flores, los árboles, las frutas, el
> agua, el sol y mucho más que todo el cielo que de

que lo veía, allá se me iba todo el corazón y las potencias: los vuelos del alma eran continuos, las aspiraciones, frecuentes, como saetas despedidas de la
voluntad y parece se penetraban hasta el trono de
la Trinidad augustísima cuyo soberano misterio se
puso de asiento en medio del corazón, tan permanente, que ni un instante me faltaba esta clara vista
con distinción de personas en todo iguales".

—¡Qué bien lo ha expresado! Tanto, que a mí me trasmiten
sus palabras el gozo que sor María Marcela experimentó—, fue el
comentario entusiasta de Sonia.

—Pese a este gozo y sosiego espirituales, a lo largo de las páginas
predomina el desprecio más profundo de sí misma, como antes
leí, pues se considera sin mérito alguno para recibir los favores del
cielo. Masoquismo puro, ni darle vuelta. Con la difícil vida que
lleva en el convento, a partir del instante en que sor María Marcela
alcanza la unión con Dios, dice que padece porque no padece y que
al paso que el Señor (su Majestad, lo llama) le da deseos de padecer, al mismo tiempo todo cuanto le sucede, por malo que sea, no
le causa pena ni aflicción.

—Estás equivocada de parte a parte, pues más bien ellas, al
confesarse indeseables, respondían al sadismo de los confesores,
—dijo Faustina.

—Para más pruebas de tanta autotortura, estoicismo, rechazo y
anulación de todo, escuchen otros pasajes de la vida de sor María
Marcela. Cuando la pusieron de maestra de novicias, comenta:

"Con haberme puesto de maestra no sentí ni pena ni
gozo, sólo en una suma humillación, deseaba que
nadie lo supiera porque no la tuvieran a mal a la
comunidad que me hubieran puesto a mí habiendo
otras aptas: a mis hermanas no se lo quise escribir,
era tanta la vergüenza que tenía que de sólo que me
vieran las religiosas me ponía colorada y me andaba
escondiendo de todas"

—Cuando habla de la unión con Dios declara que el primer
efecto que experimentó fue

" ... la grande inclinación que tengo a los desprecios
que sólo ellos son todo mi consuelo y alegría que
sólo entonces digo, cuando soy despreciada, o de-
sestimada, o abatida, o reprendida, sólo entonces

pienso que me conocen, pero cuando me honran o
estiman creo que los tengo engañados y me aflijo
temiendo que el día del Juicio he de ser espectáculo
de irrición a los demonios porque parecí lo que no
soy, que no son virtudes las que en mí lo parecen,
ni son más que engaños. ... Que tengo engañados a
mis padres confesores, que nada es virtud, que todo
es apariencia ... Me considero en gravísimo peligro
porque pienso y creo que la causa de no mostrar vi-
cios ni pasiones es por estar tan interiores y arraiga-
dos en el alma que nada sale afuera y desde ahora
me atormenta la contrición que he de padecer el día
del juicio y si perderé a Dios, y así vivo con propio
desprecio".

—Remata su autobiografía pidiendo el desprecio, humillación
y aborrecimiento de todos. Afirma que está confusa porque cuanto
más examen de conciencia hace, menos fallas o pecados encuentra
en su interior. Sin embargo, duda que "haya otra tan ingrata y que
tan mal haya correspondido a Dios".

—¡Y pensar que todo cuanto hacemos es para ganar prestigio
y reconocimiento!—, exclamó Milagros, quien no perdía oportunidad, por maquiavélica que fuera, para alcanzar sus ambiciosas
metas. —Esta tipa chaladísima, requería un completo tratamiento
siquiátrico, ni darle vueltas. Pero era feliz humillándose y cada
cual encuentra su felicidad de manera diferente. En el otro extremo de la locura estaba el marqués de Sade.

Faustina desvió la conversación de nuevo hacia el primer tema:

—Volviendo a la religión, creo que lo más interesante de Tolstoi es cómo su amor a Dios y al prójimo lo llevó a combatir du-
ramente la esclavitud entonces imperante en Rusia. Más adelante,
o quizás al mismo tiempo, no lo recuerdo bien, en *La esclavitud moderna* atacó los abusos y explotación que ejercen los patronos sobre los obreros, fenómeno que no ha cambiado todavía
en muchos lugares. Aquí mismo, en los Estados Unidos, todavía se
ve, sobre todo sufren injusticia los espalda mojadas, ¡los pobres!,
cuánto se aprovechan de ellos por su condición de indocumentados. También se abusa de los negros y de las mujeres ... ¡Y esto
es una democracia! ¡Qué inalcanzable se vuelve el paraíso! ¡Yo me
pregunto si la marcada conciencia social de Tolstoi es considerada
en los ámbitos intelectuales soviéticos y universales como piedra
de toque del comunismo. También quisiera saber si el libro de
Tolstoi fue anterior a las teorías de Marx. Tendré que investigarlo.

—¡Qué va, Faustina, la Condesa de Tolstoi explicó que su padre repudiaba el socialismo porque no cuenta con Dios, lo elimina del todo. ¡Ya me dirás si atiborrado de catolicidad como él estaba, podía ser aceptado por el comunismo. Sí creía en la libertad religiosa y quizás por lo mismo y por su filosofía a favor del individualismo, mantenía amistad con Gorki y Chejov, ateos hasta más no pedir. No obstante eso, Chejov reconocía que Tolstoi era la conciencia del mundo cristiano. Por su parte, Tolstoi solía pronosticarle a Gorki que cuando estuviera en las puertas de la muerte, creería en Dios. Faustina, lo mismo te pronostico yo, Sonia Valera: ante la muerte, toda esa gesticulación de que eres atea, quedará hecha polvo.

—Ya nos estamos metiendo en los derechos humanos y sociales. Nos ponemos tragiconas. ¿No tenés por ahí, entre tus papeles, algo que hayás escrito en estos días, Renata, para leernos?—, requirió Sara.

—De camino acá se me ocurrió este minicuento que escribí cuando fui al tocador a arreglarme el cabello. Se trata de una bagatela absurda que he titulado "Cuando baja un ángel del cielo". Escuchen:

"Cayó un ángel del cielo. Fue una caída muy violenta. Me pareció verle un ala rota, pero ni le dije nada, porque hablar con un ángel no se hace siempre y por lo mismo había que ir al grano con algo enjundioso, trascendental, de peso; el ala se podía curar después. Además, a los ángeles no les duele nada. ¿Pero qué, qué podía preguntarle? Estaba atolondrada ante su presencia y por mucho que hurgase en mi cerebro, no se me ocurría una sola idea.

Mientras el ángel se sacudía el polvo de la caída y trataba de enderezarse el ala rota, se fijó en mí. Era tan cálida, dulce, celestial y benevolente la mirada que me clavó, que me quedé entumida, muda, temblando ante la idea de que a lo mejor, por esos caprichos divinos, tan constantes en las historias bíblicas, hubiese venido a anunciarme que al Espíritu Santo le había dado por concebir en mi estéril matriz setentañera ... ¡La divinidad y sus caprichos!"

—¡Que te hayas atrevido a escribir tamaña herejía, Renata, me resulta increíble!—, protestó Sonia con grandes muestras de enfado. —No es tan anodino como dices, pues ironizas algo muy sagrado.

—Perdonáme por haberte ofendido y perdonáme también por corregirte: la ironía no la puse yo, pues únicamente calqué el cliché de la Biblia ... Así, de buenas a primeras se me viene Sara, la madre de Isaac, quien hasta soltó la carcajada cuando los tres ángeles, vestidos de peregrinos, le anunciaron a Abraham que ella,

Sara, le daría un hijo a tan avanzada edad. Si un libro sagrado se desmanda con increíbles historias de mujeres que al filo de la vejez dan a luz hijos, ¿por qué me recriminás por haber seguido ese patrón? Acusá de irónica a la Biblia y no a mí.

Ante el gesto aprobatorio de las otras, Sonia se puso de pie y se despidió con mal talante:

—Ustedes no son más que una manada de herejes y ateas. No sé en qué momento me integré a este grupo ... ¡Adiós!

* * *

Jorge Luis Borges tiene prisa y me apremia para que termine pronto de copiar a máquina lo que él me va dictando. En la habitación próxima, una multitud de amigos disfruta riendo, bebiendo y comiendo, mientras Borges dicta y yo tecleteo desaforada en una extraña posición: de rodillas en el suelo, con la máquina de escribir portátil colocada sobre el borde de la cama, en lo que parece ser un cuarto de hotel. Lo más inexplicable es el dictado que voy mecanografiando, pues no tiene nada que ver con Borges ni con sus laberintos mentales; se trata de una larga lista de anuncios comerciales organizados en paradigmas que yo voy trazando en el papel en rojo y azul, uno rojo, otro azul, el que sigue rojo, a continuación, azul, rojo, azul, rojo, azul ...

Mientras tecleteo con angustia, a una velocidad casi inconcebible, me percato que Borges, tanteando las paredes, empuja la mesita rodante en la que reposan los licores, hacia la habitación contigua, la de los convidados. Mi angustia crece porque él va de tumbo en tumbo, dándose contra paredes y muebles y nadie viene a socorrer su desconcertada ceguera, ni siquiera yo; me quedo tecleteando, tecleteando, tecleteando, a toda prisa, con angustia, casi con agonía. Al amanecer despierto con una rara sensación de impotencia ...

Se me había quedado sin recordar una parte del sueño. Trozos, como fogonazos, se me venían a la memoria de rato en rato: a veces en mitad de alguna frase que yo (u otra persona) pronunciaba; también, un movimiento de mi mano en el quehacer diario, en la cocina, al maquillarme ante el espejo, sentada aquí, frente a mi escritorio. Sin embargo, no conseguía reconstruir el cuadro completo, sólo jirones. Fue al apoyar la cabeza en la almohada y repetir los gestos de la noche anterior, que se me vino el sueño de golpe, entero, sin faltarle detalles, ni palabras, lo transcribo tal cual: al leer la página del dictado de Borges, para mi sorpresa, los azules y rojos y las letras se habían agrupado mágicamente, siguiendo la gramática de un cuento. Era un raro cuento, como otros que he escrito dormida. Decía así:

LA CONDENA DE ABEL

La radio dio la última noticia sensacional del momento: "Abel, vecino del Cantón Harris, mató a Caín, su hermano". ¡Absurdo!, ¡absurdo!, si fue Caín el que asesinó a Abel, debía ser una broma que atrapé al vuelo en la radio, porque además ya eso no es noticia sensacional, todos lo sabemos de memoria, es algo que pertenece a los remotos orígenes del mundo y avanzada la segunda mital del siglo XX, cerca ya del segundo milenio, más bien nos acercamos al apocalipsis. En lugar de la Radio Univer sitaria, por error debía estar escuchando la Radio del Caribe con su sonsonete bíblico. ¡Absurdo! Entonces seguí con mi rutina antes de acostarme. La voz del locutor interrumpió la trasmisión anunciando la fuga de Abel por los arrabales de Houston, para evitar la ira de Dios. No cabía duda, era un programa evangélico con la inexplicable paradoja de que Abel fue el asesino de su hermano. Fue esa paradoja la que atrapó mi curiosidad de continuar escuchando para saber lo que el locutor se proponía.

De pronto llamaron a mi puerta con insolentes timbrazos y golpes precipitados de inminencia, los cuales trasmitieron a la quietud de la noche un no sé qué de inquietante.

—¿Es usted Abel?—, me preguntó a quemarropa el vozarrón de trueno que emitía un hombre corpulento y musculoso con figura de Atlante y cabello rucio.

—¿Abel? Usted está perdido en el dédalo de los siglos, señor ... ¿Inspector de policía? ... ¿Viene usted de la Comandancia, verdad? ¡Ni soñar que yo sea Abel! ¿No ve que soy mujer? Si gusta, llámeme Eva y seguimos el juego de los absurdos bíblicos, porque yo soy ...

—A la autoridad se le dicen sólo verdades. ¡No mienta! Se sabe sin lugar a dudas que usted es Abel y mató a su hermano. El Comandante General de la Policía de Houston dio orden de que se le arreste. Y es mejor que no intente escapar ...

En aquel preciso momento, de pronto recuperé la memoria perdida durante una eternidad bíblica: con un dolor enconado que me hacía experimentar sensaciones intolerables de que el corazón me estallaba, reviví el asesinato de mi hermano. En el mismo y preciso instante la radio trasmitió la deplorable nueva de que la guerra atómica había devastado el mundo entero y sólo quedaban a salvo muy pequeños reductos.

La nefasta nueva me hace perder conciencia de todo a mi derredor. Después, al recuperar el sentido, tengo que confrontar la más atroz de mis pesadillas: la noticia vertebral de que este momento —en verdad todos los momentos—, es el recomienzo del mundo. Compruebo entonces que yo, protagonista sin perdón, tengo que seguir aquí, en esta actualidad de máquinas y cohetes que van a la luna. Seguir, sí, seguir huyendo sin tregua de la ira de Dios, porque mi infierno es un recomenzar sinfín como el de Sísifo; pero el eterno retorno que me dieron de castigo es por haber asesinado a mi hermano Caín ...

*   *   *

¿Qué sentido tiene tan caótico absurdo? ¿Abel, víctima inocente, convertido en el criminal perseguido por la ira de Dios? ¿Y yo, qué tengo que ver con todo esto tan ajeno a mí? ¡El misterio de los sueños y de los pasillos subterráneos que minan nuestro interior! Debe haber sido efecto del enojo de Sonia por mi irreverencia bíblica. ¡Si ella leyese "La condena de Abel", me asesinaría. Mejor es romperlo y san

XVIII
CUANDO SE RONDA
LA ZOOLOGÍA

Hace unos años, consultando una gran Enciclopedia
[...], me encontré con que no existía un artículo "Amor".
[...] ¿Por qué estas extrañas ausencias? ¿Cómo es posible
que no se diga nada de dos de las cuatro o cinco realidades
que más profundamente han movido a la humanidad durante
toda su historia? La única explicación que encuentro es que el
amor o la felicidad no son "cosas", y éstas son casi lo único
que en nuestra época parece interesante, lo único de que se
pueda hablar. Si es así, la situación es todavía más grave de
lo que a primera vista parece. [...] Pero hay algo más. De
esta manera se desliza, por eliminación, una interpretación
parcialísima de la realidad ... [...] Desde el nacimiento
hasta la muerte —y no digamos su horizonte, la consideración
de lo que pueda haber "al otro lado"—, se lleva a cabo una
simplificación que ronda la zoología.

Julián Marías

La sociedad, que funciona a base de roles y mitos, les ha
asignado determinadas formas de conducta y de ocupaciones
tanto a hombres como a mujeres. Según Elizabeth Janeway,
uno de los temas básicos aplicable a ambos sexos, es el de que
los individuos consideran más fácil adoptar un yo prefabricado
en lugar de crearse uno original. Janeway explica cómo to-
davía se considera poco femenino y hasta anormal que una
mujer se entregue a su carrera. Agrega que ser vista como
anormal hoy es casi tan perjudicial como haber sido hereje
durante la Edad Media.

El Monitor Feminista, julio de 1971

Dueña ya de la verdad, esa verdad tan temida, siento un alivio que se extiende dentro de mí como una playa de oleaje tenue y sedante arenilla. La desapacible angustia de no saberlo, de creerlo sin confirmarlo, de dudar ante las pistas, esa angustia de años y años, se aplacó con la descarnada verdad. El piensa que no lo sé. Ni sospecha que lo adiviné en el fulgor de sus ojos cuando la miraba a ella. Después, en los no - puedo - venir - hoy - a - cenar - porque - tengo - un - mitin - muy - importante - que - terminará - muy - noche. A su vez, ella dejó de venir a las tertulias de los sábados. Más adelante, el teléfono timbraba desaforado para colgar cada vez que respondía yo. Su malhumor y aquella mirada de odio que al fijarse en mí me decía a las claras "¿por qué no desaparecés de una vez por todas de mi vida?, ¿que no ves que sos un estorbo para mi felicidad con ella?", me confirmaron que mi ternura, todavía por estrenar después de quince años de matrimonio, jamás cobraría vida bajo el peso de su lujuria insaciable. Por último, el arranque de celos de Gabriela, cuando los vio a ellos dos bailando juntos en uno de los festejos universitarios y aquel lanzarse enfurecida con un vos no bailás con ésta, papá, andá, vete con mamá que está solita en aquel rincón.

¡Sola en los rincones! Así he estado desde que nos casamos, Cenicienta sin posible redención. Arrinconada y atareada en la cocina, con los chiquillos, con los quehaceres de la casa, limpiando manchas de los suelos, de las ropas, preguntándome por qué Antonio me escogió a mí, justamente a mí y no a otra (gallarda, sexy, bella, de las que se arropan en pieles de visón y se cubren de diamantes los dedos, el pecho y las orejas) para hacerla su esposa, cuando él sabía bien que mi meta no fue nunca el trabajo doméstico ni figurar en sociedad. Nací para los libros, para la enseñanza, para vagar con el espíritu por regiones de magia trazada por la música, la pintura, la poesía. Heme aquí no sólo en tierra ajena, sino también enajenada en faenas que me repugnan.

Al decirme él con voz prepotente:

—No olvidés, Renata, que lo que importa es mi carrera y que llegue pronto a la cumbre, porque ¿tiene alguna importancia tu literatura, tus clases y tu tanto garrapatear cuentos, novelas y poemas? Lo tuyo es pérdida de tiempo, bien lo sabés. Lo mío es lo que cuenta.

Yo me volví del tamaño de una hormiguita y tuve deseos de que me aplastara definitivamente con el pie. En tan miserable pequeñez, sólo pude aceptar su palabra como la verdad bíblica; sus largas ausencias como pasos necesarios para alcanzar esa cumbre deseada; su abandono de la familia y del hogar como un signo conspicuo de que de veras, él había nacido para algo grande y yo ... Yo, ¡pobre de mí! ... yo ... ¡Que me roban mi yo!, debí haber gritado en un último intento para salvarme del ninguneo ... Llegué a creer que lo de mi trabajo en la Universidad era sólo pasatiempo y que por lo mismo me pagaban un sueldo magro. Ni pensé por un momento que me habían discriminado como mujer. Un esquema completo de machos prepotentes constreñía mi vivir y me amontonaba en los rincones; y de tanto querer pasar inadvertida para no hacerle ni sombra a la ingente imagen del coloso, yo misma colaboré para completarlo.

Después, la humillación:

—Te odio, Renata, te odio. No quiero verte ya nunca más. ¡Vete para siempre de mi lado, te lo ruego!

Lo miré, sorprendida, entendiendo cada vez menos ese extraño mecanismo humano llamado hombre:

—¿Irme yo? ¿Yo, que soy la espina dorsal de este hogar? ¿Pero sabés lo que estás diciendo? Me marcho de esta casa y se desmorona por completo el edificio de la familia ... porque vos no has aportado aquí ni tu presencia, sólo has mantenido materialmente una fantasmagoría de familia.

¡Pobre!, como el siquiatra confirmó la necesidad de que te analizaras porque el problema provenía de vos, en vez de confrontar con valor la verdad, querés ahora destruir el espejo donde se refleja tu endeble imagen de hombre hecho para el qué dirán, para la apariencia, para que comenten lo especial, único y santo que sos. Ese espejo soy yo. Yo, que después de años y años de silencio por los hijos, lo aguanté todo. Ahora, porque te digo lo mismo que me dijiste entonces, que te vayás, que quiero para mí sola mi soledad, te sentís aplastado, deshecho y llamás a mi gesto, crimen, crueldad, sadismo. Hoy me decís que vos nunca me echaste de la casa, que vos nunca me odiaste, como si yo lo hubiera inventado. ¡Infame!, tenés el prurito de salir siempre oliendo a rosas y yo ... Yo siempre tengo que salir oliendo a ... ¡mierda! Ahora me llamás cruel, perversa, mujer insensible, como antes (antes del siquiatra) me acusaste de frígida para justificarte a vos mismo y culparme sin contar con que en el matrimonio la culpa requiere una equitativa distribución de bienes y de culpas.

*   *   *

¿Y ahora qué? Los hijos se han ido por los obligados caminos de la vida. Antonio ha dejado de ser presencia en mi vida; prepararle las comidas, arreglarle la ropa, acompañarlo a ciertas funciones sociales, es lo único que me queda de él. Antonio es la representación, ante los amigos, del papel de buen marido; también es reproche, reclamo, humillación.

¿Qué esperar de la vida cuando ya no quedan esperanzas ni ilusiones? ¿Integrarme al cotidiano existir, igualarme a los demás en la satisfacción de lo que se posee y de lo que se hace, pero no de lo que se es? ¿Y quién puede contentarse con eso, cuando se lleva la rebeldía en carne viva y se quiere romper con los cánones estúpidos de la sociedad y de este absurdo existir?

Nada tiene ya sentido para mí. Sé que Antonio es sólo una ínfima circunstancia de esta realidad que se llama vida. Sin embargo, en mi propia vida él ha sido por mucho tiempo marido y padre, señor y mandamás con todos los atributos y derechos, hasta el de desertar de la familia a hurtadillas, en incontables ocasiones.

Unicamente me queda soñar con el absurdo como volver a nacer para una existencia mejor; soñar que la flor vuela y la mariposa echa raíces. La risa, la alegría, la canción las enterró Antonio bajo inmensas paladas de dolor, y con ellas enterró hasta el deseo de seguir viviendo.

*   *   *

En el sueño, un grito desgarrador y la queja de "¡Dios mío!, ¿por qué me has hecho nacer? ¿Por qué, Señor, he nacido yo y no has puesto a otro en mi lugar?", me hizo despertarme sobresaltada. Acudió a mi grito Amalia, quien se asustó al verme agitada, sudando frío.

Cuando hasta en el sueño el alma se rebela contra la vida, ¿qué no se le reprocha a Dios en el fracaso diario del amor, la amistad, el trabajo?

Sonia me preguntó ¿por qué?, si muchos, tanto hombres como mujeres, darían cualquier cosa por estar en mi lugar, tener lo que yo tengo, hacer lo que yo hago ... Sonia, como los demás, no me comprende: yo no daría nada por estar en el lugar de nadie. Lo daría todo con tal de no estar, de no ser ...

"Con mi esposa discutí, antes de casarnos, el error de tener hijos, Creo que no debemos traer al mundo más seres que irremisiblemente van a sufrir. Traer hijos es aumentar el tamaño del dolor que ya pesa bastante en este infame mundo", anoche, en la fiesta de los Dávila, comentó un médico joven y desconocido para mí.

Este joven médico a mi lado, era la proyección de mi propia voz que de continuo me reprocha haber traído tres seres más, tres dolores vivos, tres corazones en los que se clavarán angustias, miedos, desengaños, humillaciones ...

En realidad, ¿para qué estamos aquí?

* * *

Llegó para mí el invierno. El invierno sólo para mí. Los otros, y con ellos mis hijos, llevan todavía el sol del verano en el fondo de sus pupilas; su piel despide aún calidez de playas y vaivén de olas; las gaviotas siguen revoloteando en los recodos de su corazón.

Para los demás, cielos claros y ensueños de horizontes infinitos. Para mí, cielos de plata dura y empañada, árboles sin hojas, suelo quemado por la escarcha, o la sequía ...

Para mí la soledad sinfín del páramo que no se remata nunca en montaña ni en cumbre: para mí no hay ya más cumbre, ni más montaña.

Sólo frío para mí. Desaliento para mí. Abismo para mí. La muerte para mí ...

Mientras me va creciendo por dentro la muerte, por fuera, a mis pobres carnes viejas y desamparadas les crece el frío. Tanto es mi frío, que no hay algodón, ni lana, ni pieles que puedan cobijarlo.

* * *

Al pasear mi soledad por el Parque Memorial, arrastrándola con mi sombra por el meandro de trillitos que se pierden en la extensión de pinos, robles, helechos, zarzamoras y malezas, pienso en Büber y creo comprender mejor el proceso enajenante que ejerce el amor en todos nosotros: el yo se descubre a sí mismo como mitad incompleta que necesita de la otra mitad para completarse y llegar a ser un todo armónico ... En realidad se vuelve un todo relativo, porque excluye a los demás, los que integran el tú/vosotros/ustedes. Todos necesitamos un Tú para realizarnos en la vida, aunque sabemos que ese "tú" pondrá límites a nuestra libertad.

* * *

"En soledad vivo ... y en soledad muero", y en soledad se me marchitan los besos a flor de labios. La soledad borra de mis manos las caricias. Con cada gesto cotidiano y fútil mueren las semillas de mi ternura que un día anhelaron ser frondoso verdor.

Hace mucho —¡tanto, que ya pertenece a los orígenes del mundo—, la vida fue sol, primavera, ensueño, amor. Hoy es sequía, piedra, acero, tumba.

* * *

Nada vale la pena ya. Nada. ¿Para qué comer? ¿Para qué limpiar si después todo se ensucia de nuevo? ¿Para qué reír si hay que llorar? ¿Para qué dormir si hay que despertar? ¿Para qué sentir, para qué luchar, para qué amar, casarse, tener hijos, para qué? ¿Para qué levantar el brazo, mover un dedo? ¡Quedarme quieta! ¡No rebullir más! Que me crezcan algas, líquenes, musgos, hongos sobre el cuerpo ... ¡No moverme jamás! ¿Para qué vivir?

* * *

Agobiada por el dolor, sólo veo dolor en el mundo que me rodea. Dolor y muerte. Sé que todo es pasajero, menos mi dolor que me seguirá hasta la tumba. Olvido que aunque turbio el paisaje del alma, afuera, en la mañana azul traslúcida, hay siempre un pajarillo que trina; y siempre, como una mano abierta con la dádiva del perfume, se abre una nueva flor: hoy, mimosas, hortensias, gardenias; ayer, para Pascua Florida, lirios, nardos, azucenas; y en el invierno, las violetas esconden el morado diminuto de su humildad entre el verdor de las hojas ... Están muy lejos los fríos de enero y febrero; ya se derritieron las escarchas de entonces, pero todavía quedan violetas que ocultan su humildad entre el verdor de las hojas.

Presiento que tras tanto sufrir, quedará todavía en el hondón de mi ser una esperanza diminuta que sobrevivirá a todos los embates de la vida. El divorcio debe ser la respuesta, porque el suicidio ... ¡No, ni pensarlo! La vida significa mucho para mí, tengo hijos, el trabajo, salud, ¿qué más puedo pedir? La separación: el primer paso ...

* * *

Dos meses llevo aquí, en Madrid, después de la última escenita con Antonio, allá, en Houston. A mi regreso, pediré el divorcio. No tengo otra alternativa. Antonio no me ha dejado otra. Veremos ... Veremos ... Si como suele decirme, soy una inútil que depende de él en todo ... "¿Qué harías sin mí? ¡Dímelo!, ¿qué harás si yo te abandonara o me muriera?", me lo repite y yo sé que tiene razón: sin él yo estoy perdida en los Estados Unidos. Al filo de los cuarenta, y sin saber defenderme sola, ¿vale la pena divorciarse?

* * *

Madrid, 5 de agosto de 1988

Querido Antonio:

Cuando salí de Houston, no tenía ánimos para escribirte ni a vos ni a nadie. ¿Para qué?, me preguntaba, convencida de la inutilidad de seguir insistiendo en que de alguna manera hay que salvar lo poco que nos queda como pareja; no con engaños ni apariencias ante los otros, no; sino apelando a lo más positivo y veraz que hay en nosotros mismos.

Sin embargo, conforme el avión se iba alejando de Houston, minuto a minuto entablé un diálogo interior con vos y comencé a mostrarte todas las heridas de mi corazón. En medio del diálogo, me alzaba de hombros, escéptica, y volvía a repetirme, ¿para qué, si Antonio cree que todo lo que me pasa es prueba de un desequilibrio emotivo y mental mío?

Antonio, nunca has comprendido —o no has querido comprender—, que todo cuanto hago es sólo para lograr en nuestra vida un poco de plenitud. En el avión analicé y entreví mi error de querer que vos, el hombre que es todo para su arqueología y que con ella realiza un coito trascendental a diario, quiera también realizarlo con una mujer, con su mujer —una simple mujer llena de majaderías y caprichos y sicosis hereditarias.

A lo largo de todos estos años de convivencia, me has enseñado que para hombres superiores como vos, la mujer no es más que un ser inferior que a veces realiza cosas maravillosas, como un deleitoso estofado o arroz a la valenciana, o perdices a la francesa; o impresiona a los jefes por su belleza y elegancia; o recibe alabanzas de las esposas de los colegas por lo bien educaditos que tiene a los hijos. Según lo has repetido hasta la saciedad, tal ente femenino está en el mundo sólo para satisfacer las necesidades físicas y espirituales de los hombres —si es que a ellos les tocan de compañeras o amantes las sumisas, quienes logran olvidar todos los maltratos y se portan siempre como gatitas mimosas. ¿Para qué mantener, entonces, comunión espiritual con entes tan incompletos e infelices como nosotras? ¡Que ocupemos nuestro tiempo y compensemos las insatisfacciones con los hijos! Que nos dejemos de mortificar con problemas cotidianos mujeriles, pues ustedes, los científicos, tienen entre manos problemas más serios que conciernen al mundo entero y no a un sólo y mínimo individuo que les sirve de esposa.

Así piensan hombres como vos, llenos de ciencia, de saber, de "verdades" humanas; sin embargo, vacíos de la más hermosa verdad humana: EL AMOR. Te vives repitiéndome que me quieres. Probablemente sí, pero este quererme tuyo es más que nada necesidad de muchas cosas: de que permanezcamos unidos como familia; de que mantengas ante los otros tu careta de hombre ejemplar como profesional, como esposo, como padre, como amigo, como macho muy macho; de que a tus hijos no les falte una madre; de cumplir a rajatabla con tus inviolables preceptos religiosos.

Tu decantado quererme es un trasto más que pertenece al compartimento de los convencionalismos. En suma, los dos somos unos frustrados que fracasamos juntos. ¿Por qué? Porque según me lo reiterás, es mi culpa, soy fría, poco afectuosa, despojada de pasión, no me interesa el amor. ¿Con qué derecho me juzgás si ni siquiera te has tomado la molestia de tratar de conocerme durante todos estos años de convivencia? ¿Sabés, acaso, con qué ardorosa pasión llegué a Houston a casarme, convencida de que eras el único hombre para mí y ¡con qué dolor profundo comprendí que me había equivocado ... ¡La primera noche!, esa espléndida noche de sueños realizado para las vírgenes que han mantenido sus lámparas encendidas alertas a la inminente venida del amado, durante mil veces mil noches ... Esa no fue para mí noche de epifanía, porque vos sólo necesitabas saciar las necesidades que tu fanatismo religioso te prohibía satisfacer fuera del matrimonio. Saciar tu hambre de sexo, como brutalmente me lo dijiste. Así, convertida en objeto de placer, el apasionamiento que traía, se me fue enfriando. No, en realidad se me fue enconando en el corazón, herido, maltratado. No se trata sólo de ser afectuoso en la cama. Lo que he buscado es una plena comunicación, un diálogo intenso, que se extienda más allá del beso, del abrazo, de la unión de nuestros cuerpos.

Antonio, ¿qué más querés de mí? Por vos dejé mi familia, mi país, mis amigos, mi trabajo, que lo era todo. Te di mi juventud y con ella también se ha ido, dándote hijos, mi poca salud. Me he desvivido por que nada te falte. Por vos he tratado de superar mi timidez, mis fobias, mis ineficiencias. De tanto dar, me he quedado con las manos y el alma y el corazón vacíos. ¿Por qué crees que a veces grito por la más mínima travesura que hacen los hijos? Mi grito no es por esa nimiedad, ni por los hijos. Ese grito es el de mi alma maltratada y humillada que muestra a voces sus heridas ... ¿No lo comprendés, Antonio?

Cuando a la mujer se la relega a la categoría de instrumento útil —madre, mucama, cocinera, chofer, proveedora de placeres sexuales—, sólo puede actuar mecánicamente. ¿Y qué le queda si es honesta? Quemarse día tras día en una infinita sed de amor, imposible de saciar.

En tu carta, que después de un extensísimo silencio, recibí la semana pasada, me decís que deseás vernos de nuevo unidos. De acuerdo, siempre y cuando vayás a ver al siquiatra consejero de matrimonios para corregir tus aberraciones, como yo he corregido las mías. Siempre y cuando yo no tenga que mentirte fingiendo bienestar y felicidad, lo que nunca tuve a tu lado. Siempre y cuando podamos mirarnos francamente a los ojos y podamos decirnos que estamos prestos a dar la vida cada uno por el otro; siempre que intentemos la felicidad mutua, vos con tu arqueología, yo con mi literatura, la cual das en llamar "babosada". Pero cuando estés en casa, entregado de veras a la vida familiar, menos periódico, menos dormir, menos dictáfono ni papeles que deben quedarse en la oficina o para después de que los hijos se hayan ido a la cama. ¿Sabés acaso cuánto pesa sobre mí la responsabilidad de los chicos sin contar casi nunca con tu autoridad de padre? ¿Para esto me casé?, me pregunto sin descanso. ¿Para esto?

Camino por las calles de Madrid y las parejas (novios y casados) que transitan en un nudo de amor me traen la nostalgia muy dolorosa de aquellos años de juventud en los que nuestro noviazgo fue siempre separación, sacrificio, distancias, cartas, pero siempre la dicha constante del amor que nos profesábamos. Hoy me pregunto con desgarro qué pasó durante los años de ausencia que desde el momento en que nos casamos me avasalla la impresión de que a pesar de que me querés, algo muy íntimo tuyo se rebela contra ese afecto; hay en vos un espacio donde no sólo me rechazás, sino también te avergonzás de mí en forma solapada. Tan sutilmente reprimidos llevás el rechazo y la vergüenza, que vos mismo no mentís al negarlos; no los reconocés o no los admitís. Admitirlo sería quizás la manera de atacar el daño.

Decíme la verdad, ¿qué te avergüenza de mí? No soy fea ni contrecha como Laura y sin embargo Alberto la adora; no soy chismosa ni irónica como mi prima Milagros y sin embargo los hombres se le rinden; no soy desgarbada ni agresiva como Faustina; ni pretenciosa y altanera como Sara. Más de un hombre me expresa su admiración y sé que algunos querrían estar en tu lugar. ¿Es que en realidad nunca me has querido? ¿Te casaste conmigo sólo porque me habías dado la palabra en aquellos días del París de bohemia estudiantil?

Aquí, sola, extremadamente sola y triste, sin saber siquiera a quién recurrir si algo me llegara a suceder, compruebo que para mi desgracia, allá, en Houston, la misma soledad se continúa. ¿Crees, Antonio, que vale la pena seguir viviendo así?

Los chicos me hacen muchísima falta. Sueño con ellos casi todas las noches y no hay momento que no los recuerde. ¡Ah, si pudiera tenerlos aquí, conmigo, para pasearnos por el parque de El Retiro como nos paseamos allá por el Hermann o el Memorial!

¡Cómo extraño esas aventurillas forestales con ellos, perdidos los cuatro en los trillitos del bosque como en un laberinto de senderos, y en busca de la difícil salida!

Espero que hayás hecho algo por acercarte a Gonzalo. Este muchacho me preocupa de veras. Si hacés un sincero esfuerzo, todavía estás a tiempo de recuperar a tu hijo porque no ha dejado de quererte ni de admirarte. Soy mujer y los muchachos prefieren tratar sus cosas de hombre a hombre. Así me lo hizo saber cuando intenté entablar diálogo sobre su problema. Te ruego mantenerte en contacto con el rector del colegio para saber si ha seguido con la mariguana. Antes de venirme a Madrid me preguntó con lágrimas en los ojos: "¿Por qué papá no está nunca en casa, mamá? ¿Son más importantes su trabajo y sus libros que nosotros? Mis amigos van de pesca y juegan al béisbol con sus padres y yo ... A veces me preguntan si no tengo padre". Antonio, es obvio que nuestro hijo busca refugio en la droga para escapar del dolor de tus ausencias. ¿Me prometés ocuparte de él? ¿Me lo prometés? Es tu hijo y por un hijo se sacrifica todo.

Con la incertidumbre de un futuro oscuro y poblado de soledad, me despido quién sabe hasta cuándo, quién sabe cómo y quién sabe dónde,

Renata

*   *   *

En un hotel de primera, con todos los lujos modernos, sería una manera de enajenarme en Madrid; sería entrar en el mundo del turismo, el cual repudio porque equivaldría a no penetrar en el Madrid invisible, pedazo de la "España invisible" que percibió Azorín.

El Hostal Cantaclaro es sólo un diminuto cuarto pobre, arreglado con mal gusto, pero limpio. "Te alojás en ese hostal, Renata, porque no te puedo pagar algo más caro", me dijo Antonio cuando accedió a que me viniera. "Diré a todos que te has ido, como cada verano, a hacer tus estudios. ¿Vale? Los hijos no deben saber lo que pasa entre nosotros; los amigos, tampoco".

Yo, en el Cantaclaro, en habitación de $6.00 el día con pensión completa. Sin embargo, cuando él vino a dar unas conferencias, permaneció una semana en el María Isabel, a $100.00 el día. ¿Cómo pretende que los amigos no noten la diferencia? En esa ocasión me pidió que lo fuera a buscar en taxi al aeropuerto y en el camino al hotel, "¿te quedarás en el Cantaclaro, verdad?" Asentí, como siempre, pero por curiosidad entré con él a la habitación de su hotel. Ante mis ojos se desplegó la visión material de nuestro matrimonio: para él, billetes de primera en avión, hoteles de primera, queridas de primera; para mí ... ¿A qué seguir, si es el cuento de la buena pipa?

En el bochorno del verano madrileño, a media tarde, cansada de manuscritos y libros raros de la Biblioteca Nacional, mi humilde cuartito me acoge para hacer la siesta. En la Biblioteca vivo sumergida en el pasado. En mi habitación, me carcomen la soledad, el silencio, la tristeza, la angustia del final innminente. Un capítulo más se cierra en mi historia. Este capítulo comenzó aquí, en Europa, y aquí se ha puesto a agonizar, después de cuatro décadas de padecer un mal incurable: ausencia de amor ...

¡Curioso!, entre las páginas de mi diario hallé un recorte de periódico titulado "Ausencias". En él, Julián Marías comenta que hojeando una gran enciclopedia publicada en España, se encontró con que no existía el artículo "Amor", lo cual le pareció muy escandaloso. Sin embargo, su escándalo alcanzó mayores proporciones al comprobar que "esa ausencia era generalizada", pues sólo encontró "Amor" en la *Enciclopedia Británica*. En seguida agrega que en el pasado no fue así. Esto lo lleva a deducir que "la máxima parte de la bibliografía científica o didáctica de nuestro tiempo es inquietante, no por lo que dice, sino por lo que calla". Marías dice que "Poco a poco, se va engendrando en la mayoría de los hombres de nuestra época, y cada vez más, una idea de realidad que la amputa de sus porciones más interesantes, la empobrece hasta grados que no se hubieran sospechado en otros tiempos, la reduce inverosímilmente ... ". Al final, remata el artículo diciendo que se está llegando a una simplificación que ronda la zoología.

*   *   *

"Lola, necesito contarte por qué estoy en Madrid". Una tarde, en *La Ballena Alegre*, el lindo rincón de poetas y chiflados intelectuales, se lo dije todo después de la charla sobre Juan Ramón Jiménez. Lola y yo comenzamos la amistad en la Biblioteca, donde ella va también a investigar. Su soltería cuarentona se le sale a chorros por su manera de vestir, por el maquillaje, por el peinado; además, algo en ella tiene tufos de solterona que emiten irradiaciones, las cuales se perciben de muy lejos.

"¿Quieres decirme, maja, según deduzco de tus palabras medio vagorosas, que el problema o parte del problema entre Antonio y tú proviene de que él mucho de *aquello*, pero nada de ternura ni afecto? Y que tú, ni pum, si no hay caricias ... ¿Me equivoco? ¡Ay, chica, cómo se ve que no has pasado ayunas como yo! ¡Qué no daría yo por tener un Antonio, así de carnal y hambriento de sexo como el tuyo! Es hora de que te olvides del amor, las ternezas y esos perendengues del romanticismo novecentista. Todo eso pasó ya a la historia. Tú no sabes de mis noches sin un alivio a mis ardores de hembra. ¡Ah, lo que daría ahora por haber aceptado casarme con aquel árabe de mi juventud! A cambio, escogí los libros y la carrera. ¿Ves?, soy muy ambiciosa, pero la he pagado caro, muy caro ... Aquí me tienes, realizada y con éxito como intelectual; fracasada como mujer, porque eso de la decencia, de los escrúpulos, de la moral, de los principios religiosos, como lo quieras llamar, pesa más que una lápida de sepulcro, créemelo, Renata".

¡Vaya, vaya!, también Lolita, con su bagaje intelectual y su gordinflón andar de empaquetada soltera, "ronda la zoología", como afirma el filósofo español. ¡Ah, pero yo sigo y seguiré lamentándome *per saecula saeculorum* por las ausencias del amor, aunque me tachen de anticuada!

*   *   *

Ya me he habituado a los comensales del hostal y de veras me siento bien entre ellos a las horas de las comidas. Creo que en parte se debe a que escenas como éstas las imaginé en las páginas de Galdós, Baroja, Pérez de Ayala. Experimento la impresión de que aquí continúo, en la realidad, lo que ellos captaron de esas pensiones. Algunos de ellos, son personajes pintorescos, de los que vale la pena hacer apuntes, mi manera de tomarle el pulso a la ciudad:

Gaspar, el torerito de diecinueve años me cuenta que sólo le falta el último grado "para doctorarse", sí, dijo doctorarse y yo, que estoy en vías de obtener mi doctorado en letras, lo envidié, porque a mí me falta un trecho largo con eso de la tesis de mis pesares.

"Y cuando me doctore, seorita, me compraré un Mercedes Benz que va a parar el tráfico de la Castellana. Pondré un piso a todo lujo en lo mejor de éste mi Madrid. Por supuesto, me va costando ya varias cornadas y largas curaciones en el hospital, pero voy tirando y vale la pena, se lo aseguro yo ... No, seorita, no crea, no hay empresarios que nos puedan explotar, pues el Sindicato de toreros nos protege y hasta nos provee trabajo. A usté le daré una banderilla para que se acuerde de mí en esas tierras de América ... "

Gaspar es imberbe, guapo, fornido, lleno de salud. Los planes, los ensueños de grandeza que hinchan sus palabras, temo que entre cornada y cornada se los lleve la muerte. Es tan joven, que no sabe aún que toda altura tiene a sus pies un abismo; ni siquiera adivina que hay alturas inaccesibles. Es mi joven don Quijote que en medio del ruido de vajillas, cubiertos y voces del comedor, arrulla esperanzas e ilusiones con el ritmo semiandaluz de sus palabras mientras conversa conmigo entre tragos de vino y bocados de besugo. Mientras va hablando, me viene al recuerdo Kahlil Gibran: "no me digas lo que un hombre ha hecho. Dime lo que él sueña hacer", y sonrío con fe en Gaspar.

La habitación de Gaspar está al lado de la mía y entre mi cama y la suya sólo media una ligera pared de cartón-roca; sus ronquidos, sanotes, joviales y resonantes, repercuten en mi cubículo, poblando mis noches de raras pesadillas. La primera vez, abrí los ojos al terror de creer que un extraño roncaba en mi propia cama, junto a mi oído derecho. Al comprobar que no había nadie y los ronquidos seguían ahí, a mi lado, tuve el impulso de salir por los pasillos del hostal pidiendo a gritos socorro. La razón tomó las riendas del terror, analizó la circunstancia y descubrió la fuente de origen de los ronquidos. Entonces comencé a imaginar los orgasmos que podía tener Lola si durmiera en esa cama, al lado mismo del atractivo torero, quien roncaba y respiraba pared de por medio ... Me eché a reír sola, sin ton ni son. ¡Pobre Lolita, las cosas que se me ocurren! Estará rondando la zoología, pero no creo que su hambre de sexo llegue a tales extremos.

Mi otra vecina de cuarto es la señora García Ponce, una pobre neurótica, quien acaba de salir de una institución mental. En la actualidad está separada de su marido, quien se fue con una muchachita a la que le triplicaba la edad; ya se sabe, las crisis cincuentonas de la tan calladita menopausia masculina. Por supuesto, la pobre se desquició con esto. A buena mañana se levanta, y con un vozarrón ahuecado que no calza bien en su menudo cuerpecillo hecho todo de huesos, se vive llamando a Joaquina, la mucama, para que le traiga esto, aquello, lo otro y lo de más allá. La paciencia de Joaquina no tiene límites. "¡La pobrecita, ay, la pobrecita, me da tal lástima, que hay que ver!", me comenta la mucama, haciendo con el índice en la sien derecha señales de locura.

La señora García Ponce baja y se desayuna en un santiamén, con las prisas del que va a llegar tarde a una cita o al trabajo; pero ella ni tiene ninguna cita, ni trabaja: va directo al cuarto de estar donde se arrellana en un sillón (el que clama ser suyo aunque es de todos). Entonces saca de un bolsón enorme su eterno chal de lana y se queda muy campante arrebujada en él (¡en medio del verano madrileño!). En esas noches ardientes, mientras todos dormimos sin cubrirnos ni con una sábana, ella tirita de frío y tiene que envolverse en tres mantas. Todos mantenemos las ventanas abiertas para que entre al menos la brisa del amanecer, pero ella mantiene la suya muy cerrada. Yo sé, por experiencia, que su frío no es físico; lo he padecido: es frío que nace de la más intensa soledad y tirita a la sombra de los sepulcros, sin esperanzas de nada.

Al verla leyendo con tanta concentración mañana, tarde, noche, mañana, tarde y noche, pienso que es una excéntrica intelectual con la que será interesante amistarse. Joaquina, me informa que lee sólo novelas de Corín Tellado: "Mire usté, señora, ya no cabe nada en su recámara con esta montaña de novelas", me enseña la mucama el interior del cuarto, en el cual los rimeros de libros desordenados y llenos de polvo ocupan todos los rincones, hasta la parte de la cama que probablemente la inquilina no ocupa, como yo, que acostumbrada a la presencia de Antonio, todavía dejo intacto su sitio hasta cuando duermo; es un rito sagrado que inculcan los años de convivencia y que se sigue practicando a manera de eliminación del sitio y del que fue su ocupante. Siempre creí que sólo yo practicaba tal rito, pero hoy compruebo que es un error. El amontonamiento de libros que lee y relee la señora García Ponce trasmite a su recámara un aire de aislamiento, abandono; los libros se levantan como muros inexpugnables de una fortaleza que la defiende contra la realidad de afuera, la que abarca la felicidad de su marido con su amante jovenzuela. Experimento entonces una gran lástima por la señora García Ponce, quien escapa de sus frustraciones refugiándose en los amorosos triunfos imaginarios de personajes de novela rosa.

En mi habitación, pienso en el contraste tan grande entre mis dos vecinos de cuarto: la vieja, yerma de sueños, escapa de la realidad por los canales de vidas ficticias noveladas; y Gaspar, el mancebo, sueña sueños vitales y fértiles, llenos de posibilidades. En medio de los dos, yo, otra fracasada, pero a la que no se le han muerto aún los sueños.

*   *   *

Madrid, 15 de agosto de 1988

Antonio:

Tu reproche de que no te escribiera antes, es más que infundado: yo te advertí, antes de salir de Houston, que en el estado de ánimo en que estaba no sabía si llegaría siquiera a escribirte y que a lo sumo, les escribiría a nuestros hijos. Espero que Gonzalo esté pasándola bien en el campamento de Ozark y que Amalia y Gaby disfruten de la vacación con sus amiguitas. Dales todo mi amor.

Te he pedido varias veces las direcciones y teléfonos de tus muchos amigos de aquí para ponerme en contacto con ellos. Desde hace tiempo he querido conocer al Dr. Martín Cuevas, ya que he leído algunos de los artículos que publica en *La Vanguardia* y otras revistas. Sabés que no conozco a nadie aquí. ¿Es que te avergonzás de mí, Antonio y no querés que tus amigos me conozcan? Ya sé que no soy perfecta; tampoco soy una energúmena.

Me reprochás que te desprecio. Todos estos años juntos no te han permitido conocerme: yo nunca habría podido vivir ni un solo día con un hombre que despertara en mí desprecio de ninguna clase. Se desprecia lo vil, lo bajo, lo desechable y no sos nada de eso. Hay en vos un fondo de nobleza que reprimís ante mí en especial. Y por ese cachito de nobleza, jamás te podría despreciar, ¿comprendés?

En tu carta me pedís que reflexione y te diga qué quiero de vos en el futuro. Antes de venir aquí, deseaba un matrimonio que no se sometiera al convencionalismo de dos que sólo se aguantan como estábamos viviendo estos últimos años. ¿Romanticismo a estas alturas? No es eso. Ni de joven lo esperé de vos, Antonio. Creo que vos y yo tenemos cualidades que son terreno abonado para la más auténtica de las relaciones entre un hombre y una mujer. Si pusieras de tu parte, ¡cuán honda e intensa sería la experiencia de amar! Imposible llegar a eso porque les temés, quién sabe por qué, a las manifestaciones íntimas de afecto. Sustituís el afecto y la ternura con el sexo o con mimetismos amorosos, los cuales nunca podrían llenar en una mujer el vacío inmenso que deja la ausencia del auténtico amor. Me pregunto si ese miedo a que la mujer llegue al fondo de su intimidad es lo que lleva a hombres como vos a mariposear de una a otra ...

Ahora, después de que me dijiste que cerrabas capítulo y te irías con la de turno, sólo me queda aceptar lo siguiente: una relación amistosa, muy cordial, de hermano, de lo que sea, pero *sin más reproches de ninguna índole*. Saldremos juntos de cuando en cuando, cumpliremos con compromisos para disimular ante los hijos, sólo ante los hijos, porque los demás, me da igual lo que piensen. Eso sí, cuando llegue el momento en que pensés irte definitivamente con otra, te ruego prepararme para no recibir más golpes ni desengaños como el último. Por mi parte doy por terminada mi vida sentimental. Quedan conmigo los recuerdos de un lejano París de locuras estudiantiles, los besos que nos dimos en los cafés y en los bulevares, la ilusión con que te esperé y tres hijos en los que seguiré poniendo lo mejor de mi vida, porque ellos serán todo para mí a partir de ahora.

Será el principio de una nueva vida ... No hay que desesperar, porque cuando algo termina, algo siempre comienza, y la esperanza, que es elástica, vuelve a anidarse en el vacío que dejaron las ilusiones ...

Hasta Houston, que será pronto,

Renata

                              *   *   *

En el comedor, le gusta sentarse a mi lado a don Rafael, calvito, modesto y cortés. No hay día que no haga alarde de que en medio del infierno estival, él goza en su oficina del más fresco aire proveniente de potentísimos ventiladores. Mientras va hablando, pienso en que si alardea por unos ventiladores, ¿qué no diría si contara con el sistema de aire acondicionado central que gozamos en Texas?

Hay algo tan húmedamente sedentario en don Rafael, que pese a la simpatía que me inspira, no puedo dejar de compararlo con los hongos; a veces hasta le siento emanaciones de hongo. Lleva su oficina metida hasta en el último resquicio de las palabras. Se goza repitiendo con satisfacción que su vida, "ya ve usted, señora, transcurre día tras día del despacho al hostal y de éste al despacho. Los domingos, ¡Señor, qué interminables! Mi único deseo es que venga el lunes (ese tan odiado lunes para todos nosotros, él lo anhela), para volver a la rutina de mi despacho y a la frescura de mis ventiladores. Vea usted si mi vida no transcurre grata y muellemente: efectuamos las ventas sin salir a la calle, pues toda transacción la realizamos por teléfono".

Don Rafael me pone de mal humor. La verdad es que me incomoda pensar que alguien puede estar tan satisfecho de ser hongo, digo, piececita mecánica del inmenso engranaje burocrático-mercantil. ¿Su vida, don Rafael, no es más que eso, una chirle satisfacción de empleado ejemplar? ¿No experimenta fuertes emociones? ¿Nunca una rebeldía contra la infernal rutina? ¿Cómo le hace para caminar tan erecto, tan caballero impecable dentro de su viejo traje lleno de manchas lustrosas y en partes ludido?

"No lo comenté con los otros, porque no deseo disminuirlos. Quiero contarle que mis apellidos son de ascendencia aristocrática, de una antigüedad que llega a los tiempos del Cid", me confiesa muy en secreto. Yo pienso en sus antepasados y no puedo imaginarlos héroes que han ganado sus títulos con el sudor y sangre derramados en guerras y conquistas. Es tan arraigado en él el sedentarismo y la sujeción al superior, que su tronco familiar debe estar sustentado por parásitos cortesanos que recibieron títulos por servir de pajes, de roperos mayores de palacio, de guardallaves, de escancieros; en suma, criados de los todopoderosos, sobalevas, chupamedias y lameculos palaciegos ...

No me malentienda, don Rafael, no tengo nada contra usted. Al contrario, me encanta hablar con usted para aprender cómo se puede ser feliz en un mundo tan diferente al mío. Sí, reconozco que soy desconsiderada, don Rafael, pues pretendo que los otros vivan ardiendo en el infierno de la disconformidad, del desafío, de la rebeldía. Soy una especie de Luzbel.

Me reconcilié con usted, don Rafael, la noche que me contó de su participación en la Guerra Civil Española y cómo se rebeló contra su capitán cuando le dio orden de ejecutar a unos republicanos sin hacerles proceso judicial alguno. Su cólera ante las injusticias de aquellos infaustos días; su huída hacia la frontera para salvarse; los peligros que corrió, todo contado con voz monótona, sin emoción, denunciaba un ser vivo que antes de sepultarse en una oficina y antes de devenir piececita del sistema burocrático, fue un hombre, nada menos que todo un hombre. ¿Y sabe usted cuán gratamente me sorprendió al contarme que su gran deleite es reunirse con su Club Nacional de Gourmets a preparar sabrosos platillos de su región? ¡Y yo siempre había creído que los españoles dejaban la cocina para las mujeres! Usted me prueba que no se puede generalizar.

Sin embargo, ya ve usted, don Rafael, lo lejos que estamos uno del otro: para mí comer es sólo una necesidad que hay que satisfacer si queremos sobrevivir. Dormir, soñar dormida y despierta, sí son mis placeres. ¿Existirá un Club Internacional de Empedernidos Soñadores para sumarme a él?

*   *   *

Los Tenorios nunca faltan en grupos tan heterogéneos como el del Hostal Cantaclaro. Pequeñajo, panzón, ojosaltones, desdentado y con la cara atravesada por una maraña de arrugas, aquel don Juan, digo, don Abundio Carvajal, entraba al comedor pisando fuerte. Sin pérdida de tiempo, comenzaba a alardear de su capacidad de conquista con un "apuesto a que en media hora me conquisto a esa Zutana", o un "no hay mujer que se me resista". Al principio, yo pensaba que era un bromista, pero don Rafael me sacó del error. Al poco tiempo, se atrevió conmigo: "¿Es usted casada o soltera? Bueno, ahora que sus hijos están creciditos y se valen por sí mismos, es igual que si fuera soltera, ¿no lo cree?"

Por poco le suelto la carcajada en sus propias narices. Una oleada de tristeza ahogó la risa: tras de tanto infortunio como traje a esta ciudad, sólo me faltaba que un don Juan achacoso y de baratillo tratase de conquistarme, ¡a mis muchos años!

Me retiro a mi recámara considerando el engreimiento de algunos hombres, de la mayoría, puedo decir, que llegan a nonagenarios y son sólo desechos de hombres, pero todavía hacen alarde de virilidad; no cesan de rondar la zoología. Nosotras, las mujeres, a partir de los cincuenta, y aún antes, tratamos de acallar nuestras pasiones para vivir los últimos años en paz y con dignidad. ¿Será sana tanta represión?

                          Madrid, 28 de setiembre de 1988

Antonio:

Hoy me puse a pensar que en tu propia casa te has vuelto forastero. Ya no es hogar para vos, que es hostal donde pocos días, muy pocos días, comés y dormís y leés el periódico y escuchás las noticias de la tele. Antes —en un antes de una infinidad de años—, sembraste con ilusión en mi tierra joven y fértil tres semillitas que poco a poco fuiste abandonando para que crecieran sólo al calor de mi afecto, mis desvelos y cuidados: me crecieron tres lindos adolescentes que han llenado mi vasta soledad de alegrías, lágrimas, trajines, preocupaciones, angustias. Antes, ellos preguntaban dónde está papá, cuándo vuelve papá. Ahora ya saben de memoria que en tus manos siempre llevás la maleta de viaje y el billete de avión rumbo a la fama, pasajera fama que te va dejando agrio y vacío, que de nada va a servirte en el momento de la vejez y de la muerte. El hueco de tu cama ya está frío, y a la hora de las comidas, el extremo de la mesa que te corresponde, lo ocupa casi siempre tu hijo, porque sos forastero en tu propio hogar.

Los pocos días que permanecés a nuestro lado, en tu propia casa seguís siendo forastero en viaje mental por el intrincado laberinto de ruinas griegas, excavaciones mayas, congresos de arqueología, reunión de miembros de la Sociedad de Arqueólogos de Houston, alumnos, público, la tele, conferencias en España, Argentina, Japón, Turquía, Alemania, presupuestos, empleados, artículos para publicar en revistas de alto alcance internacional ... Digna labor la tuya que nos honra a todos, nos trae el pan de cada día, no lo puedo negar —con mi pobre y reducido sueldo de mujer discriminada, tus hijos se morirían de hambre—, con ella, das prestigio a tu país, a tu familia, a la institución que representás, pero nos van quedando de vos sólo residuos de soledad, mendrugos de amor.

En tu propia casa, entre nosotros, te hablamos y como si te hubiésemos hecho bajar de otro mundo, azorado te posás por unos momentos en nuestra realidad de hay - que - comprarle - a - Gonzalo - ropa - nueva - porque - crece - mucho - y - todo - le - queda - pequeño - se - descompuso - la - lavadora - Amalia - quiere - tomar - clases - de - ballet - Gaby - habla - en - clase - y - Miss - Golding - se - queja - Gonzalo - se - cayó - y - el - doctor - le - tuvo - que - dar - unos - puntos … Pero no acabás de entrar, cuando salís sin pérdida de tiempo, rumbo a tus ámbitos cerrados para nosotros. ¿Cómo te fue hoy?, te preguntamos, y sólo "bien" es tu respuesta, sin otra palabra más, como si las palabras se cotizaran a altos precios; como si tus palabras nos fueran a revelar un cachito del misterio de tus ámbitos inabordables.

Forastero en tu propia casa, llegará el día en que no te veamos más salir ni entrar a la casa, porque tu vivienda será entonces un extraño hotel infinito, suma total y continua de todos los hoteles que vas ocupando.

¡Pobre forastero con la esperanza inútil de abrir caminos en el agua de la fama! Antonio, pobre forastero eterno, no le temés a la vejez? Y a la hora de la muerte, ¿imaginás que allá donde vayás, te llevarás el esplendor de la fama? Todavía estás a tiempo … No puedo seguir, los reproches se me vienen a borbollones, mejor romper esta carta, como las otras, y sanseacabó …

*   *   *

Como si saliera de una de las fotos suyas tan conocidas (trajeado de negro, con barba semicanosa, espejuelos y sombrero muy peculiar), Unamuno me da palmaditas en la espalda; se podría decir, palmaditas de viejo camarada, y me dice:

—Bien hecho, mujer, muy bien. ¡Adelante y nada de desánimos!

Me quedo en la penumbra del sueño preguntándome si el inmortal don Miguel de Unamuno me felicita por haber defendido mis derechos de mujer rechazada y harta de humillaciones, o por los esfuerzos que hago por realizar una obra literaria que abarque la infinitud de mi cosmovisión … ¿Por qué Unamuno? ¿Sus palabras de aliento, por qué?

XIX
LOS INSTRUMENTOS DE LA VIDA

Para la tarea del arte la ceguera no es una desdicha. Puede ser más bien un instrumento. Todo hombre debe pensar que cuanto le ocurre es un instrumento que se le ha dado para un fin. Esto es más fuerte en el caso de un artista. Lo que le pasa, incluso las humillaciones, los bochornos y las desventuras, le ha sido dado como arcilla, como material para su arte. Tiene que aprovechar eso. Se nos ha dado para que hagamos cosas eternas.

Jorge Luis Borges

Todo tiene su lado bueno y su lado malo; el movimiento feminista no escapa a la regla: un ama de casa de Nueva York se opone a la Enmienda de Igualdad de Derechos, conocida en inglés como ERA, pues afirma que el movimiento feminista fue una necesidad y un bien para la nación en los años 60, pero que en la actualidad adolece del defecto de haber descuidado los derechos de la mayoría de las amas de casa y madres de familia.

El Monitor Feminista, Noviembre de 1975

Renata se sentía muy golpeada moralmente y con deseos de quedarse sola en el cuartito del hotel, pensando en los últimos acontecimientos de su vida, en la nueva querida de Antonio y cómo se despilfarraba él obsequiándole diamantes, aquí, perlas, allá, perfumes, acullá; ni qué decir del derroche de pieles de visón despampanantes, ramos de flores con cualquier pretexto, paseos por el Caribe, Europa, El Gran Cañón, las Cataratas del Niágara, el Lago Titicaca, Bariloche... Con angustia se preguntaba qué había hecho ella desde el comienzo de su matrimonio para que Antonio le obsequiara sólo sartenes, zapatos, trajes baratos, el televisor que pertenecía a toda la familia, la cámara fílmica y el proyector de películas, artefactos que iban a ser para el uso exclusivo de él. Al principio, en su ingenuidad pensó que el presupuesto de Antonio no le daba para más y en silencio aceptó la humillación de representar el papel de esposa-cenicienta. Después, poco a poco, conforme charlaba con las amigas, comenzó a abrir los ojos a la realidad y

—¿No soy acaso bastante mujer para que me obsequiés un perfume, una joya, un traje elegante para lucir en alguna recepción de postín como les regalan los maridos a mis amigas?—, le preguntó cuando para su cumpleaños le trajo de regalo el mantel que hacía tiempo necesitaban para cuando tuvieran comensales.

—¡Bah!, vos no sos mujer para eso. Con tus libros y papeles, te las arreglás de maravilla y no necesitás de las frivolidades de las demás. Eso fue lo que me atrajo de vos, tu sencillez, tu actitud práctica ante la vida, tu no perder el tiempo en todas esas idioteces de mujeres anodinas. No me vengás ahora con que has cambiado y también te chiflan las trivialidades que sorben los sesos a las otras.

"Tu no costarme nada, tu no dilapidar lo que derrocho
       en Diamela, en María, en Elsa, en la amante del
       momento,
pero "no tengo dinero, ¿podrías esperar al final del mes
       para darte la segunda quincena de tu presupuesto?
¿quién entiende a los hombres?,
allá, con su familia, ante el despampanante lujo de su
       cuñada,
por él, no por mí,
pues no quería verme reducida a menos,
(orgullo de macho ricohombre),
ante los demás, en fin, el cuerno de la abundancia,
ante mí y para mí,
sólo noes, reticencias, prohibiciones,

"no gastés, no necesitás, no hagás, ¿acaso a vos te in-
teresan libros de política, filosofía, de materias profundas, o las noticias?",

"Andá, Renata, ve a prepararme la cena y sanseacabó,
no me pidás que comente con vos lo que ni entendés, dejáme leer el diario y tranquilos, no me
interrumpás otra vez porque ya estoy hasta la coro-
nilla de tus estúpidos comentarios y este capítulo
sobre los imperialismos que han venido explotando
a Latinoamérica no está para interrupciones",

"¿pero Antonio, que no son los gringos los únicos?",

"¿lo ves, mujer, lo ves?, vos de la misa, ni la media,
no sé para qué perder el tiempo explicándotelo: las
mujeres en la cocina y los quehaceres domésticos,
dejáme tranquilo, ¿cuánto falta para cenar?, ya tengo
hambre y vos aquí perdiendo el tiempo en inútil
cháchara que interrumpe mi interesante lectura",

Antonio habla como mi madre, igualitico, cualquiera
diría que Antonio es la encarnación de mi madre
con pantalones,

en mis sueños los dos son uno y el mismo,

en aquella lejana premonición de la muerte de mamá,
me anunciaron que era Antonio el que había tenido
un colapso en medio de la calle y que lo habían
llevado a la morgue para identificar su cadáver, y
yo, "pero ustedes dicen que es pequeño, regordete,
canoso, Antonio es alto, muy espigado, de negrísimo
cabello lleno de juventud, se equivocan, el muerto
no es Antonio",

y cuando por el tubo del teléfono llegó la infausta nueva
de la muerte de mi madre, comprendí que el perspi-
caz diablillo de mi subconsciente había fundido la
imagen de mamá con la de Antonio, y es que las
ideas de uno son el calco de las del otro: "las mujeres en la cocina, dándole gusto al marido en sus
apetencias gastronómicas,

(¿cuánto falta para cenar? ¿Qué hay para comer hoy?)

en la casa, al cuidado de los hijos,

(no los educás bien, Renata, tiene razón mi madre,
están muy malcriados),

en la cama, las mujeres han de someterse a sus apetencias eróticas, que para eso son hembras, escabel
donde los maridos reposen sus plantas al final de

una larga jornada".

—Me conociste cuando sólo era una pobre estudiante universitaria, allá, en el París donde todos éramos tan pobretones que la pasábamos apretadamente día tras día. ¿Cómo me iba a enamorar de un Christian Dior o a desear un bolso Gucci o una falda Pierre Cardin, Oleg Cassini o qué sé yo? ¿No dicen que la felicidad consiste en no apetecer más de lo que se puede adquirir? En aquellos días, me contentaba con pasarme los sábados y los domingos en el Louvre que no me costaba nada y me daba muchas horas de placer y emoción. En esos días, el Luxemburgo con sus estanques, avenidas, estatuas y aquel cambiar de tonos según las estaciones, el frío, el sol, la caída de las hojas, llenaba mis horas de gozo, como también las llenaba el Bosque de Boloña, la Madeleine y el Obelisco en aquella armoniosa y sosegada arquitectura dieciochesca ... , y todo eso era gratis, completamente gratis. ¿Ya no te acordás?

Oyéndola escarbar en los recuerdos de estudiantes, se le enternecían la mirada y la voz a Antonio; se le suavizaba el gesto duro de la cara; volvía a ser mágicamente aquel Antonio que la enamoró bajo los faroles del Champs Elisées; el que se subió a un banco de la plaza de Moines, como los grandes poetas acostumbraban hacer, le leyó, a todo galillo, un poema de amor con sonsonete de Racine, en un francés macarrónico que hacía desternillarse de risa a los que se aglomeraron a su alrededor mirándola con malicia y haciéndola sonrojarse; pero él tan campante, como si en vez de haberse subido sobre un poyo estuviera encaramado en la gloria del Parnaso. La única convergencia armónica de su matrimonio eran los recuerdos felices de entonces, cuando para pagar los estudios y no morirse de hambre, Antonio se fue de *ramasseur*, esto es, de trapero, por las calles de París y a veces le traía un buen libro, el cual había salvado de los desechos que recogía de casa en casa.

—¡Qué tiempos aquéllos!—, exclamaba lleno de regocijo, como si el recuerdo fuera la experiencia misma revivida. —¿Te acordás cuando en los comedores estudiantiles recogíamos todo el pan que cabía en los bolsillos ... ?

—No teníamos con qué comprarlo y había que abastecerse para los desayunos diarios ...

—También los domingos, cuando sólo nos daban de comer al mediodía. En las noches, con dinero o sin él, teníamos que arreglárnoslas con la cena y a veces sólo ese pan duro calentaba el estómago; bueno, también la leche que poníamos en la amplísima nevera de la ventana.

—¿Lo ves, Antonio, lo ves? Pobre estudiante de entonces, entre un traje y un libro de poemas, prefería, por supuesto, este último, como prefería ser estudiante llena de necesidades a estar en el lugar de una señoritinga que todo lo ha tenido y nada le falta, sólo llenar la cabecita de algo sustancioso. Sabés que siempre he creído que las carencias refuerzan la capacidad imaginativa y de adaptación de los seres humanos. Es una filosofía que aprendí de mi Borges.

—¡Y dale con *tu* Borges del carajo!

—Pues *mi* Borges del carajo o como querás llamarlo, explicó en una conferencia que su ceguera no ha sido una desdicha para él, sino un instrumento. Dijo, y lo he comprobado, que los seres humanos deben considerar todo lo que les ocurre como un instrumento que se les ha dado para un fin. En mi caso, me sirve para escribir mis novelas y cuentos. Y aquella vida de estudiante en Europa en la que las carencias se multiplicaban, fue para mí una larga lección inolvidable.

—¿Así, de qué te quejás, Renata, si te estoy proporcionando una amplísima fuente de inspiración?

—Dejáte de ironías y comprendé que al casarnos, creí que todo iba a cambiar. Sin embargo, cuando compruebo que ni un traje nuevo, ni el gusto de ir a un restaurante me puedo dar, me pregunto si de veras ha habido cambios desde que dejamos de ser estudiantes ... ¿Me han servido de algo los estudios? ¿Vivís acaso mejor ahora con tus títulos de arqueólogo y lo demás que has conseguido con gran esfuerzo?

Con decirle que no se quejara, que tenía todo lo que una mujer necesita para ser feliz, Antonio creía que Renata quedaba contenta ... ¡Si al menos le hubiera dado un beso, o una caricia!, pero nada. Renata se quedaba rumiando el dolor de saberse postergada siempre, desde el día de su boda,

"tenía razón mamá, hombre que sacia su apetito sexual,
    pierde interés",
ahí está el error del matrimonio, de la pareja,
entonces al final de cuentas, el amor completo no puede
    existir, porque el cuerpo, en vez de unir, separa,
    mata lo que da sentido a la existencia, a la alegría,
    al canto, al beso,
a la gloria de ser dos en uno,
Antonio y yo nos casamos y me despojó de todo, y sin
    apenas percatarme, fui perdiendo cada uno de mis
    derechos,
el de gozar de la vida, me lo negó,
hasta el de saciar los antojos de mis embarazos: comer

una pieza de pollo Kentucky me pedía a gritos mi
estómago

y Antonio que no, que a él no le daba la gana de salir esa
noche, que me aguantara las ganas, porque además,
"¿para qué gastar si te lo podés preparar vos misma?",

"¿pero no ves, Antonio, que desde hace días me ali-
mento sólo con agua, limones y pan, las náuseas, el
vómito, no me dejan pasar bocado?",

"¿se te olvida que comer afuera es mucho gasto y no
podemos darnos esos gustos, Renata?, tenés que con-
siderarme a mí",

"pero Antonio, me desmayo de debilidad, tengo hambre, deseo algo caliente en el estómago, trabajo mucho todo el día para seguir sin alimentarme, hacélo
por el hijo que llevo en las entrañas, no por mí, Antonio, yo no merezco nada de vos ni de nadie ",

"podés meterte en la cocina y hacértelo, no veo por qué,
Renata, tenemos que salir a buscar pollo frito que va
a costar un mundo,

("un mundo" costaba sólo 40 centavos de dólar)

no hagás más el papel de niña caprichosa, calmáte y
vete a dormir

sin más majaderías,

no me hagás perder más tiempo, tengo mucho que hacer
... "

Antonio ignoraba lo que era para Renata ir a la cama, en-
gurruñarse en el silencio frío de las sábanas y matar el hambre
con el sabor salobre de las lágrimas. Tiritar de frío, de abandono,
indiferencia, frustración, dolor, debilidad, cuesta un mundo que
no vale 40 centavos, sino un pedazo de la vida ... Fue cuando
comenzó a originarse en ella una rabia monstruosa que se au-
mentaba con los años.

Así, cuando la rabia le rebosaba y Renata hacía esfuerzos sobrehumanos por amontonarla en lo más profundo de sus ocultamien-
tos, no pudo más y estalló: cenaban, mientras los chicos dormían.
Ella, con los ojos turbios, fijos en el plato, masticando con desgana el gusto a desabrido que su pesar le había dado a la comida.
El, siempre ausente, siempre partido en dos, el cuerpo en su casa,
sentado a la mesa; la mente en su despacho, en su trabajo, con la
amante de turno, o de viaje con la querida, por supuesto; esa parte
suya bestial que se pasa figurando nuevas formas de placer, vive

en busca de nuevos objetos para su apetito, como sirvientas, secretarias, camareras a quienes dirige miradas libidinosas. Mientras
trata de tragar el bocado de pollo que masticó con infinita desgana,
Renata piensa que ya es mucho, que no puede más, que es injusto.
Saboreando con deleite su repetida copa de coñac como remate a
la comida, casi como si dijera: "¡qué amplio y hermoso es mi reino
y poderío, y cuán a mi gusto y antojo me sirven todos!", Antonio
comenta con satisfacción:

—A decir verdad, no creo que en el mundo entero haya un
matrimonio más perfecto que el nuestro.

¡El sésamo ábrete, la fórmula mágica que por fin logró hender
el inaccesible silencio de todo el tiempo de casada! Las palabras
agusanadas durante el cúmulo de esos años se abrieron paso y se
le salieron a borbotones:

—Perfecto para vos que lo disfrutás en su máxima perfección.
Gozás del mundo gringo con amplísimas comodidades; y del
mundo hispánico con extremos bienestares; pero todo a costa de
una única sierva, yo, yo, y sólo yo ... ¡Cuán diferentes nuestras
visiones del matrimonio: el tuyo, perfecto, el mío, un infierno de
sacrificios, trabajo y carencias ... ¿Llamás a esto perfección? Tu
visión de la realidad es unilateral, estrecha, egoísta, Antonio ... ¡Y
yo que había creído que el matrimonio eran dos riendo y llorando
juntos, como uno solo.

El se enfrascó en la lectura del periódico y como de costumbre,
la oyó como oír llover.

Entonces fue cuando le espetó todo, hasta que ellas, las otras,
las que alguna vez lo han acompañado en la cama una noche, —
me mandan mensajes de que pobrecitoAntonioquehavividomarti-
rizadopormi egoísmoycrueldad, Antonio, ¡tan bueno!, ¡tan santo!,
Antonio en la cama de otras contándoles que yo le malgasto el
dinero y cuando pierdo la paciencia, le hago la vida miserable y
ellas, ¡pobrecito!, vos no te merecés eso, ¿cómo te la aguantás, si
es una neurótica más loca que una cabra?

Antonio, el que lleva los bolsillos prestos para obsequiarlas a
ellas, las otras, las del goce erótico, las que no se retiran en la
noche agotadas de trabajar porque él les tiene toda clase de consideración, las que lo hacen feliz porque nunca le reclaman que
debería ocuparse más de los hijos, las que con su pasmosa belleza
y halagadora disposición, le mantienen el ego encaramado en la
cúspide de la gloria ...

Para ésas, el presupuesto se estira y da para todo, fino, hermoso,
exquisito, porque ellas nacieron para eso y no aceptarían menos
... Como lo acepto yo, la imbécil ... ¡Imbécil, sí, porque sólo una

cretina lo habría aceptado! Imbécil con mentalidad de sierva ...

> para mí, Antonio no tiene,
> "no te podés comprar ese traje porque no me llega el
>   presupuesto para tanto,
> no dilapidés en los niños, porque mi sueldo no da para
>   eso,
> es mucho despilfarro salir cada semana a comer con las
>   amigas,
> ese bolso es más de lo que puedo pagarte, compráte uno
>   plástico,
> ¿un abrigo nuevo?, ¿no tenés todavía el negro que ob-
>   tuviste en nuestro viaje a Dallas hace unos años?,
> te lo he repetido, sos una despilfarradora sin medida,
>   Renata, y yo no puedo más,
> tenés que aprender a economizar como hacen otras,
>   miráte en el espejo de Sara, en el de Sonia, aprendé
>   de ellas,
> ¡hay que oír a sus maridos contar los prodigios econó-
>   micos que esas mujeres hacen!,
> y la verdad es que vos no sos menos como para no
>   igualarte a ellas",
> "¿sacrificar más de lo que he sacrificado?,
> ¿privarme de más?,
> ¿de qué más si ya la pobre Renata llegó a los límites y
>   ya está por tirar la tapadera?"

*   *   *

Felisa, primitiva, con una fidelidad poco común y las simplici-
dades de un infante, me repite como Antonio que me quiere, pero
ella, a diferencia de Antonio, sí me da ternura; y su ternura es maternal, lo que nunca, nunca tuve. De pronto, después de un sinfín
de años de creer que la ternura había sido arrasada del mundo, de
ser sólo yo quien la da, a mis hijos, a los demás, soy yo quien al
calor maternalmente tierno de Felisa me siento otra vez niña:

—Señito, está usté muy flacuchilla, tiene que comer. Yo la
tengo mucho cariño y no puedo verla consumirse de ese modo.
Mire las tortillitas que acabo de pasar por el comal, hinchaditititas
y listas para hincarles el diente, ¿no le apetecen? ¡Coma, señito,
nomás por darme gusto a mí. ¡Ay, Virgencita de Guadalupe, mi
morenita!, ¿cómo hacerle para que a usté le entre el apetito?—.
Felisa ignora que una náusea infinita ocupa en mí el preciso lugar
del hambre de los demás.

¿Cuándo alguien me dijo algo parecido y se desvivió por mí? Lo desee, lo soñé una multitud de veces en mi orfandad de afectos y ternezas, pero sólo ahora me lo pronuncia esa voz mexicanamente cantarina, con un español tan castizo que contrasta con el primitivismo de Felisa ... Me vuelvo a sentir niña y desde mi paraíso-infancia la miro con un agradecimiento sin límites ...

Dulce y fiel Felisa, cuando te marchés de mi hogar y te borrés para siempre del mundo, te seguiré recordando, porque vos, el ser más pobre que he conocido y el que menos tiene para dar, siempre de tu corazón sacás algo nuevo y grande y único para dármelo y repartirlo.

Felisa tiene zapatos, pero le gusta trajinar descalza. Además, no sabe usar los cubiertos para comer; sólo se sirve de la cuchara. El primer día que trabaja en nuestra casa, cuando le enseño cómo se pone la mesa en casa, me pregunta:

—Por qué tanto enredijo de platos y cubiertos, nomás pa' comer? Nosotros allá, en el pueblo, ponemos en la mesa de la cocina un perol inmenso de barro y cada uno mete la cuchara y come sin necesidad de plato—. Me quedo pensando que tiene razón Felisa, es una lástima pasarse la vida en un quita-y-pone mesas, cuando se puede ocupar el tiempo en cosas más trascendentales.

Terminada la faena del día, la vajilla reluciente y la cocina inmaculada, el placer mayor de Felisa es sentarse en el suelo, bajo el dintel del lavadero, a lustrar los zapatos, pulir la plata, remendar o surcir traviesos blue jeans, camisas, blusas:

—No, señito, no me pida que me siente en una silla en el cuarto de estar, porque aquí, ¿sabe?, me hago la ilusión de estar a la puerta de mi ranchito en el pueblo, al atardecer, platicando con mis vecinos y comadres. ¡Qué gusto me doy a estas horas, recordando aquellos tiempos, desde aquí, tan lejos!

Felisa es como el pastor-poeta, Miguel Hernández; también como el rudo marinero, personaje del lirismo autobiográfico de *Marks of the Sea* de McClaine, —poeta por antonomasia, no el que en noches de insomnio anda a la caza de imágenes atrevidas a la moda; como él, Felisa sabe llegar al alma de las cosas, de los seres, y con palabras, arrancarles los más recónditos misterios, lo que equivale a hacer poesía esencial. Me pregunto con tristeza por qué el lírico diálogo cotidiano de Felisa ha de quedarse olvidado entre cacerolas, escobas, vajillas, estropajos, sólo porque nunca se le dio la oportunidad de aprender a leer ni a escribir: el imperativo de su vida es llenar las necesidades más primordiales para sobrevivir. Tanto como el poeta-pastor amaba la llanura castellana y el marinero-poeta del norte amaba el mar y las playas, Felisa ama montañas y ríos; pero por encima de todo, ama la tierra:

—¿Usté nunca ha probado el sabor dulce de la tierra, señito? De chamaca, cuando íbamos a la siembra, yo recogía del suelo terrones que guardaba en el delantal con la semilla para comérmelos a media mañana o en la tarde, cuando me picaba el hambre. Mi tierra de Matehuala sabe a gloria, la de aquí, de Houston, es un mugrero arcilloso.

Mientras va pasando el estropajo por las baldosas de mi estudio, interrumpe de cuando en cuando mi lectura o trabajo para contarme reminiscencias de su terruño. Yo le presto atención embelesada: su voz cantarina cobra dimensiones cósmicas para mí; me transporta también a la niñez, cuando me sentaba en la cocina a escuchar las historias de Angelina, las de su pueblo de Palmares. Eran relatos de aparecidos, de ultratumba y supersticiones que me ponían los pelos de punta y me asaetaban de estremecimientos que me bajaban desde el cráneo a la punta de los pies. Las almas en pena, "esas lucecitas que al anochecer se encienden suspendidas sobre los camposantos, sí, las que llaman fuegos fatuos, ¿las has visto, Mimi?". Las almas en pena entraban y salían de las narraciones de Angelina como entraban y salían de la cocina los miembros de la familia, siempre con una sonrisa escéptica: "son pamplinas, Mimi, no creás en eso, son decires de la gente y nada más", afirmaban los mayores, pero cuando Renata se retiraba a su habitación, lo difícil era dormir con el corazón hecho un nudo de miedos porque por la calle del cementerio se oía el chirriar de la carreta sin bueyes; o rompía la tersura del silencio el relincho fatídico de la Zegua; o cuando ya empezaba a conciliar el sueño, la despertaban los pasos cautelosos del cura sin cabeza ... Eran pasos que se desvanecían tan pronto como despertaba.

Cuando se quedaba embebida en la cháchara de Felisa, Antonio le hacía reproches:

—¿Cómo podés perder el tiempo escuchando a esa ignorante, Renata? ¿No decís que tenés una montaña de exámenes por corregir?

Renata se preguntaba cómo Antonio, un hombre revestido de tantas apariencias para encantar a los demás, no escuchaba la poesía que iba dispersando Felisa con sus palabras por toda la casa; ¿cómo podía ser sordo a la música trascendental que emana de todo ser humano, por ínfimo que sea en la escala de los convencionalismos; por malo que sea en la escala moral?

Por ese entonces, Renata ya era dueña de su tiempo, de su vida, de su voluntad y haciendo caso omiso a los comentarios de Antonio, arrullada por la voz melodiosa de Felisa, se entregaba al deleite de revivir su niñez al lado de Angelina:

—Allá, donde Dios arrinconó el odio y la muerte, queda La Joya, mi pueblo, pero fuera de él y sin mi gente, yo no tengo íntegro el corazón. La ley de nuestros hombres es la venganza. La pistola, el rifle, el cuchillo y el machete resuelven todos nuestros líos con sangre. Antes de una muerte, se oye un grito en el viento que lo hunde a uno en el fondo del colchón ... Tres días después, contadititos, llega a los ranchos el eco de una balacera. Las mujeres sólo podemos rezar, gritar, angustiarnos y esperar, esperar, esperar con la garganta hecha gránulos de sequedad, hasta saber quién es el muerto. Por eso dicen por ahí que el diablo anda suelto y se quiere apoderar de La Joya, hacerla todititita suya ... Entretanto a nosotras, las mujeres, ¡pobres de nosotras!, nomás nos queda esperar, esperar, esperar y esperar ...

"A nosotras, las mujeres, ¡pobres de nosotros!, sólo nos queda esperar, esperar, esperar y esperar ... " ¡Cuánta verdad encierran estas palabras y qué identificada me siento con ellas!

*   *   *

Pasado el tiempo, Renata encontró entre los papeles de Antonio una carta de Gabriela dirigida a su padre. La lectura fue muy reveladora:

Querido papá:

Reconozco que el domingo pasado fui muy dura al expresar mis impresiones acerca de tu relación con mamá. Siento no haber tenido en consideración tus sentimientos. Sólo pensé en mi estado de ánimo y en lo mucho que deseaba que me escucharas.

En el pasado te manifesté mi malestar acerca de nuestra familia. Recuerdo que desde que tenía trece años te pregunté si seguías amando a mamá. Siempre me contestaste "sí". Sin embargo, papá, esa respuesta nunca me satisfizo: si de veras seguías queriéndola, razoné, la mirarías con amor en lugar de esa mirada de resentimiento que muchas veces he percibido cuando te fijas en ella. También me he preguntado por qué te vas de casa muy a menudo. Supuse que se debía a tu dedicación a la arqueología. Lo que nunca me expliqué es por qué, por muchos años, en días festivos mirarás al vacío; a veces por horas, mientras nosotros intentamos ignorar que estás con nosotros en cuerpo, pero no en espíritu. Y aunque cada vez que vienes a casa espero y rezo para que estés con nosotros en cuerpo y en espíritu, sé de sobra que mi deseo no es realista.

Papá, no hay nada de malo en admitir que no sos feliz con mamá. Ambos son muy diferentes; tienen diferentes aspiraciones;

se expresan de manera diferente; los dos vienen y han construido dos mundos diferentes. Lo comprendo. Lo que me entristece es que quienes me trajeron al mundo y me criaron con todo el amor y cuidados, amen tanto a sus hijos, pero no se amen ellos dos. Todo eso me resentía. Pensaba que no tenías derecho de sentirte así, que no era justo para nosotros. Ahora que estoy casada, tengo una carrera y una familia, comprendo el pesar que vos y mamá deben experimentar. Comprendo también la diferencia entre amar y estar enamorada. Veo que ustedes dos se quieren mucho, pero papá, también observo que mamá ya no te hace latir el corazón, por decirlo así. Sé que es posible casarse con alguien y permanecer por años y años con ese fuego de amor en el corazón. Lo sé porque cada día que pasa estoy más y más enamorada de David. A veces, cuando pienso en él, experimento la misma misteriosa emoción de adolescencente, cuando me enamoraba con locura. Entonces, los tales enamoramientos pasaban pronto, pero este sentimiento hacia mi marido se vuelve cada día más intenso y sólido. Conforme estos afectos aumentan, me resulta difícil, muy difícil, separarme de él. También me resulta difícil imaginarme sin hacer el amor con él. Hacer el amor es un don de Dios que lleva el fin de volver concretos en nosotros los sentimientos ambigüos.

Hace muchos, muchos años que mamá y vos no duermen juntos. Es muy significativo. Y vos decís que ella lo quiso así. Lo sé. Sin embargo, también sé que ella no habría hecho tal decisión si siguiera enamorada o si al menos ella sintiera que vos seguís enamorado de ella.

Papá, no es un crimen haber cesado de amarse. Ustedes dos han tenido maravillosos años juntos, pero se les están volviendo amargos. La forma de dirigirse ambos la palabra, de evitarse uno al otro, de abandonar vos la casa hasta en los días festivos, nos revela que todo ha terminado entre los dos. Prolongar su unión es una manera de renunciar a la vida y representar una completa farsa.

Aún más, es fácil continuar la farsa porque la han actuado por muchos años y ya se han familiarizado con el libreto. Ambos se han extraviado en los personajes que representan. ¿Para qué tomarse la molestia de aprender un nuevo papel y arriesgarse a no hacerlo bien? El texto se manoseó tanto, que suena como un disco rayado. Yo me erizo cada vez que decís alguna línea del personaje que representás. También me erizo cuando mamá te sigue el apunte.

Me entristece comprobar que los dos todavía tienen unos restos de juventud para amar de nuevo y no obstante, reprimen tal necesidad. ¡Ambos son tan apasionados, tan amorosos! Estoy segura de que hay alguien en el mundo que te podrá hacer feliz, alguien que te hará palpitar cada vez que pensés en ella. Y también debe haber alguien para la felicidad de mamá.

Por favor, comprendéme, papá. Lo que te dije el domingo pasado no significa que se disuelva la familia. Sólo les pido a los dos que vivan. Que empiecen de nuevo mientras les quede un poco de juventud. Que una vez más sea grato para nosotros el regreso al hogar.

También te dije ese día que ya todos estamos grandes y somos independientes. Soy la menor, de veintidós años, casada, y tengo mi propia familia. No necesitamos de ustedes dos como "mamá y papá todavía juntos". Los necesito y los quiero mucho. En especial me he sentido muy unida a vos, más que a mamá. Tu aprobación, tu apoyo y tu compañía son muy valiosos para mí. Siempre he querido tener tanto éxito y ser tan ingeniosa como vos. Has sido mi modelo por muchos años. Eso no cambiará. Siento que la distancia se ha materializado entre nosotros como resultado de la distancia entre vos y mamá. Me parece que apegarme a vos es una traición a mamá. Por esto me he apartado. Duele mucho que crean que quiero más a uno que al otro.

Conforme he ido creciendo, he aprendido a expresarme libremente ... "Demasiado libremente", me decís a menudo. También he aprendido que al expresar nuestro sentir, a veces herimos a quienes menos deseamos herir, pero si no nos expresamos, las relaciones no pueden crecer. Algunos de los momentos más penosos para mí han sido aquellos en los que David me recrimina algo que yo no quiero escuchar. El me hace escucharlo y discutirlo, porque sin confrontar semejante obstáculo, nuestro matrimonio no podría crecer. He observado que vos y mamá ignoran muchas cosas que necesitan atención en su matrimonio. Es más fácil ignorarlas, para evitar el dolor. Pero conforme los años pasan, todo eso se acumula y hablar de eso es fútil porque tomaría muchos años para resolverlo.

Mi confrontamiento con vos el domingo no fue para herirte, sino para reparar el daño a nuestras relaciones. Fuimos inseparables cuando yo era pequeña. Desde que nací he sido la niña de tus ojos, y tal como te lo escribí el día de mi boda, sos y siempre serás el primer hombre de mi vida. David nunca va a reemplazarte, pero debés comprender que él es el eje de mi vida. Que los amo a los dos, pero de manera tan distinta, que no se puede comparar. Hoy deseo restablecer la relación que siempre tuvimos. Pero te pido que seás honesto conmigo. Que me hablés francamente, a sabiendas de que lo que me contés no va a cambiar mi amor por vos.

Si por ejemplo me contás que te has enamorado de otra, yo no te querría menos, pues comprendo que los seres humanos necesitan amar, y vos y mamá no experimentan eso uno por el otro. Admito que mi primera reacción puede ser la de estar herida, pero lo aceptaré, como vos me has aceptado a pesar de mis faltas. Mamá y yo nos hemos ido uniendo más y más a lo largo de los años porque ella ha sido honesta conmigo. Vos no lo has sido. Me has contado lo que pensás que deseo escuchar. Se oye bien cuando me lo decís, pero cuando me separo de vos, me siento vacía y engañada. Creo que tenés una amante. Lo acepto, pero sé honesto conmigo, con mamá y hacéle justicia a esa amante que tenés. Admití que mamá y vos fracasaron, cerrá el capítulo y ¡a comenzar de nuevo con esa otra mujer! Sos un ser extraordinario, como lo es mamá, aunque ambos son tan desgraciados, que hasta sus verdaderas personalidades han muerto. Es como si ambos esperaran que sus cuerpos murieran también para sentirse completos de nuevo.

Hablé con Amalia y con Gonzalo sobre este tema. Aunque ellos también los quieren mucho a ustedes, captan como yo cuán miserable es su vida juntos. Así, los tres estamos de acuerdo en que sería un verdadero alivio que los dos reconocieran ser incompatibles y por lo mismo deseen probar una nueva vida. Concluimos que el divorcio sería lo mejor para todos.

Me encanta ir a casa, pero una vez ahí, detesto el ambiente de tensión que se percibe entre vos y mamá y entonces sólo deseo desaparecer. ¡Sos tan agradable y divertido sin mamá! A su lado, te quedás quietecito, parecés muerto. Lo mismo ocurre con ella, se vuelve insoportable cuando con vos. Cuando no estás, es encantadora. No te insulto, papá, ni insulto a mamá. Puntualizo sólo un signo de incompatibilidad que he percibido.

Siento de corazón haber sido grosera e irrespetuosa el domingo. Reaccioné así porque esperaba que esta vez me escucharías y responderías. Por favor, sé un sincero amigo mío. Somos dos adultos. Yo sé lo mucho que demanda el matrimonio de la pareja. Además sé lo difícil que es ser un adulto responsable: balancear el presupuesto, hacerlo alcanzar hasta el final del mes. Nosotros tres ya no somos niños. Todos hemos tenido que enfrentarnos a momentos de grandes pruebas y por lo mismo podemos aceptar la verdad. Nuestra vida de familia tendrá que pasar por un proceso de adaptaciones, pero será para el bien de todos. No te culpo ni culpo a mamá por lo que ha ocurrido a lo largo de estos muchos años. Se requieren dos para mantener o romper una relación. Durante este tiempo los he querido mucho. Sin embargo, no recuerdo haberlos querido nunca como "mamá y papá". Los he guardado en mi corazón como dos personas separadas, pese a que los amo por igual. Esto no cambiará nunca. Si permanecen juntos, siempre los amaré por separado. Si se llegan a divorciar, seguiré amándolos igual. Lo que cambiará es mi respeto hacia vos. Te respetaré por admitir que ustedes dos no son compatibles, y te respetaré más aún si tratas de encontrar la felicidad de nuevo con otra persona. No es tarde, papá, mi querido papá. Todo lo que deseo es que los dos sean felices y sé que mientras sigan juntos, nunca jamás lo serán.

Te quiere eternamente tu hija del alma,
Gabriela

*   *   *

¿Será cierta la interpretación freudiana de que los sueños de muerte no representan un final definitivo, sino sólo que una etapa de la vida termina para dar cabida a otra nueva, diferente? Si es así, ¡aleluya!, un nuevo amanecer se anuncia en mi existencia:

Transitaba un camino sombrío, lleno de baches y difíciles pedregales, cuando me encontré de buenas a primeras con mi madre, muerta hacía muchísimos años. Pensé de inmediato que ésta era la mejor oportunidad para preguntárselo:

—¿Mamá, qué se siente cuando una está muerta? ¿Se siente algo, verdad? ¿Vos sentís algo? ¿Qué es?

Fijó en mí su mirar de vacío y sin titubeos, me respondió:

—Decíme, Renata, ¿qué sentís en estos momentos? Pues eso mismo es lo que se siente en la muerte, porque estás muerta como yo ...

Desperté llena de angustia, pero sin advertirlo, me quedé dormida: de nuevo recorría el camino de antes. Esta vez salió de la oscuridad alguien cuyo rostro me era desconocido; sin embargo, me llamaron la atención las facciones borrosas, como diluidas, difuminadas adrede por la misma mano que las había trazado. Sin vacilación alguna, le pregunté:

—¿Estás muerta, no es así? ¿Quién sos?

—¿No me conocés ahora? ¿No has comprendido todavía que yo soy vos misma?

XX
MUJER-ISLA

En reciente visita a los EE.UU., Astorga, abogada, madre de cinco hijos y líder guerrillera, quien ahora actúa como Vice-Ministro de Asuntos Exteriores, describe algunos de los cambios en Nicaragua: "En los últimos tres años, hemos creado leyes que reflejan el nuevo respeto e igualdad que las mujeres hemos ganado. Por ejemplo, nuestra ley prohíbe que los medios de comunicación capten a las mujeres de maneras sexistas y humillantes. Trabajamos en todas las áreas —en educación, trabajo, vida de familia— para continuar la revolución. En tiempos pasados algunos hombres se comportaban como "turistas" en el ambiente familiar. Ahora queremos que tengan más responsabilidad en la formación de sus hijos —que expandan sus vidas como lo hemos hecho nosotras".

Ms. Mayo de 1982

Si puedo agregar un toque de celajes rosados a la vida de un hombre o de una mujer, sentiré que he participado en la obra de Dios.

George McDonald

Querido Antonio:

Querido, sí, siempre te he querido y te querré a pesar de toda la hiel que se ha ido acumulando en nosotros como pareja. A pesar de los dolorosos momentos (bastantes, por cierto), en los que atrapé en tu mirar odio y desdén hacia mí: yo te estorbaba para buscar tu deleite y saciar tu lujuria con la otra, la última conquista de entonces; por lo mismo tu deseo era hacerme desaparecer, sin divorcio, pues es pecado; sin crimen, mayor pecado aún.

Te quiero, a pesar de las múltiples humillaciones recibidas de otras mujeres, algunas, sirvientas en nuestro hogar, las cuales más de una vez me miraron con lástima; otras, con sorna; las más, con aires de superioridad; a pesar de eso, yo, en mi inocencia, me decía: "¡claro, soy tan joven e inexperta en los quehaceres domésticos, que se burlan de lo mal que desempeño mi papel de ama de casa, y es la pura y limpia verdad! Lo que no se me ocurrió nunca es que eran ellas las que hacían mejor que yo su papel en la cama; ni que en sus ojos se proyectaba la superioridad de la hembra-cornucopia de lujuriosos deleites para el pobre marido a quien no había sabido satisfacer la esposa.

Te quiero también, a pesar del poco amor y caridad que me has mostrado durante todos estos años. Que me adoras, lo gritas a los cuatro vientos, lo declaras a medio mundo; pero ¿cuáles han sido las muestras claras de tu amor por mí, Antonio? Prefiero no entrar en minucias que no llevan a nada.

Lo anterior no significa que al haberte pedido el divorcio, te haya dejado de querer. Por lo mismo me gustaría continuar como amiga tuya y que en fechas especiales volvamos a ser con nuestros hijos padre y madre y familia.

Aclaro que te pido el divorcio, aunque ya me queda muy poco por vivir, porque quiero salvar cuanto se pueda salvar en este corto trecho hacia el final. Porque angustia, incomprensión, aislamiento, fueron tus ofrendas de afecto durante tantos años juntos. Porque en vez de ayudarme a superar mis ineficiencias, cuando para otros has tenido palabras generosas, para mí sólo críticas y reproches. Porque en ti se da una rotunda incapacidad para intimar espiritualmente, mientras practicas la pretendida intimidad sexual con quien esté dispuesta al asunto; me pregunto si se trata más bien de un problema de hombres que sólo conocen la vía física para una relación entrañable.

Sé que has continuado conmigo porque sos muy catolicón, pero ¡cuántas veces has fornicado! En tu caso el catolicismo es un comodín que te brinda el sacramento de la penitencia para tu alivio. Además, desde que comprobé tu incapacidad de compartir conmigo momentos especiales, los de la música, arte, diálogo, lectura; los del silencio en la contemplación del paisaje; los del paseo. En resumen, todo lo que podría habernos acercado uno al otro era para vos pérdida de tiempo, estupideces, necedades. Entretanto, yo siempre sola y sin poder compartir momentos tan especiales con mi marido. Decíme, ¿es justo para mí que sigamos en esta farsa de matrimonio cuando mi única función es la de cuidar el cascarón de la casa que hace mucho dejó de ser hogar. A tu lado me he convertido en mujer-isla y como prefiero la soledad sin compañía, sola, a la soledad acompañada, escogí el divorcio. Lo que más me duele es haber sido tratada desde el principio no como una inteligente compañera, sino como una ignorante criada.

El incidente de ayer no tiene perdón. Cuando después de unas copitas Peter comenzó a reír a carcajadas y vos con él, comprendí que durante los muchos años de casados yo había intentado salvar una relación fantasma, porque lo nuestro no ha sido nunca matrimonio. ¿Cómo llamar matrimonio al que se reduce a una mujer abandonada siempre en la cama, en la casa, en el cuidado y educación de los hijos, en las fiestas y reuniones, en la calle?

Me dolió la risa de Peter y más la tuya, al preguntarte él delante de mí: "¿te acuerdas, Antonio, cuando entrada la noche, te percataste más de una vez que Renata, preñada de varios meses, te esperaba en el despacho del médico hacía tres, cuatro horas y tú en el club con los amigos, copa va y copa viene para celebrar esto y aquello?". Cuando llegabas tarde a buscarme en esas ocasiones, me cuidaba de reprochártelo, Antonio, porque tus excusas de mucho trabajo y semblante de cansancio, me lo impedían (ahora admiro tu talento histriónico). Más bien habría deseado ir en tu lugar a ejecutar tus deberes para verte contento, sin esa cara apretada y llena de rechazos. Hasta ayer ignoré que yo era el hazmerreír de amigos tuyos como Peter, amigos de copas y de jarana.

Por el momento te pido de rodillas que abandonés la casa lo más pronto posible. Te lo pido para proteger mi salud. Te he dado ya suficientes razones, aunque podría enumerar montañas de motivos, entre los que cuentan los hijos ya grandes, con carrera, establecidos, ¿acaso nos necesitan? Podés seguir diciendo por ahí que soy una loca histérica para justificar tu conducta. Ya me da igual todo. ¡Total, se lo decías hasta a las criadas con las que te habías metido! Igual que se lo dijiste a Gaby y en la difícil pubertad, sembraste su odio contra mí. Entretanto, ibas proyectando ante los otros tu hermosa imagen de hombre perfecto, víctima en las garras de este monstruo que soy y siempre he sido yo para vos.

No estoy enamorada de nadie, te lo aclaro puesto que persistís en preguntármelo. Esas veleidades ya hace mucho las dejé muy atrás. El único hombre que me sostuvo todos estos años de aridez, vive sólo en mis sueños. No lo sueño despierta, sino dormida: es siempre un hombre sin cara, indefinido, el cual me prodiga la ternura que nunca me diste con palabras, ni caricias, ni gestos, ni actitudes; ni siquiera en la relación erótica. El hombre de mis sueños nunca se concreta en una realidad, pues sólo es deseo, un deseo tan intenso que se repite y se repite y se repite ...

*   *   *

Al llegar a la Universidad, sorprendió a Renata la triste nueva de que en la mañana habían encontrado muerto en su habitación, hincado ante un crucifijo, al Padre Douglas. No quiso ver su cadáver en la capilla, donde estaba expuesto. Quería guardarlo en su memoria tal como había sido para ella durante los muchos años de colegas: menudo, arrugado y enjuto, le parecía a Renata un leño ardiente, abrasado por dentro por un raro fuego trascendental que chispeaba en su mirada. Temía que con sus trucos y artificios que intentaban esconder la muerte bajo maquillaje, el cual es inútil remedo de vida, el embalsamador le hubiese eliminado aquel fuego de su mirada, aquella irradiación tan del Padre Douglas. Renata sabe que los muertos de funeraria norteamericana son muñecos insólitos, ridículos, que no se parecen a lo que antes fueron. Si Dios existe, si el cielo prometido ... , allá descansa en estos momentos el Padre Douglas, "¡pobre Padre Douglas!", exclama un seminarista al escuchar la noticia, "¿pobre, por qué?, ¡feliz, muy feliz, diga usted!", respondo, me mira de hito en hito, y yo, que si se cree en todo lo que la Iglesia predica desde tiempos inmemoriales, "¿cómo tener lástima de quien ha alcanzado por fin la verdadera vida?, usted, como seminarista, piénselo y verá como tengo más razón que un sabio, disfrutando de la gloria eterna estará en estos momentos, y nosotros, aquí, en el reino de este mundo, lidiando con la vida ... "

Afuera, cantó un gorrioncillo desde el roble del jardín que daba frente al aula donde impartía sus lecciones. Aquel trino, himno a la vida, fue en ese instante un leve, levísimo paréntesis al dolor que la doblegaba: todo lo bueno era sólo un paréntesis corto. No hay duda, en la muerte, sólo en la muerte está lo perentorio, el descanso, la paz, el bienestar, quizás la dicha también ... Sólo en la muerte ...

—Dicen que lo hallaron hincado, ante el crucifijo. ¡Qué hermoso morir así, en diálogo con Dios, que eso es la oración para mí. Era tan intenso, que a menudo me hizo pensar en esos místicos españoles que ardían en llama de amor viva ...

—No todo lo que brilla es oro—, el padre McAllister la interrumpió, y con una sonrisa socarrona y murmurando entre dientes, siguió su camino rumbo a la rectoría. Renata lo miró con asombro. Aquellas palabras la hundieron en un mar de dudas, con un dolor más grande que el de la muerte; era el dolor de comprobar una vez más que no hay nada perfecto, completo, total; todo son apariencias, mentiras, simulacros ... ¿Envidias? ¿No podía disimular el padre Mc Allister que algo anormal, retorcido, pecaminoso, algo que sólo ellos, los curas y Dios, lo sabían, ocurrió en esa muerte? ¿Celos del Padre McAllister?, ¿de un sacerdote? ¡Absurdo! ¿Y por qué tanto interés en que Renata supiera que aquella muerte no fue tan santa como ella la suponía? ¡Cuánto veneno hasta entre los llamados hombres de Dios! ¡Cuánto!, se dijo ella destrozada por dentro.

Rememoró entonces con Faustina sucesos parecidos en el Colegio de la Presentación, en Barcelona, donde soltera y muy joven impartía clases a cambio del alojamiento. Más de una vez llegaron a sus oídos las escandalosas rencillas entre las monjas, del otro lado, en la clausura, donde ellas, las pupilas, no ponían un pie. Las otras cuatro universitarias que llevaban ya varios años en el convento y ocupaban con Renata las habitaciones del ala norte del edificio, alzando los hombros con desdén, repetían:

—Ya estamos acostumbradas. Sor María Inés le tiene una rabia de padre y señor mío a Sor Epifanía porque las alumnas del colegio la prefieren; dicen las chiquillas que Sor Inés es altanera y que no sabe enseñar.

—Otros días se agarran de las mechas Sor Sebastiana y Sor Patricia por puras estupideces. Hay que oírlas insultarse como verduleras. ¿Te creías que los conventos eran recintos de paz y beatitud?

—¡Y yo, que pretendía hacerme monja para salirme de la mezquindad del mundo! ¿Quieren decirme ustedes que las mismas ruindades habitan estas paredes?

—¿Monja para encontrar la paz? Los infiernos de afuera, los traen consigo al convento. Si no lo sabías, ahora estás bien informada, Renata, sor Renatita, la monja en potencia que un día se decepcionó de la vida religiosa, y decidió seguir en el pecaminoso mundo ...

Vino a la memoria de Renata otra vez el embriagador aroma de nardos, gardenias y jazmines que emanaba siempre del altar del convento; la revelación que le hicieron las amigas en aquel

momento, fueron paladas de tierra al mágico aroma, el cual tenía
el poder de transportarla en éxtasis cuando ella rezaba. ¡Había sido
tan dichosa enajenada por el perfume, el silencio y la oraciones que
le brotaban mudas, en diálogo directo con Dios! Las palabras de
sus amigas enterraron para siempre una mitad suya, que Renata
no cesaría de añorar.

Pensó con tristeza en Sister Mary Louise, su colega de la Universidad. Cuando entró al convento se la veía tan radiante como
una novia en vísperas de boda. Poco tiempo atrás, en una reunión
de facultad, Renata le dijo:

—Me contó una estudiante que habías dejado el convento y la
verdad es que me cuesta creerlo. ¿Es cierto?

Ella asintió con la cabeza y tristemente agregó:

—Si se entra a un convento es para ser monja de veras y no
para hacer la vida que las religiosas de ahora hacen. Para eso,
prefiero vivir en el mundo.

Renata no se atrevió a preguntarle más. Por su mente atravesó
la sombra de Juanita, la muchacha que le hizo de niñera y que
había sido monja en Colombia, ¡el choque que sufrió recién ordenada, cuando descubrió que en los conventos no todo es beatitud!

—¿Se imagina usted, señora Renata, lo que fue para mí, a los
diecisiete años, ver a aquellas dos monjas desnudas en la cama?
Embebidas en sus deleites, no oyeron la campana que yo venía
sonando por los pasillos del convento. Como no se presentaron
en el refectorio donde cenábamos las otras, me mandaron a mí a
buscarlas ... Después del incidente, abandoné el convento.

—¿Regresaste a tu país de origen?

—Para mi desgracia, porque mis padres son católicos conservadores. Tan obsceno fue lo de las monjas, que no pude explicarles
a mis viejos por qué abandoné el convento a un año de haber pro-
fesado. De pura vergüenza, porque me acusaban de haber faltado
al dogma, y de que por lo mismo me expulsaron del convento,
ellos me ocultaban en la última habitación de la casa para que
nadie me viera ni supiera que su hija era una renegada. Sólo me
permitían salir a la misa del alba, muy tapadita, para que nadie
me reconociera. Por eso me vine a Houston, señora, y suerte que
topé con usted que me cuida como una madre ...

—Por eso también intentaste el suicidio, ¿no es cierto?—. Hecha un mar de lágrimas, Juanita asintió con un movimiento de
cabeza.

La verdad que aprendió aquella tarde en el convento de Barcelona, durante la rencilla e intrigas de aquellas religiosas, le demolió a Renata sus veleidades de monja. El resto de su vida tuvo

la certeza de que tal escena —humana, sí, pero inaceptable en un sacro recinto— había aniquilado una mitad de su ser.

Así, pese a todo, Renata seguía añorando los transportes místicos de su juventud religiosa, aromada de nardos, jazmines, azucenas; cuando la música del órgano hacía retemblar la capillita enjalbegada de un blanco tan reluciente que irradiaba resplandores de santidad. Eran experiencias que se habían disipado como un frasco de perfume abierto del que sólo quedan reminiscencias de una lejana fragancia.

—¿Tú, Renata, de monja? La verdad es que yo tengo más de eso que tú, aunque me llaman atea—, se burló Faustina, al escuchar la confidencia de su amiga.

*   *   *

Renata les contó a las amigas de la tertulia cómo sor María Marcela entró al convento contra viento y marea. Hasta un pretendiente suyo logró sobornar a su confesor

para que con cuanta industria pudiera me procurara quitar la vocación; obedeciólo el dicho sacerdote. Con gran puntualidad fue a la casa donde yo estaba y cogió el negocio tan temprano que apenas serían las siete; fui entrando, yo no lo conocía, ni en mi vida lo había visto, pero lo mismo fue verlo que penetrarle cuantos intentos llevaba. Esto Dios lo permitió para que me cautelara. Saludóme y entró adentro; yo me quedé en el corredor, pero apenas se hubo sentado con las señoras que eran sus deudas me envió llamar. Yo me excusé por tres veces y él instó hasta enviar en nombre de las señoras; entonces fui con gran circunspección y le pregunté qué me mandaba y sin quererme sentar esperaba su respuesta, mas las señoras me h icieron tomar asiento. El empezó a introducirse con palabras de lisonja alabándome, y como le dijeron quería ser capuchina, comenzó a hacer extremos y a fingir mucho sentimiento de que quisiera encerrarme con tantos dones naturales, los cuales fue declarando y encareciendo, en lo que gastó mucho tiempo. Yo le respondí con denuedo que estimaba los favores que me hacía y que dado caso que fuera como decía, ¿qué mejor cosa que dar a Dios lo mismo que me había dado? El prosiguió encareciendo la austeridad de la religión, lo crudo de la vida, el arrojo que era determinarse a emprenderla y a sacar por consecuencia que todas estarían desesperadas; y empezó a exagerar la lástima de haber vivido así y después condenarse; siguió haciéndo me cargos sobre que lo remediara antes pues estaba en tiempo y Dios lo movía a que me exortara, que más valía guardar diez mandamientos y salvarse que obligarse a lo que había de ser ocasión de perderse. Yo, con socorro, le iba respondiendo a todo diciéndole que no cansase ni perdiese tiempo porque había de ser en vano.

Para no hacer la historia más larga, Renata les resumió a las amigas la escena: el sacerdote llegó a extremos de hablarle mal de la orden de las capuchinas a sor María Marcela. Como ésta reaccionara "con ceño y enfado", entonces comenzó a atacarla a ella. Así, según la monja, "duró la contienda seis horas sin treguas". Renata continuó la lectura:

Otro día volvió, pero qué distinto, pidiéndome perdón de cuanto había dicho, desdiciéndose de que lo había hecho por dar gusto a cierto caballero que se lo había rogado y él, por deberle obligaciones, no había podido excusarse; pero que me prometía ser pregonero de mis alabanzas y así lo hizo, que quitaba de los cielos para poner en mí.

—¿Ustedes creen que el pretendiente se dio por vencido? ¡Qué va! Dio en ir al torno a conversar con ella. Esto la mortificaba mucho porque como antes la había conocido tan altiva y vana, le causaba sonrojo que la viera sumisa y en traje modesto. Más humillada se sintió cuando un domingo, estando en conversación con él en el torno, le dieron las monjas "una ollita de atole para que la bebiera", lo cual le causó indecible vergüenza. Más aún experimentó cuando durante la visita de su enamorado tuvo que llevarle un jarro de atole al Padre Capellán. Cuenta entonces que "la calle estaba llena de gente que entraba a misa de nueve. Juntáronseme muchos muchachos y rodeándome fueron voceando y celebrándome con mi jarro, tanto que yo, fuera de mí, me eché encima de la saya todo el atole, manchándome toda, con lo que ellos armaron mayor algazara. Así humilló el Señor mi soberbia".

—¡Con *boyfriend* en el torno, quién no se hace monja!—, exclamó Sara. —Tampoco eran muy buenas *religious* las de entonces.

—No creás, Sarita. Sor María Marcela las pasó muy crudas, precisamente por intrigas, desprecios, humillaciones y celos de otras novicias. Cuando la despojan de las joyas, se le entibia la vocación. Escuchen lo que les leo:

"en el momento de dejar la vida secular, disimuló su tibieza y calló de tal suerte, que nadie lo supo y eso que estaba que el hábito me abrasaba, la cama no la podía sufrir, la comida me daba basca y hastío, las horas de coro se me hacían siglos; batallaba conmigo misma y me decía: ¿qué es esto que por mí pasa? ¿Qué es de aquellos deseos, aquellas ansias de entrar, aquel atropellar con todo, que no fue bastante a hacerme desistir, ni el disgusto de mi padre, ni los halagos y ruegos de mi hermano, ni las lágrimas y sentimientos de mis hermanas, ni las solicitudes de los mundanos?

¿Qué es esto? Si me salgo, ¿qué se dirá de mí?"

Esto pasó a una que a pesar de tanto engreimiento, apego a las joyas y a las tentaciones del mundo, alcanzó la unión mística con Dios e hizo milagros. Chicas, no hay que perder las esperanzas, que tan malas no somos ...

—¿Y a qué viene todo esto que nos cuentas, Renata?

—Sonia, simplemente quiero dar énfasis a lo difícil que debe ser la auténtica vida de los religiosos y cuánto exige Dios de los que desean llegar a El. Te conté lo del padre Douglas y ya ves, pese al gesto escéptico del padre McAllister, sigo creyendo que tenía arrebatos místicos ... ¡Ese fuego que ardía en su mirada no podía ser el de un pecador! Yo no habría podido con tanto sacrificio. Para monja de medio pelo, más vale seguir cumpliendo con mi deber de pecadora sin remisión. ¡Y cuánto he venido añorando la vida religiosa desde muy joven!

—A lo largo de la autobiografía de sor María Marcela estás viviendo tu vocación frustrada, Renata. Ni darle vueltas—, comentó Sonia.

—Es probable, muy probable—, lo dijo con gran tristeza, como si en esos momentos hubiese entrado en los recintos muertos de su juventud y contemplase la devastación y ruina.

—Dinos la verdad—, insistió Faustina. —¿Esas páginas que nos lees, son de veras la pretendida autobiografía de una monja mexicana del siglo XVIII? ¿Acaso no es otra de tus invenciones literarias? Es interesantísima, pero me pregunto si no es un poco anticuado el tema.

—¿No es curioso que existen autobiografías de monjas y nadie haya sacado a la luz ninguna de algún curita o frailecito? ¿No será que las destruyen por pecaminosas? ¿O que las mujeres somos más sinceras ... ?

* * *

Agitando un sobre aéreo en la mano, Felisa me recibe. Irradia tanta dicha, que parece haber recibido el gordo de la lotería:

—¡Señito, Rufino me escribió! ¿Me puede leer su carta? ... Yo, ¿sabe?, de leer y escribir, no sé naditita. Allá, en el pueblo, ir a la escuela es cosa de ricos. Nosotros, a la faena del campo, a tostarnos bajo el sol y recibir la bendición de la lluvia, porque si no, no hay para comer; a veces nuestro esfuerzo no da ni para las tortillas y los frejolitos ...

Miro a Felisa con mezcla de lástima y envidia, ¿cómo explicarlo? A veces he deseado la ignorancia total para no enterarme de nada, ni cavilar, sólo vivir como los lirios del campo.

Me explica con arrobo que Rufino es el único hombre que ella ha conocido. Adolescente de trece años le dio su amor para toda la vida, con entrega total y sigue amándolo con fervor.

—Rufino y yo vivimos arrejuntados por muchos años, porque allá, en La Joya, los curas no asoman ni para el remedio y cuando aparecen, a las parejas con sus padrinos, en montón, como el ganado, las casa el cura, las hace firmar en un libro que trae el sacristán y deja santificada la relación. Pero a mí no me tocó esa suerte, porque el día que llegó el cura, Rufino escogió para casarse a Juana, la de las hortalizas, y yo no tuve más que aceptarlo, por algo lo amo como lo amo. Ni siquiera me ha quedado el consuelo de un hijo. Las cuatro veces que quedé empreñada, antes de que diera a luz, Diosito santo me los quitó y aquí estoy, sola con mi amor por Rufino, pero es tan, tan grande ese amor, que a veces siento que por dentro, en vez de intestinos y huesos y músculos, sólo existe la inmensidad de mi amor. No sé si usté, señito, que es mujer, comprende lo que le digo.

No, aunque sea mujer y haya conocido los deleites y dramas del amor, yo no puedo entender lo que para mí, una vez muertos los sueños de juventud, quedó adocenado por la rutina del diario vivir. Los amores sobrehumanos sólo se captan en los cuentos de hadas, en Romeo y Julieta, en Tristán e Isolda, ¿en Abelardo y Eloísa ... ? Lo de Abelardo y Eloísa no es ficción, sino cruda realidad; historia. Así, como el de Eloísa, es el inmortal amor de mi humilde mexicana espaldamojada. Exactamente como el de esa valiente mujer que en la Edad Media se atrevió a escribirle a Abelardo que aunque el nombre de esposa pareciera más sagrado, para ella era más grata la palabra amante, o mejor aún, concubina o puta; así mismo lo puso, "concubina o puta", porque según Eloísa, cuanto más se humillara ante Abelardo, más la amaría él; disminuyéndose hasta lo execrable, ella evitaría que se empañara el brillo de su alta reputación de hombre, de monje, de intelectual escolástico ...

¡Es increíble la devoción de Felisa!: desde que Rufino se cayó de la escalera y se rompió la columna, —fue lo que él le puso en una de sus cartas, pero ¡a saber si es cierto!—, ella ha suplido todas las necesidades de su hogar, hasta los caprichillos de Juana, su mujer.

—Vivo por él, con él, para él y nada, naditita en el mundo impedirá que siga manteniéndolo y manteniendo a su familia. No gaste saliva tratando de convencerme que los aviente a su malafortuna. Así lo amé en mi juventud, lo he seguido amando estos treinta años y así moriré amándolo. No siga, señito. Harto sé, desde hace años, que cuando yo no dé más, nadie verá por mí, pero para eso está mi Virgencita, la Morenita de Guadalupe, quien siempre me ha protegido.

Leo con indignación la carta, pero desde hace algún tiempo desistí de convencerla que ella es víctima de la más descarada estafa. Adivino que Felisa necesita aferrarse a la ilusión de que él también la ama, porque el día que no cuente con esa tabla de salvación, terminará su vida. Felisa, primitiva y ruda, es un trasunto de aquel don Quijote de la Mancha que murió al renunciar a sus sueños dulcinescos. La envidio. ¡Cómo la envidio!

"Querida Felicita mía:

Mucho me alegran tus notisias de ayá y saber que estás muy bien y contenta con tus patronos, nosotros, aquí, en La Joya, bien, pero yo, con mi problema de espalda no puedo trabajar y debo al casero más de cien dólares. Además, compré un radio para entretenerme en las muchas oras que paso en la cama y ya nomasito se venze el plaso para pagar la cuota del mes. ¿Podrías mandarme esa harina? Nesecito $200.00 para cubrir los gastos de este mes, si no, se me morirán de hambre los chamaquillos, y sé que puedo contar contigo que harto me quieres ... "

Renata siente que la cólera le retuerce las entrañas por dentro y anhela decirle que deje de mantenerle la holgazanería a ese sinvergüenza:

—¿No ve usted, Felisa, que la está estafando y no la quiere ni nunca la ha querido, sólo ama el dinero que le manda usted? Usted, inocente y noble como es, sigue de tontoneca enviándoselo a él, a su mujer y a los tres hijos. Soy yo, ahora, la que le dice que abra los ojos, que piense bien qué va a sucederle a usted en la vejez si todo lo que gana se lo pasa íntegro a ese pocapena. ¿Usted cree que él va a mover un dedo para sacarla de la miseria? Lo sabe y sigue y sigue y sigue como si no lo supiera. Guarde algo para sus últimos años, Felisa. ¡Empiece a defenderse!, ¡todavía está a tiempo! ¿Por qué me dijo que usted se había venido al norte?

—Bueno, es que Rufino se empeñó, pues con menos de $25.00 mensuales que hacía allá, diz que él no podía cubrir todos los gastos de la familia, aunque yo, ¡pobrecita de mí!, le daba íntegro el sueldo porque necesidades no tengo: dondequiera que trabaje me dan casa y comida y hasta algunas garritas para vestirme y me apena muchísimo que mi hombre viva tan sacrificado porque no puede ganar un sueldo como todo el mundo. El se enteró de que por aquí se hace buena plata, y mire si es buencorazón que me arregló las cosas con el coyote amigo suyo para venirme de espaldamojada, me convenció de que era lo mejor para los dos; además, la sequía arreciaba fuerte, ya no se hallaba trabajo, en su casa ya no había ni qué comer, porque usted ha de saber que allá, en mi pueblo,

cuando hay sequía, la hambre se come a las personas y como yo
por Rufino hasta daría la vida ... ¿Me escribe usted la carta, señito
y me saca un cheque del banco con el sueldo que me paga hoy?

—Sí, Felisa, dicte usted y yo se la escribo.

—Dígale sólo que estoy bien, que le mando el dinero para sus
deudas, que cuente siempre conmigo.

Renata expresa en voz alta cada frase que va a poner en el papel
para que Felisa lo apruebe o lo altere. Mientras escribe, envidia la
capacidad de amar de Felisa y le duele haber pasado toda la vida
yerma de un amor que sea todo sacrificio y entrega; vislumbra
la malla tupida de su egoísmo, el de Antonio también, pero ya es
tarde. En el largo trayecto de un cuarto de siglo juntos, han muerto
muchas cosas en ella ... En los dos ...

"Rufino muy querido:

Me alegra mucho recibir noticias tuyas que te agradezco. Sin
embargo, me preocupa saber de tus angustias económicas y por
lo mismo te contesto a vuelta de correo para decirte que ahí va
un cheque, mi sueldo entero, para tus necesidades, pues padezco
viéndote padecer. Responde para decirme si has recibido ésta.

Yo bien, a Dios gracias y con deseos de verte. Daría cualquier
cosa por estar a tu lado y más ahora que te comen las preocupaciones, para aliviártelas con mi amor. Pienso mucho, pero mucho,
en ti y te quiero, lo sabes, con alma, vida y corazón.

Ya ubiqué una Iglesia Evangelista donde hablan español. Todos
me han acogido muy cordialmente y los domingos y días festivos,
me traen y me llevan sin reparos. Varios hermanos de la congregación han amistado conmigo y me vienen a buscar los domingos
en la tarde para pasarlos con ellos leyendo las Sagradas Escrituras,
cantando himnos religiosos y rezando tal cual deben guardarse los
domingos del Señor. Como ves, mi Rufino, llevo una vida ocupada
en el trabajo y la palabra santa de Dios y por lo mismo no tienes
que ponerte celoso ni pegarme cuando vuelva a tu lado, que ojalá
sea pronto, muy prontito. Te quiere mucho, con la vida entera,
    tu Felisa"

—¡Ay, señito, qué rechulo lo ha puesto! ¡Dios la colme de bendiciones!, pues yo no sabría decirlo como usté. Gracias, muchas
gracias. ¡Qué recontento se pondrá mi Rufino con esta carta! Aquí
tiene la dirección para el sobre ...

Envidio la inmensidad de ese amor y la valentía de esta humilde mujer, quien no le teme al porvenir, el oneroso porvenir que
siempre amenaza con la vejez y la soledad, escucho de nuevo a mi
suegra: "cuando llegués a vieja como yo, verás, Renata, verás lo
que es vivir así, la vejez es el mismito infierno", ¿y si en el más

allá nos espera otro infierno, qué?

Mientras Renata escribe el sobre, experimenta el dolor de su egoísmo, pero siguen rondando en su cabeza las llamadas telefónicas continuas a la casa, las ausencias prolongadas de Antonio y ese verse como dos extraños en lo que nunca llegó a ser hogar para ella ... No había más que una única salida de su situación, y si no quería seguir en el papel de víctima, lo mejor era llevarla a cabo ...

* * *

Se anuncia por doquier que Gorbachev, de visita en los Estados Unidos, firma el tratado antinuclear. Aplausos de todos cuando las palabras del tratado se reproducen en una gigantesca pantalla. Al leer su contenido, me invade el pánico. Entonces comienzo a gritar que ése no es el documento antinuclear, agito los brazos en el aire para llamar la atención, pero todos siguen gozando del bullicio de las festividades, haciendo caso omiso a mis chillidos y signos; seguro que no se han dado cuenta de que lo que aparece en la gigantesca pantalla no es el tratado de marras, sino mi demanda de divorcio: palabra por palabra, sin faltarle detalles, ni siquiera han eliminado el nombre mío y el de Antonio, Antonio Rodríguez Swanson ... Me tapo los oídos para no escuchar más el estruendo de los aplausos que retumban en mi corazón y que de repente me devuelven a la realidad de mi cuarto sumido en las solitarias tinieblas de siempre.

XXI
EL CUARTO OSCURO
DE LA INFANCIA

En la Conferencia Nacional de Mujeres que tuvo lugar en Houston se debatió arduamente acerca de los derechos de los homosexuales. Muchos delegados temían que incluir dicho punto en la agenda podría desacreditar por completo el plan nacional tanto a los ojos del público en general como a los del Congreso. Interesa señalar que durante el debate, Betty Frieman, quien por mucho tiempo se opuso a apoyar los derechos de las lesbianas por temor a dañar el prestigio del Movimiento Feminista, anunció lo siguiente: "como quien ha crecido en América y ha amado a los hombres —tal vez demasiado—, me ha perturbado este asunto. Sin embargo, debemos apoyar a las mujeres que son lesbianas en sus propios derechos civiles".

El Monitor Feminista diciembre de 1977

El infortunio es el camino hacia la verdad.

Lord Byron

Al leer la carta de Florencia, Renata tuvo la impresión de que el mundo entero se le venía encima y que una vez más tendría que confrontar el mismo problema de otras veces. Estaba aturdida, asustada. Un largo escalofrío recorrió su cuerpo como el culebreo del relámpago que le atravesara en descargas la médula del vivir. Trémula, buscó una silla porque estaba a punto de desplomarse. Y cuando comenzó a sollozar, primero suave y amortiguadamente, después, con entrecortados suspiros, experimentó un oscuro presentimiento que de pronto ocupó todos los recovecos de su ser.

No cabía duda para ella: cartas como ésa (las más bellas cartas que recibió desde su adolescencia), o palabras como las que expresaba el papel que contenía aquel sobre venido de Baja California, fueron en otras ocasiones el dichoso anuncio de una amistad única, en la que una comunión de espíritus por fin iba a realizarse. Sin embargo, para su consternación, después de un cálido y devoto comienzo en el que la escala completa de las más armoniosas emociones desbordaba de su alma como una cascada de notas se desborda del instrumento virtuoso en una perfecta sonata; en un momento fatal e inesperado, un desacorde inexplicable, surgido de quién sabe qué cuerda del misterio, se derrumbaba la amistad, la cual era aplastada por el más inesperado cataclismo que la convertía en un oscuro polvo de odios, intrigas y fatigosas calumnias.

Con la carta de Florencia en la mano, Renata no entendía por qué, sin que nada hubiese sucedido entre ellas más que el encuentro en el congreso de literatura y aquel momento en que se reconocieron como almas gemelas, ya anticipaba la estrangulación de tal amistad en capullo.

Una larga lista de desengaños había abierto en su vida el malestar gelatinoso de hoy. Antes, una carta así, palabras como ésas la habrían hecho muy feliz: desde muy niña, la profunda compenetración con Santi, su hermano, la llevó a buscar la misma afinidad en todas sus relaciones, a lo largo de su vida; especialmente, en el matrimonio y con los hijos. De todas las personas que trató después de que la vida la separó de Santi, quien más le llegó a la médula del alma fue Faustina, la inteligentísima, amena Faustina, a quien Renata podía escuchar por horas y horas sin cansarse ni aburrirse nunca; así de rica era su cultura. Además, su derroche de vocablos y su placer de la palabra, trasmitían al oyente el gozo de un banquete verbal.

—Mi mal incurable es la glotología—, confesaba haciendo alarde del naipe extravagante de su expresión. Y Renata, juguetona, le reclamaba:

—¡Por lo que más querás, Faustina Smith Sánchez, habláme en

cristiano, que con esas palabras de domingo, tan emperifolladas, me quedo en ayunas!

—¿Por qué te complace tanto usar todos esos términos y expresiones vulgares, rastreros? No se ajusta el habla tuya a tu finura ni a tu preparación académica, Renata. Afeas así tu belleza espiritual de la que vivo enamorada y que es mi deleite al contemplarte, porque bien sabes que en eso soy una sibarita.

Cuando Faustina se sale con tan intempestivos halagos, Renata se incomoda al punto de que hace girar la conversación a cualquier otro tema. Ya le han advertido que su amiga es lesbiana, pero es tanto su afecto filial hacia ella, que no hace caso a los comentarios. Además, no puede admitirlo, pues Faustina vivió casada por más de treinta años y tiene dos hijos. Sin embargo, se murmura que Carlota Reyes es su amante de turno. Sí le resulta sospechosa la manera de tratar ante los otros su relación:

—Domingos, martes, jueves y sábados, no vengan a verme en las tardes porque saben que son los días-paraíso, cuando Carlota y yo nos entregamos al placer incomparable de nuestra mutua compañía. Ni se les ocurra llamar por teléfono porque para hacer más profundos nuestros momentos juntas no contestamos.

Los lunes y de cuando en cuando los miércoles, Renata pasa a verla. A Faustina le gusta acapararla, hacerla permanecer toda la tarde; entonces ella tiene que buscar toda clase de pretextos para no quedarse más de dos o tres horas con su amiga. Sin embargo, a veces la pilla la noche, y es que Faustina tiene la magia de sacar de Renata, ya cuarentona, a la niña de trenzas meladas. A su lado vuelve a escuchar el argentino sonajero, aquel gatito de plata que amaba entrañablemente, pero que un día de desconsuelo, sin saber por qué, lo enterró para siempre:

—A menudo sueño que vuelvo a mi casa, me dirijo al rincón del jardín ... No, no lo enterré en el jardín, sino en un cuarto oscuro, abandonado y de suelo de tierra ... Sí, ahí fue donde escarbé y deposité mi chilindrín de plata ... Ahora que te cuento mi sueño, Faustina, es como si volviera de nuevo al cuarto y procediera de nuevo a enterrarlo ... Hasta un tablón pesado le coloqué encima para que nadie lo encontrara ...

—Enterraste antes de tiempo tu niñez, Renata. El crimen que cometiste contigo misma es imperdonable. Asesinar la niñez para entrar de sopetón al doliente mundo de los mayores, es un pecado imperdonable.

—¿Y si más bien oculté bajo tierra el chilindrín para hacerlo más mío que nunca, para que nadie me lo arrebatara, ni siquiera lo tocara? ¿Quién quita que lo haya enterrado para salvarlo, digo, para salvar mi niñez de la amenaza de los demás?—. Mientras lo dice, percibe en las galerías de su ser el retintín del sonajero, y el brillo de la plata centellando al sol en el momento de enterrarlo; era un rayo de sol que entraba por la puerta abierta del cuarto y daba directo en el lugar donde lo depositó: Renata quiso que al entrar en el vientre de la tierra, su objeto más preciado tuviera fulgores de estrella.

—Faustina, lo raro es que escarbo en la tierra de mi memoria y todavía no puedo precisar si de veras ese cuarto existió en el último rincón de mi casa, al lado de la carbonera. A veces pienso que lo he soñado, porque sigo soñando con él, pero mi casa no es la misma del amplio corredor ni tiene ya los felices rincones por los que se paseaba Bultillo ...

—¿El perro?

—No. Otro día te cuento de Bultillo. En mis sueños yo estoy familiarizada con todos y los detalles, porque la casa se repite una y otra y otra vez; pero el cuartucho sólo muy de cuando en cuando y siempre, al pisar en él, siento mucho miedo, un miedo de muertes presentes, de sombras venidas de ultratumba ... ¿Será el cuartucho un poco el hondón de mi alma, poblado de fantasmas y demonios que me torturan? Quizás por eso enterré mi sonajero, para protegerlo contra tantos peligros ...

* * *

En las tardes de interminable lluvia, con las notas de alguna sinfonía de Beethoven como fondo, la voz de Faustina le va abriendo a Renata una a una las puertas de su niñez; en especial las del Teatro Júpiter:

—Encarado con la iglesia del pueblo, se levantaba el deleite de nuestra niñez, un horrendo edificio apaisado, con un pretencioso frontispicio romano sobre columnas de hierro, donde se leía en letras gigantescas "TEATRO JUPITER". Igual se presentaban en él espectáculos escolares, como las últimas películas mudas acompañadas de pianola. Después vinieron las primeras habladas. Nunca olvidaré el impacto que tuvo en mí *El pobre y el príncipe*, pues me dejó con el deseo de escribir algún día un cuento o novela que como la película, conmoviera mágicamente a grandes y chicos por igual.

—Con el talento que tienes, Renata, escribirás ese libro. Yo te veo ya en el pináculo de la gloria. Eres lo mejor que ha ocurrido en mi vida—. Renata sabe que en esos momentos lo mejor para Faustina es Carlota Reyes. No obstante, hace con la mano un gesto de rechazo a las alabanzas y sigue tratando de no darles importancia alguna. La incomodan de veras porque no sabe cómo tomarlas o cómo corresponderlas: ella es afectuosa, pero de pocas palabras, muy pocas palabras y nada de aspavientos. Por lo mismo prefiere proseguir con sus recuerdos:

—Iba con mis hermanos y unos amiguitos los domingos al matiné del renombrado Teatro Júpiter, pero a veces hacíamos de las nuestras y ¡cómo las hacíamos! En una ocasión soltamos desde distintos ángulos de la sala varios buscapiés o triquitraques, como los llamamos por allá. Otro día, meneando las bancas que eran tembleconas, gritamos "¡terremoto!" y sembramos el pánico al final de la película. ¿Sabés, Faustina, que a menudo sueño con el Teatro Júpiter? Y ahora que te lo he descrito, no sé si te describí el de veras que conocí en aquellos tiempos o si te hablo más bien del que maquinaron mis sueños. ¿Por qué será que los recuerdos se confunden tanto con los sueños y cuesta reconocer cuál es más verdadera, la imagen de la memoria o la de la fantasía con símbolos que emanan del subconsciente?

—Bueno, pero me has dejado en suspenso con lo de Bultillo. ¿Quién fue Bultillo, del que tanto hablas cuando regresas a tu infancia?

—¡Curiosa, más que curiosa! Ahí te va la solución al suspenso: tendría tres o cuatro años cuando sin saber leer aún, con mi hermanillo menor, Santi, de quien tanto te he hablado, abría los libros y pasaba las páginas inventando en voz alta, como si de veras las estuviera leyendo, historias y aventuras que achacábamos a Bultillo. Mi tierno Bultillo, mi primer personaje imaginario, todavía lo veo pasearse por los rincones de mi infancia, tan real como el Teatro Júpiter y como Santi. Vestía pantalones cortos verdemusgo y sombrero tirolés con una pluma tan insólitamente hermosa, que nunca terminaba yo de describirla en mi pretendida lectura. Bultillo era un poco yo misma con el desgarrado dolor de ir creciendo hacia la realidad de los mayores.

—¿Cómo es eso de que te identificabas con él?

Renata entonces explica que lo que le leía a Santi eran los incidentes que ella había vivido aquel día. Su hermano aprendió a comprender sus derrotas y gozos a través de las aventuras exageradas de Bultillo, quien se pavoneaba muy campante de su pluma, deambulando por todas las palabras de Renata; ésta pasaba y repasaba, entretanto, las páginas del libro, convencida de que estaba leyendo.

—Era tan niña, que no sospechaba siquiera que había comenzado al revés de los demás, pues leía en el libro de la vida en lugar de acercarme a los imaginarios cuentos de hadas para irme acercando a la vida. Así, cuando supe leer, ocurrió en mí un extrañamiento al comprobar que si se leía el mismo libro varias veces, cada lectura era la repetición monótona de la misma historia con las mismas palabras, los mismos personajes y los mismos sucesos. En cambio la versátil lectura mía, fuera de los límites de la letra, aunque procediera del mismo texto, era siempre otra, rica, variada, estimulante. Con un solo libro diverso como el mío yo podría pasarme el resto de la existencia sin necesitar otra lectura.

—Desde la infancia tuviste vocación de trasvestido, Renata—, comenta Faustina con una sonrisa maliciosa.

—Adivino lo que estás pensando, pero te equivocás de parte a parte, Faustina. Siempre pensé que es un verdadero privilegio ser mujer. Cuanto más conozco la realidad de los hombres, más me convenzo de que nací para ser mujer y sólo mujer. Todo comenzó cuando sorprendí a mi tío, el padre de Milagros, quien se paseaba desnudo por su casa. Una mañana yo llegué a jugar con Milagros y me quedé petrificada, en el dintel de la puerta, ante aquella monstruosidad barbuda que jamás había adivinado dentro de sus pantalones, y que asocié con la diminuta cosilla que llevaba Santi en la encrucijada de las piernas. A partir de entonces me pregunté cómo podían los hombres andar por el mundo con eso colgándoles ... Debe ser incómodo llevarlo entre las piernas. Además, cuando veía a mi padre salir cada mañana a su trabajo, para poner el pan de la familia en la mesa, me dije que me había salvado de tan enorme responsabilidad ...

—¿De veras te salvaste, Renata? ¿De veras? ¿Lo crees?

—No. Entonces no adivinaba siquiera que desde muy temprana edad yo llevaría con mi hermana las obligaciones que antes fueron de mi padre. El murió y nuestra madre sólo pudo sobrevivir dependiendo de Nela y de mí; de nosotras dos, las hijas que siempre rechazó. Todo su amor lo derrochó a manos llenas en Santi ... Por eso día tras día me he venido repitiendo que se ha de amar por igual a los hijos y a las hijas, sin distinciones de sexo. Nunca comprendí por qué las madres prefieren a los varones. Quizás Freud tenía razón con sus historias de los edipos ...

—Te equivocás de parte a parte, Faustina: en nuestro mundo patriarcal las madres prefieren a los varones en un intento logrado de acercarse y compartir un podo el poder de los hombres.

Mientras habla, Renata recuerda a Raquel, una de sus discípulas de unos veinte años, quien esa mañana le confesó que no se casaba porque ella sabía que a las hijas mujercitas las odiaría con alma, vida y corazón. En ese momento Renata captó en el mirar de aquella estudiante suya el odio de su madre contra ella y contra su hermana ...

—Pese a que mi padre imponía entre nosotros con mano de hierro la disciplina a la que estaba hecho, era muy cariñoso y nos colmaba siempre de afecto, regalos y golosinas—, Renata continuó contándole a Faustina. —En cambio, de mi madre no recuerdo haber recibido nunca una caricia, un beso, ni siquiera una palabra de afecto. Sin embargo, hay en la bruma de mis recuerdos de la primera infancia la imagen pródiga y buena de una madre, quizás inventada por mi deseo. Con el tiempo, ésta se borró del todo para concretarse en una mujer amarga, áspera, sarcástica, a veces cruel. Vivo con una doble imagen: la de la progenitora ideal, toda amor y ternezas y buena cristiana; la otra era hipócrita, virulenta, codiciosa; estaba poseída por la pasión del lucro. Esta apareció después, a mis ocho años. Sin embargo, a menudo me consuelo pensando que las dos imágenes de mi madre fueron sólo producto de mi imaginación. Fue a ella, a la que se me manifestó a los ocho años, a la que odié ... ¡Quién iba a decirme que yo repetiría la historia de Electra, pero una Electra con remordimientos y miedo de odiar!

Miedo de odiar y de oír el eco de su odio en la voz de Santi, cuando a los quince años reconoció que la persona que más daño le había hecho en su vida era nuestra madre y por lo mismo él la detestaba: el amor de su madre era para Santi una camisa de fuerza que no le permitía descubrir su identidad; le cortaba las alas a su independencia y le acogotaba la vida al convertirlo en un ser dependiente de ella hasta en lo más mínimo; un inútil para la sociedad ... "La aborrezco hasta la última fibra de mi ser", seguía oyendo Renata los ecos de su hermano en el fondo de su adolescencia, ecos de su mismo sentir a la inversa. Miedo de su propio grito que desgarró la noche de la pesadilla-realidad: a miles de kilómetros de distancia, Renata presenció en detalle cómo, henchido de rabia, Santi golpeó en la cabeza a su madre, al negarle dinero para la cocaína.

—¿Tu madre, la asesinó tu hermano?

—No. Murió poco después de un ataque masivo de corazón, pero mi hermano la llevó en su conciencia. Se le veía en la mirada, en el gesto, en lo que decía. ¡El pobre! ¡Cómo pesa el odio aunque no mate, Faustina, cómo pesa!—. Renata se quedó triste, pensativa, ubicada todavía en el ayer del encono. —Faustina, sos de alguna manera ésa mi hermana mayor, una especie de madre del deseo ... ¡Faustina, no me abandonés nunca, por lo que más amés en esta vida! Necesito creer en algo, en alguien, no me fallés

...

—Ni se te ocurra, Renata de mi vida, ni se te ocurra decirlo ... Sabes de sobra que eres todo para mí y que nada ni nadie nos separará, sólo la muerte ...

Las dos se quedaron pensativas, mirando pasar por la calle a la gente que iba, venía, entraba, salía, cumpliendo con el trajín de vivir ... "Sólo la muerte", se repitió Renata al sentir que de nuevo pisaba los rincones oscuros de su cuarto, pero ahora las palabras de Faustina eran aquel cuarto de las sombras y los fantasmas ...

—Te has puesto tristona, Renata. Sigue contándome de Bultillo. ¿Te acuerdas de las historias que le "leías" a Santi, Renata?

—¡Claro!— Renata volvió a la infancia de los recuerdos y se reanimó:

—Una vez la maestra anunció que iban a venir a la escuela el ministro y el vice-ministro de Educación. A las tres de la tarde se les brindaría un café con bizcochuelos, de modo que advirtió a Bultillo y a los de la clase que ese día llegaran muy limpios y peinaditos "y nada de venirse con las manos terrosas, Bultillo, porque le pondré orejas de burro, ¿me oye, m'hijito? Usted siempre anda jugando con tierra y parece un chuica sucio". Bultillo llegó muy compungido a su casa y se puso a llorar porque a él no le gustaba beber en otra taza que no fuera la suya, aquella tacita de plata, con monograma, que le dio la madrina para el bautizo. Su madre le explicó a la maestra el pesar del niño y así fue como Bultillo llevó al café de marras la tacita de plata. Aquélla fue una magnífica lección para él, pues su tacita se destacaba mucho entre las otras de humilde cerámica. Al darse cuenta del asombro con el que lo miraban los otros, la vergüenza se apoderó de Bultillo; la taza comenzó a crecer y crecer y crecer y se le hizo tan grande y tan pesada, que no pudo sostenerla más. Entonces la dejó caer, derramándose todo el café en el uniforme. Fue tanto el bochorno suyo, que nunca más quiso beber en su tacita. La arrinconó en la alacena y se olvidó de ella para no acordarse más de que un día había ofendido a sus compañeritos con el lujo de su bienestar. El sueño de Bultillo era ser igual a sus compañeritos de escuela que lo rechazaban, porque a él le sobraba lo que ellos no tenían ...

—¿De veras pasó? Llama la atención lo temprano que se despertó en ti solita la conciencia social ... ¡Y tan didáctica tu pretendida lectura!

* * *

Cuando Renata está deprimida, regresa a los rincones más felices de su infancia. Ultimamente tales retornos se hacen repetidos, persistentes. ¡Entrar con las alas del recuerdo a su Nograles de antaño, equivale a una repetida entrada en el paraíso! Se pasea entonces por el pueblo donde cunden los cafetales y potreros bucólicos. Mientras juega a vaqueros e indios con Santi, Milagros y Nela, pase el ganado imperturbable. La ondulada verdura de este paisaje, junto con el río que al pie de la cuesta, en el sur, corre a poca distancia de su casa, atravesado por un rudimentario puente de hamaca hecho de juncos y troncos, a lo Tarzán, la ponen una vez más en contacto con la naturaleza. Al río van a pescar barbudos, a recoger murtas y a robar guayabas y cuajiniquiles en los cercados ajenos. Todo furtivamente, porque se supone que mientras su padre trabaja de siete a cinco en la capital, ellos se portan como angelitos. Con tal de que la dejaran en paz y regresaran al hogar a las cuatro de la tarde, su madre hace la vista gorda, lo que ella interpreta como una generosa compensación del desafecto suyo.

—El río, amurallado por la abigarrada selva, dejó en mi tierno espíritu una huella indeleble: no puedo vivir por mucho tiempo, y menos escribir, si no le pulso a la naturaleza el susurro de los caudales.

Renata se pregunta si hay algún fondo de verdad en el aserto de que la persistencia de remembranzas pueriles representa un signo inconsciente en individuos para los cuales la muerte está a un paso ... Se lo dijo Faustina, quien vive enredada en los laberintos del sicoanálisis:

—En efecto, me preocupa mucho tu constante vuelta a la infancia, Renata. Es mala señal por lo que te comenté y por lo mismo ha llegado el momento de que explores dentro de ti qué te impele a morir cuando tienes tantos años por delante. La vida es única, preciosa, intocable ... Ni siquiera con el inconsciente se debería lastimar como te pasas lastimándotela ...

A Renata le ayuda mucho la actitud optimista y positiva de su amiga. Al lado suyo y arrullada por su voz grave aunque musical, a Renata le brotan nuevas rosas de otoño. ¿Cómo hacer caso a las habladurías, si Faustina es su bálsamo de Fierabrás? ¿La llamó "Bálsamo de Fierabrás"? Su inconsciente captó en tal frase un chispazo de los efectos nefastos que meses después tendría para ella dicho "bálsamo".

* * *

—¿Sabés, Faustina, que en mi familia hay un suceso que siempre me ha obsesionado? Es un poco como mi cuarto oscuro, del que te hablé, pues a veces se pierde en las brumas del sueño.

Mis abuelos maternos establecieron su residencia en la bohemia Cartago modernista. Imperaban en esta ciudad, ahora provinciana, la liberalidad, extravagancia y riqueza de los excéntricos Troyos, quienes vivían derrochándose en orgías, alcohol y drogas. Víctima de tanta disipación, mi tío Guillermo murió muy joven, y cuando yo preguntaba la causa, me respondían que le había chupado la sangre y la vida un vampiro. Sólo mucho después supe la verdad de su muerte por abuso de drogas y alcohol, como Santi, igual a Santi ... En realidad quiero explicarte un poco cómo mi madre devanó todo el hilo de la fantasía en el depravado carrete de mi tío para ocultar la afrenta de la familia. Entonces comencé a comprender que las realidades del diario vivir se novelizan y mitifican con el tiempo; tanto, que poco a poco se va haciendo imposible separar lo real de lo imaginado. ¡Toda una señora enseñanza la mentirijilla de mi madre! Ahora acato que esto del vampiro se lo inventó mi madre antes de que salieran las historias de drácula. También ella era, como yo, una devanadora de cuentos ... ¡Qué mal uso de sus talentos! Tenía muchos, pero como Santi, nunca supo qué hacer con ellos!

—Menos mal que has hecho buen uso del cúmulo de tus experiencias, Renata.

—Todo este tiempo vivieron latentes en mí. Quizás todavía esperen el momento de concretarse en alguna forma artística más rotunda. Debo reconocer que contribuyeron esas vivencias y también la lectura de los muy selectos libros de mi padre, impresos en las más fastuosas ediciones. ¡Ah, los grabados de Doré todavía deambulan en mis visiones oníricas!

*   *   *

—La verdad es que de la estirpe de los conquistadores españoles sólo me tocó una mínima porción como para que en mi entrañable país no se dijera que nuestra familia era una intrusa sin arraigo en ese suelo. Los Sandoval (Mi único apellido hispánico, que yo recuerde), rama de la cual procedía mi abuela paterna, se establecieron en el Valle Central, concretamente en la reducción de indios que en aquel entonces se llamaba Nuestra Señora del Pilar de los Tres Ríos. La tradición familiar exaltó siempre a aquellos terratenientes cuyo poderío se dilataba, sin fronteras, por tierras vírgenes y fértiles.

—Así es que tienes a tu haber sangre de adelantados conquistadores. ¡Quién lo iba a decir con esos apellidos anglosajones que te gastas!

—Mis tías no cesaron nunca de comentar que aquellos Sandoval eran de linaje noble; según ellas, éste se remontaba a la vieja Castilla del siglo XV o sabe Dios a qué tiempos lejanos. Para probarlo, hasta mostraban a las amistades el escudo de armas de oro con bordura de plata en la que figuraban cuatro leones rampantes.

—¡Vaya, vaya, hasta hidalga nos salió la Renata Jefferson Bradley!

—¡Bah! A mí nada de eso me impresionó, porque cuando nos visitaba el tío abuelo Romualdo, traía en toda su persona vieja y decrépita, en los puños deshilachados de la camisa y el cuello, en el traje ludido, la derrota y la pobreza de una raza de hierro que escogió la geografía más indigente del mundo para afincarse. Desde los comienzos de la historia de mi país, era sabido que la miseria había imperado siempre en esas regiones y por lo mismo los conquistadores de pelo en pecho la desechaban. La prueba es que fue uno de los últimos rincones del Nuevo Mundo que los atrajo. Mejor dicho, atrajo a simples agricultores con pretensiones de adelantados. Fue tanta la penuria de mi entrañable terruño, que en 1799 el gobernador don Tomás de Acosta escribió al rey haciéndole ver: "Esta provincia se halla en tan miserable estado, que tal vez no tiene igual en toda la monarquía". En mi imaginación yo me vivía asociando la digna persona de don Romualdo Sandoval con aquellos cuatro pobladores españoles de lejanos tiempos, los cuales no iban ni a misa por no exhibir los harapos que cubrían sus carnes; además, me preguntaba de qué servía entre tanta miseria la heráldica, si no daba ni para comer. No obstante, mis tías seguían llenándose la boca con ella. ¡Y qué orondas quedaban ante las amigas con sus inflamadas historias del pasado familiar!

—¿Y las tierras siguieron siendo suyas?

—La vastedad de los principios quedó reducida a una casita colonial de adobes y tejas rojas, pintada de blanco, con una franja inferior azul cerúleo. Estaba ubicada en el corazón de Barba, la cual fue antaño la primera villa que se fundó en esas tierras. Mis recuerdos de los residuos de aquel pasado español se redujeron a mi tío abuelo Romualdo, a esa casita y al aire enteco de las dos tía abuelas, las cuales de tan flacas que estaban, parecían hechas de cecina. Contaba mi padre que en esa casita humilde, asomada a la ventana, fue donde mi abuela, doña Paquita Sandoval de no sé cuántos apellidos más, le robó el corazón al apuesto ingeniero y soldado inglés, Ferdinand Jefferson, procedente de la refinada nobleza europea, y quien acababa de llegar al país atraído por las posibilidades de inversión que le había detallado su aventurero hermano

Edward. Poseído por un auténtico romanticismo británico dejó los negocios a su hermano, y enamorado de la bellísima criolla y también del país, en poco tiempo se casó para quedarse en Barba. A su amada Paquita (Francis, la llamaba él) le construyó una hermosa casa que era un verdadero desaire para aquella menesterosa villa de adoquines y adobes. Y para colmarla de más regalos y lujos, aprovechó la visita al país de los artistas italianos que fueron a decorar el Teatro Nacional, para contratarlos con el fin de pintar unos frescos llenos de ninfas y faunos. Muchísimos años después, la familia se estableció en la capital y entonces la vivienda de mis antepasados se convirtió en casa parroquial ...

—¿Cómo? ¡En casa parroquial con ninfas semidesnudas y faunos libidinosos?

—Como lo oís, Faustina. Y por lo mismo, lo primero que hizo el sacerdote fue cubrir con pintura aquellos atrevidillos frescos y con este acto borró el único testimonio de grandeza del clan Sandoval.

—¿Y qué te dejaron tantas grandezas?

—Dinero y tierras, ¡olvídate! Sin embargo, mi abuelo me dejó el marcado idealismo suyo, la tenacidad en el trabajo, el amor al campo y a la naturaleza y la capacidad de mantener siempre vivas las ilusiones, hasta en los momentos más penosos del vivir: según la esquela luctuosa que sacó en primera plana el periódico *La Tribuna* cuando murió mi abuelo, este "poeta del trabajo" se había dedicado en nuestro país a las labores "agrícolas y de ingeniería", cultivando la tierra y construyendo "sobre los ríos caudalosos o sobre los abismos inquietantes puentes matemáticos. Era un domeñador de imposibles [... que] no seguía sino la eterna ruta de sus ilusiones". Ese mismo espíritu quijotesco suyo lo llevó a firmar un contrato con el gobierno del país para ir a buscar los tesoros que el pirata Morgan había sepultado en una isla, los cuales fueron y siguen siendo la atracción de incontables aventureros.

—¿Y a quién le debes tu vocación de escritora? ¿Hay escritores entre tan ilustres antepasados?

—Mi vocación la recibí también del abuelo, pues según la esquela luctuosa que te mencioné, por algún tiempo colaboró asiduamente con artículos en *La Tribuna*. Esto explica las expresiones públicas de ese rotativo, que hace suyo el duelo de los Jefferson Sandoval. Entre los numerosos miembros de mi familia, sólo él y su hija Concepción dieron muestras de haber manejado la pluma.

*   *   *

Los días de tertulias y amistad cesaron de repente. Milagros, llena de celos y envidia, levantó una trapisonda entre Faustina y Renata. A esto se agregaron los sucesos de una semana atrás. Renata no daba crédito a sus oídos cuando la voz de Faustina le dijo por teléfono que se había llevado un verdadero fiasco con ella; que no quería verla nunca más; que ya sabía de la miserable estofa de que estaba hecha; que había dilapidado el caudal de su amistad en una Renata falsa, ambiciosa, sin escrúpulos y para colmo, neurótica ...

—Pero ... pero ¿qué te he hecho yo para oír estos improperios de tu boca? ¿No fue hace unas semanas cuando me decías que todas las bellezas y perfecciones de Gaby sólo una hija mía podía poseerlas? ¿No fuiste la que la semana pasada intentó convencerme que soy un ser muy especial? ¿No les dijiste a las otras amigas que yo soy la persona que a tu parecer, más se acerca a la perfección? ... Me lo contó Sonia sorprendida de que con tu cinismo no me vieras defecto alguno. ¿A qué vienen ahora todos estos insultos, Faustina? ¿No podríamos dialogar?

Faustina se negó rotundamente y hasta cortó la comunicación con un "¡nunca más, olvídate de que existo!". Renata lloró con desconsuelo la pérdida de la amiga, e intentó confrontarla, pero la otra se evadía con toda una serie de mañas.

Entonces vino a su mente la última escena juntas: Renata se quejaba de su intensa soledad, de su matrimonio frustrado; repetía que había llegado a no encontrarle sentido a la vida, porque ya nada tenía significado para ella. Faustina se levantó del sillón de siempre, el de las largas charlas e íntimas confidencias, y se fue a sentar en el sofá donde solía acurrucarse Renata; le tomó ambas manos, comenzó a besárselas con intensa ternura y con voz arrebatada, le confesó:

—Para mí, Renata, tú lo eres todo, absolutamente todo, porque tú llenaste el vacío que dejó en mí la muerte de Carlota ... ¿Ves cómo tu vida tiene sentido? Yo te haré perder ese miedo que te domina de amar y verás que conmigo encontrarás la felicidad. Renata, te ofrezco la felicidad conmigo ...

Renata estaba petrificada. Si eso mismo se lo hubiese dicho otra persona, era fácil ponerla en su lugar con palabras y gestos definitivamente duros. Pero expresado por quien era para ella su hermana del alma, su mentora, su guía intelectual; sobre todo ella era su HERMANA, así, con mayúsculas. ¿Cómo rechazarla sin herirla, cómo? Renata cerró con intensidad los ojos y desde el fondo de su ser recitó con vehemencia una oración que le dio ánimos para saltar con agilidad del sofá y arrebatarle sus manos a Faustina, quien las guardaba entre las suyas como palomas listas a escapar.

—Se hace tarde, Faustina, muy tarde. Sabés de sobra que te quiero. Aún más, te adoro, pero siempre como a mi hermana, mi dulce hermana tierna, la del acertado consejo y el saber exacto. Lo que me proponés va en partida doble contra mis principios ...

—¿Principios a mí que me los meto en el bolsillo cuando me conviene? Déjate de boberías, Renata.

—Pues sí, mis principios: ni abogo por el homosexualismo ni tampoco por el incesto. Aquí no ha pasado nada, ¿me entendés, mi amiga entrañable? Para mí, nunca pronunciaste esas palabras, ni aquí ha ocurrido esta escena. ¿Aceptado?—. La voz de Renata estaba alterada por la situación, la angustia, la vergüenza; más bien por la necesidad de gritarle al mundo que no era justo nada de eso, porque cuando creía haber hallado a la hermana de sus sueños infantiles, su casi madre deseada, bastaron unas palabras para borrársela del panorama de su vida y dejarla de nuevo huérfana de afecto, al borde del abismo de su irremediable soledad ...

Por su parte, Faustina se refugió en la sombra para ocultar la palidez y el temblor de todo su cuerpo:

—Vete, Renata, vete de una vez por todas y no vuelvas más a pisar mis dominios—, le gritó con exasperación, señalándole la puerta. —Eres un ser muy mínimo, no mereces todo lo que de mí te he dado con tanto desinterés. Vete y no vuelvas más ...

* * *

Renata comprendió entonces que aquella conjunción gemela con Santi, no volvería a repetirse en su vida nunca jamás. Por eso el incidente con Faustina la dejó desgajada por muchísimo tiempo. Fue como si Santi hubiese muerto dos veces para ella.

Y es que al lado de Santi, aquellos días eran el Paraíso perdido que Renata quería recuperar a toda costa; un paraíso perfecto dentro de la imperfecta imperfección de este mundo: sus juegos inocentes; largos coloquios; malicioso fisgoneo en el mundo impenetrable de los mayores; intercambio taimado de miradas que constituían un magistral conciliábulo entre ambos, como si no hubiera en su entendimiento una sola fisura, pues las palabras sobraban entre ellos casi siempre; indagaciones furtivas a espaldas de los mayores, en el vertiginoso mundo de la *Enciclopedia Hispano Americana*, perdidos entre las páginas del coito, parto, embarazo, fecundación, óvulo, pene, pubis, vagina, matriz, fornicación, homosexual, lesbiana, hermafrodita, sodomita, falo (las mismas definiciones iban remitiendo sucesiva y precipitadamente, a nuevos términos, tan fogosos, que los dos experimentaban, al pasar de uno a otro, el mismo vahído del deslizamiento raudo por el tobogán interminable de las ferias de Nograles); conceptos desquiciados por su candidez, los llevaba a decir a los otros chiquillos, en secreto, que la virginidad se puede detectar fácilmente, con sólo ver cómo camina y cómo se sienta una mujer:

—si se sienta con las piernas juntiticas, así, mirá, apretadititicas, como mamá, y como tu mamá, ni darle vuelta que es una virgen. Ah, pero esa despatarrada Rosita, que se encarama como un mono en los árboles y se mete a jugar fútbol a mitad de la calle con los demás chiquillos, ésa sí que no es virgen. Mirá, para ser virgen hay que caminar así, lo ves?— con las piernas muy juntas, dando pasitos chinos de pies aprisionados por los zapatos, Renata imitaba el castísimo andar cerrado de las doncellas, tal como ella y Santi las habían captado en el fárrago de palabras de la enciclopedia.

Las definiciones de la enciclopedia eran un galimatías que juntos interpretaban con ahínco adivinando que en esas palabras yacía la simiente misma de la vida. A menudo se perdían en los laberintos de los vocablos, pero en busca de la salida, iban abriendo boquetes entre los muros del lenguaje. Así, Renata y Santi se horrorizaron cuando la primita Milagros afirmó un día que para ella no era un secreto lo del nacimiento de los niños,

—porque yo sé que un papá se mete en una mamá por ahí abajo, ya saben, y le vacía una agüilla que después se hace un bebito. Lo que pasa es que los hombres no tienen ninguna bolsa en el cuerpo donde guardarlo mientras crece y por eso la mamá lo protege dentro de la panza. Después de nueve meses, como se escurre del tubo la pasta de dientes, el bebé sale por el mismo güequito por donde entró hecho líquido, ...

—¡Mentirosa, requetementirosa!—, le gritaron Renata y Santi al unísono. Después, Santi prosiguió:

—¿Cómo podés tener una mente tan sucia y decir que un papá mete el pirulí en la mamá? Tu imaginación es asquerosa, Milagros.

—Nosotros lo hemos leído en la enciclopedia. Sí, te lo juro, lo sabemos de veras—, agregó Renata. —Para tu información, Milagros, los bebitos nacen del amor, como suena, del *A-M-O-R*. Ya sabés, besos, abrazos, caricias, eso es todo. Tenés una mentalidad de excusado. Buscálo en una enciclopedia y verás que es como decimos. Del amor nacen los bebitos.

Con las páginas furtivas de la enciclopedia, fueron pasando los años y con ellos, el fruto del árbol prohibido cobró forma definida, sobre todo cuando escucharon el término "condón". Entonces los dos comprendieron de repente por qué Angelina, la criada, había corrido gritando como loca hacia ellos, cuando una mañana, soleada y gloriosa, estaban a punto de hinchar el globito blanco que encontraron colgando de los arbustos junto a la verja de su jardín-paraíso. Se asustaron mucho al verla con los ojos desorbitados y el cabello en desorden, y gritándoles a todo galillo:

—¡Cochinos!, ¿cómo se les ocurre inflar esa porquería? ¡Dénme ya mismito *eso*, mugrosos!—, y se lo arrebató a Santi violenta y rápidamente, con el gesto de quien desearía que la rapidez borrara el acto hasta hacerlo inexistente.

—¿Te fijaste, Santi? Lina dijo *eso* y *eso* es sólo un globito. ¿Será entonces otra cosa? Me pegó tal susto con su griterío, que todavía me da saltos el corazón como si quisiera salírseme del cuerpo.

—Aquí hay gato encerrado, Mimí. ¿Qué tiene de malo un globito para tanto alboroto y prohibiciones?

La respuesta les llegó muchísimo tiempo después, en conversaciones de "hombres" entre Santi y sus compañeritos de escuela. Ni Santi, ni Renata salían del asombro ante aquel prodigio del condón-tabú. Buscaron y rebuscaron la palabreja con empeño hasta que al fin la encontraron en un breviario de medicina donde decía que aunque no es un vocablo reciente, falta en el Diccionario de la Real Academia y que "viene de *Condom*, nombre de un médico inglés que inventó el preservativo en el siglo XVIII. Es una vaina generalmente de goma que se coloca en el pene para protegerse de enfermedades venéreas o para no concebir durante el coito".

Tal revelación representó para ambos chiquillos la tentadora redondez del fruto prohibido y acicate para reconocer mejor los signos de la realidad y superponerlos a los de la grafía misteriosa en los libros (*contraceptivo, preservativo, coito, enfermedad venérea, pene*, etc.), o viceversa.

—Se silenció el vocablo "condón" a mediados de siglo—, comentó Renata en la tertulia en la que se notaba la ausencia de Faustina: después del incidente entre las amigas, se negó rotundamente a frecuentar los lugares donde podía encontrarse con Renata. —Ahora, con el burumbún del sida, todo se ha vuelto condón por aquí y preservativo por allá. De la radio, en un país hispanoamericano, recogí el siguiente anuncio: "Es mejor perder un minuto de vida, que no la vida en un minuto; ese minuto se llama condón: úselo para protegerse del sida". En la Radio Musical, en Costa Rica, el anuncio decía: "Sexo seguro: el condón es la solución". Otro: "Viva mejor. Para eso el preservativo se ha convertido en el mejor protector de la familia".

—Hubo unas quejas acerca de los *comercials* en la tele y en una carta que proyectaron en la pantalla, se leía: "Como la abstinencia no está a la venta, sólo se anuncian los contraceptivos"—, agregó Sara.

—En la Universidad Rice de aquí de Houston, la Comisión del Sida ha propuesto colocar máquinas que proporcionen condones en lugares estratégicos del recinto universitario, algo así como las de las compresas higiénicas de nosotras, las mujeres—, agregó Sonia. —No es cuento, se está estudiando seriamente la propuesta.

—Hasta en Harvard repartieron condones a todo quisque. ¡Quién iba a decirme que una *invention* del siglo XVIII sería más útil que todo lo que se ha concebido en estos últimos años de avances científicos!—, informó Sara deleitándose en los cigarrillos que consumía con la prisa del reo que ha recibido sentencia de muerte. Cuando la veían en ese estado de nervios (fumando como una chimenea o comiendo sin límites), Sonia y Renata comenzaban a captar indicios de que la pobre de Sara atravesaba por una de las crisis matrimoniales; se excedía castigándose a sí misma para no pedirle el divorcio a Andrés; engordaba para encubrir su extraordinaria belleza y poner barreras entre ella y los hombres que pudieran hacer el papel de Sigfrido.

*   *   *

Largo viaje sinfín por mares desconocidos. Las maletas se pierden, no llegan nunca a su destino. Yo sí llego al mío: mi casa de la juventud, allá en Nograles, la que da a la calle que lleva directo al Cementerio General donde todos, grandes y chicos, el zapatero y el alcalde, la criada y la señorona alhajada, pararán indefectiblemente.

Entro con sigilo, tratando de reconocer uno a uno los cuartos. Me detengo en el de mis padres; en la cama de matrimonio está Faustina postrada por una enfermedad que la ha consumido hasta dejarla cadaverosa. Después de cinco años de distanciamiento por intrigas de otros, la reconciliación es rápida, pero intensa y llena de emoción.

Cuando salgo de la recámara, el corazón me pesa con dolor ciclópeo, pues en los ojos apagados de mi amada Faustina ya se aposentó la muerte. Me reclino en la barandilla de una hermosa terraza que nunca existió en mi casa y me quedo pensando con nostalgia en los bellos momentos que ambas compartimos juntas. Fueron momentos en los que literatura, arte, ideas, música, opiniones, dieron sentido a este absurdo llamado vida. También me pregunto por qué su lecho postrero está en esa recámara habitada por las desavenencias de mis padres, la cual fue el rincón oscuro de las frustraciones, los miedos, la orfandad, durante mi niñez y adolescencia.

El despertar, penoso, me dejó con la visión cadavérica de alguien tan querido. El resto del día se gozó en mí el relente de la reconciliación onírica, la cual no había ocurrido aún en la realidad del diario vivir. "Hoy mismo le escribiré—, me dije, pensando que mi escritura materializaría la reconciliación tan ansiada. — Hoy mismo le voy a escribir, sin posponerlo ni un sólo día: se hace preciso robarle tiempo a la muerte".

Muy querida Faustina:

"Hay golpes en la vida tan fuertes ... ¡yo no sé!

Golpes como del odio de Dios", quisiera escribirte aquí, hermana del alma, haciendo eco al incomparable César Vallejo. A falta de una voz como la de él, sólo puedo decirte que no comprendo por qué acabaste de manera tan tajante con nuestra bellísima amistad. Siento mucho haberte desilusionado a tal punto, que hasta te has arrepentido del artículo que publicaste acerca de mi obra cuando todavía yo significaba algo en tus afectos.

Por mi parte, respeto lo que hagás en el futuro. Conozco tu terquedad y sé bien que no me aceptarás jamás en tus círculos. Sin embargo, sabés bien que siempre te he tenido una gran admiración y afecto, y éstos no han cambiado. En cuanto al cariño de hermana espiritual que en tantos años me diste, Faustina, así como a la riqueza intelectual que me proporcionó tu amistad, debo confesarte con sinceridad que los guardaré en lo más cálido de mi corazón. Considero que las tormentas de la vida pueden lavarnos a ras del suelo; no obstante, hay que impedir que arrasen el hondón de nuestro ser o destruyan lo que se ha depositado ahí con amor a lo largo de los años. Si en algo te herí, te suplico perdonarme. No lo hice con ninguna intención, te lo juro.

Sara me contó que estás bajo tratamiento intensivo. No me supo explicar el mal de que adoleces. Por mi parte hago votos por que mejores pronto y te mando mi afecto de siempre,

Renata

Cerró la carta pensando con dolor en lo triste que debe ser llegar a la edad setentona de Faustina sin haber hallado la quietud y paz interiores; sin haber saciado la sed de erotismo.

"Te quise de veras, Faustina, fuiste quien ocupó el vacío
al morir Santi,

tengo que justificarte: lo tuyo es producto de la senili-
dad,

¿o más bien de un turbio demonio que te arrastra al
pecado y a la lujuria en el ocaso de la vida, cuando
los otros ya han claudicado en ese campo?,

duele comprobar que en vos no se haya dado una armoniosa conjugación de los valores artísticos con los
morales,

¡y yo, que había creído que sin ambos equilibrados,
la obra de arte, el éxtasis, eran imposibles!, estoy
aprendiendo, aprendiendo mucho, y de vos misma,

aunque hayás cesado de hablarme, seguís siendo mi
mentora, mi hermana del alma,

¡pobre Faustina, ojalá encontrés algún día lo que buscás!"

No vino respuesta alguna. Meses después, sólo una esquela
mortuoria ... Mientras la leía, desde la habitación de Amalia las
voces armónicas de Peter, Paul y Mary acompañados por la gui-
tarra, saturaban el aire de la casa con su "Where have all the flowers
gone? / Long time passing ... ", "¿Qué se hicieron todas las flores?
/ Pasaron hace mucho tiempo ... "

XXII
DEL ALMA SE LEVANTARON BANDADAS DE PAJAROS ATURDIDOS

No temas que la vida llegue a su fin, sino más bien que nunca tenga comienzo.

J.H. Newman

Permanece vivo el espíritu que animó a la Conferencia Nacional de Mujeres en Houston, pero poca cosa se ha llegado a concretar hasta el presente. Se afirma en los círculos de prensa que el problema no radica tanto en la Casa Blanca, como en los congresistas, quienes han adoptado una posición indiferente hacia los asuntos de las mujeres y la verdadera magnitud de los mismos.

La vida es búsqueda incesante de algo que no se sabe qué es, pero se presiente. ¿Y si muriera yo sin encontrarlo? Al hacerme la pregunta, mi espíritu se vuelve una tiniebla inquieta y turbia como esta tarde que amenaza tormenta; una de esas tormentas tejanas en las que la claridad mañanera se vuelve noche cerrada; entonces detona la ira de Dios, rasga el horizonte con filosos relampagueos y arrasa la llanura con vientos que doblegan los más fornidos árboles hasta hacerlos tocar el suelo con las ramas; también los levanta en vilo, raíces y tierra, con la fuerza titánica de tornados y huracanes ... Igual a esta llanura asolada por la ira de Dios, me siento sumida en una sólida y tangible tiniebla, la cual inesperadamente se volverá tempestad arrasadora. Así, con este inminente presagio de tragedia, voy viviendo. Tengo miedo a ese porvenir incierto y lo deseo porque sé que sólo muriendo sucede el milagro de la resurrección. Los ciclos de la naturaleza también ocurren en nuestra sique, tienen que ocurrir: la fría lobreguez de éste mi invierno del alma tiene que dar paso a la tibia primavera, o por lo menos a un benigno otoño ...

¿Y si yo muriese sin encontrar ese algo que ni siquiera sé qué es ... ?

*   *   *

Tanto insistió Sonia, que Renata acabó por acceder y asistir a la cena de clausura del Congreso Internacional de Escritores en Puerto Rico. Habría preferido quedarse con Beethoven y Rilke, quienes en esos días colmaban de placeres indefinidos su espíritu: en el silencio del soledoso cuarto del Hotel Condado Beach, mientras Antonio se ocupaba de lo suyo, ella permanecía, una noche con Rilke, otra con Aleixandre, o con García Lorca, o Borges o Gide, y siempre con el fondo musical estereofónico de Vivaldi, Beethoven, Brahms, Tschaikowsky, Rashmaninov, Gershwin.

Esa noche, antes de que le telefoneara Sonia, quien fue también al Congreso Internacional de literatura, Renata había estado pensando en que desde que los hijos habían partido para la universidad, y ella se acercaba a la vejez, había comenzado a gozar del plácido sentimiento de saber que ya había cumplido con la vida, con el marido, con los hijos, con lo que se debe cumplir. Su espíritu en su cuerpo, lacio ya, desprovisto de deseos, le trasmitía un no sabía qué de paz, de serenidad, de sosiego, ella que había vivido hasta pocos años atrás intentando domeñar su naturaleza rebelde, sus incontenibles protestas, sus gritos de desesperación, sus reclamos porque todo salía a medida de Antonio y nunca se acomodaba a la suya. Tanto, tanto la había abrasado por dentro su rebeldía, que ahora sólo le quedaban pavesas y el rescoldo del fuego que la encendió por años dándole el empuje y pasión necesarios para llegar a ese piélago de quietud donde comenzaba a sentirse integrada al Todo. Satisfecha, se dijo que había alcanzado la epifanía de su existir.

Abandonar esa plenitud para participar en la charla, a veces nada espiritosa, de los amigos, requirió un esfuerzo gigantesco. Estaba convencida de que aquélla sería otra velada más llena de ¿cómo te llamás, ¿qué hacés?, ¿dónde trabajás?, ¿has visto una buena película?, ¿algún excelente espectáculo?, ¿adónde pasarás las vacaciones de verano?, ¿qué te gusta más?, y ... , y ... , y ... , sólo lugares comunes, y esa inevitable impresión de que las palabras, las frases repetidas una y mil veces, se han vaciado de sentido. Un verdadero fastidio, pero le fue imposible convencer a Sonia y no tuvo más remedio que ir. Ya le habían dicho que Ricardo Díaz Alvear estaría entre los invitados, pero como ella no había leído ninguna de sus novelas, le resultó indiferente el dato. Más aún, sentada a la mesa junto a él, sintió como nunca el arrepentimiento de haber contrariado sus deseos de quedarse en casa con excelente música y buena lectura. Era obvio que la mujer del profesor Dávila, quien siempre trataba de abrirle cancha a su marido, había invitado a cenar a los presentes con el fin de darle a su media naranja empujoncitos hacia arriba en el escalafón de la empresa editorial en la que él era subgerente. A Ricardo Díaz Alvear lo precedía su fama de escritor, lo que también contaba mucho para la señora Dávila, por supuesto, después de los dignísimos representantes de la casa editorial, a quienes ponía en pedestales con reverencias por aquí, atenciones por allá, y toda una retahila de zalemas.

Convencida de que sería una larga noche en la que habría que echar mano de máscaras y verbosidad, Renata hablaba sólo por aquello de los buenos modales; arrastrando la voz dominada por el hastío, al principio respondía casi mecánicamente, disimulando los silencios con bocados de comida que masticaba a desgana,

"¿por qué vine?,
    éste es el precio que pago por abandonar a Beethoven
       y a Rilke, precio altísimo, en realidad,
    un completo suicidio espiritual mientras éste, a mi lado,
       chorreando narcisismo en cada palabra, habla de los
       caudillos mexicanos de la Revolución,
    del trágico destino de Huerta,

de sus investigaciones sobre el negrero yanqui William
    Walker, y su denigrante imperio en Centroamérica,
    con la marca candente de la trata de esclavos,
de las circunstancias que inspiraron su último libro,
de la acogida que le dio el público de su país a su re-
    ciente novela, ganadora de no sé qué galardones li-
    terarios,
es un engreído ¡más pesado ... !,
y aquí todos se vuelcan por él, como si fuera un dios
    descendido del Parnaso ... "

Renata escuchaba la conversación de Ricardo Díaz Alvear lejos,
totalmente ajena a su mundo. Sin embargo, en un momento dado,
algo dijo él —ella querría recordarlo para comprender mejor lo
que ocurrió esa noche—, una de esas fórmulas mágicas, Sésamo-
ábrete-abracadabra, algo que se volvió fina, tupida, invisible red
de ternuras, recuerdos, retales del pasado flotando en la infancia
de él —en la de Renata también—, la cual los separó de los otros
comensales y los transportó a un mundo aparte en el que cada
uno de los dos lloraba por dentro el dolor del otro. Los demás,
los de la conversación cotidiana que huele a escalafón, a papel
periódico repleto de crímenes, a guisos y embotellamientos de autopistas, seguían gesticulando, emitiendo sonidos, pero en una lejanía que los difuminaba en la semipenumbra parpadeante del
comedor iluminado por elegantes candelabros. Entre Ricardo y
ella se estableció una corriente de intensa electricidad emotiva, la
cual preñaba de calideces el revés más auténtico de las palabras,
los silencios, la risa ...

"Sin tocarlos siquiera, Ricardo, en tus labios revolotea-
    ron y se anidaron mis besos huérfanos durante una
    infinidad de años, tus labios, Ricardo, que todavía
    guardaban la calidez de bocas recientes, los acogie-
    ron con pasión".

Ellos, los otros, alrededor de la mesa, pasáme la sal, ¿no querés
más postre? ¿café?, sí, descafeinado, porque si no, no pego ojo
en toda la noche, fue magnífica la exposición de Roberto, ¡qué
sepias en lo que daba impresión de ser tierra y aquellos reflejos
del agua, como para dejarla a una sin respirar!, yo no pude ir, el
congreso literario fue un éxito, tenemos que comenzar a preparar
el siguiente, para dentro de dos años ...

"Ricardo, vos y yo, hundidos en nuestra hoquedad más

íntima, habíamos cesado de ser nosotros mismos ...

y nos integrábamos misteriosamente a una realidad inadvertida para los demás,
ellos, los embebidos en su masticar, beber y decir algo
con el fin de no dejar en los renglones de su visita
ni un espacio vacío que diera campo a otros para
destacarse,
así, sumidos vos y yo en esa última e intangible realidad, la única
para vos y para mí, Ricardo,
en esa mágica noche penetraste dentro de mí,
recorriste mis pasillos interiores,
y llegaste al aposento donde hacía una multitud de años
dormía, en profundísimo sueño,
todo mi sentir de mujer distanciada del amor ... ,
el beso tierno de tu mirada
me despertó ... ,
como Sigfrido despertó a Brunilda,
mi cuerpo, inerte por incontables años,
se colmó de ignotas sensaciones,
como se llena un cántaro,
con la mirada, te penetré yo también
hasta infiltrarme en el poso más insondable de tu ser,
donde aún se palpaban recientes éxtasis de carne sa-
ciada de sexo,
juntos, rodamos al abismo de un raro placer desconocido para mí,
tus besos, tu ternura, tus palabras,
la caricia de tus pupilas al recorrer la piel de mi espíritu,
tu silencio, tu risa, tu gesto,
levantaban bandadas de pájaros enjaulados una eternidad
en la prisión de mi alma,
libres, aturdidos, revolotearon trinando por mis venas,
saturándome, como vino consagrado en cáliz de plata
clara ... ”

Ellos, los que estaban ahí comiendo y hablando del próximo
congreso y del recién pasado; los que discutían la ponencia sobre
el falologocentrismo y los patrones evaluativos impuestos por el
hombre en nuestra sociedad para aniquilar la escritura femenina;
y que si ganarán los radicales, lo verás, es un partido fuerte; ellos

eran uno, dos, tres, muchos, una multitud de voces y cuerpos y
conciencias,

> "vos y yo, Ricardo, en el fondo inescrutable de nosotros
>   dos, éramos sólo uno, integrados en el misterio del
>   círculo completo, del mandala, de la unión perfecta,
>   total … ,
> eramos sólo uno, fundidos en consumada armonía con
>   el universo … "

Entretanto, la cháchara de los demás, el humo de cigarrillos,
el chocar de la vajilla y cristales de copas y vasos, toses y risa y
aspavientos y silencios y humanidad que quiere gastar su cuota de
aquí - estoy - yo - y - ésta - es - mi - historia - y - sólo - a - mí - me -
ocurre - esto, no impidieron que sucediera una vez más entre Renata y Ricardo el milagro secreto de la primera pareja del génesis; y
que una vez más se repitiera el paraíso completo sin faltarle nada;
y que una vez más los dos se miraran con ternura y asombro re-
conociéndose a sí mismos en esa pareja mítica y gozando con gozo
de miles de años el sabor de la manzana de siempre y de nunca;
pero no hubo entre los dos la gigantesca voz detonante que los
condenara desde arriba al destierro, sólo un bueno, se hace muy
tarde, la noche ha terminado como termina todo lo bueno en esta
vida, el cual trajo de nuevo el apocalipsis de la soledad a sus vidas
…
   —Adiós, buenas noches …
   —Hasta otro día, Renata. Nos veremos pronto, creémelo.
   —¡¡Adiooósss!!
Los otros también, chau, que se hace tarde, mañana te veo,
viejo, escribíme cuando llegués a Berlín, nos vamos ya …

*   *   *

No regresé más a mi casa, Ricardo. Unicamente regresó mi
cuerpo empapado en luz de estrellas y de auroras. Mi anatomía
humana, sí traspasó el umbral de la puerta, pero mi espíritu se fue
a navegar con vos por las islas de tu soledad. Y hubo un milagro
callado en el mundo: renací yo, yo, yo ¡¡¡yo, que hacía años yacía
muerta en mi morada interior!!! Si aquélla hubiera sido la única-
última noche juntos, siempre, siempre, te habría llevado en mi
recuerdo, porque vos hiciste florecer mis espinos, y yo siempre te
lo agradeceré. Milagros como éste no ocurren siempre, Ricardo.
Quisiera gritarlo por doquier: ¡he vuelto a nacer!, y vos hiciste el
milagro. ¿Será éste el final de mi búsqueda?

* * *

Ricardo del alma:

Si llegaras a perder el sentido de lo maravilloso (don Quijote vivió sólo mientras pudo nutrirse de la maravilla), torna a recordar la noche de las noctilucas en Puerto Rico, ese *Hannukah* o festival de las luces para los que abordamos la barca rumbo a la bahía.

¿Qué mayor maravilla y portento que sacar del agua las manos cuajadas de mágicas estrellas? ¡Cuántas estrellitas se prendieron de nuestros dedos, convirtiéndolos en momentáneos cielos diminutos! En el silencio de la barca, al tomar de mi mano la última noctiluca, cuántas palabras me dijiste, ¡cuántas!, sólo con el roce de tu piel y la mía. ¿No fue acaso una manera de integrarnos por un efímero instante en la infinidad sin horizontes de Dios?

De lo anterior sólo se deduce que ponerse a filosofar con tan vanos sentimentalismos es uno de los síntomas del proceso irreversible hacia la muerte ... No puedo evitar estos pensamientos al considerar lo tarde que te encontré y el corto plazo que nos queda ya para disfrutar unidos. ¡Cuánto me duele de sólo pensarlo! Considerá que no es sólo la muerte la que amenaza con cortar el hilo de nuestra comunicación. La vida también, Ricardo, la vida también ...

Aunque lo nuestro fuera ese único y efímero momento en la bahía del Caribe, no olvidés las noctilucas de Puerto Rico, la maravilla, la magia de una noche tropical, el beso y nuestro lenguaje callado de manos que convergen en la última noctiluca de todas las que en un cubo sacó el marinero del mar. Ahora sólo un hermoso recuerdo, cartas, separación y el sentimiento enjaulado en letras, papel y sobres con sellos que me traen todavía el olor salobre de las costas puertorriqueñas, aunque procedan de California.

* * *

Tampoco perdurarán la ternura ni los desvelos de mi querida Felisa. Ella pronto se irá a la Joya, pasando por todos los peligros de los espaldamojadas que cruzan la frontera entre México y El Paso. Seis meses aquí, en Houston y seis en La Joya:

—Moríamos de hambre, señito. Mis padres, mis hermanillos, por mucho que quisiéramos trabajar, ¿qué podíamos en aquella tierra reseca que se agrietaba como enormes bocas sedientas? Todo se marchita allá, hasta la juventud. Míreme a mí, nomás, con cuarenta años y toditita arrugada. ¿Cuántos años tiene usté, señito?

Le mentí, me quité años, porque mis cuarenta, con la tez fresca y sin arrugas, contrastaban de manera insultante con los profundos surcos de su tez. Tenía vergüenza de mi confortable vida en la que todo me sobraba, mientras a Felisa y a los suyos todo les faltaba. Me abochornaban, además, mis labores pedagógicas y domésticas, siempre a la sombra de la comodidad, mientras a ella, a Felisa, un sinnúmero de soles le habían ajado la piel desde muy niña, durante las interminables jornadas de la pizca del tomate. También me sofocaba el contraste entre el amor de Felisa que era todo dádiva, sacrificio y entrega para sus padres, hermanos y sobre todo para Rufino. ¿Qué ocurre en nosotros, los de la ciudad, que hemos perdido ese raro don y aún con los seres que amamos nos volvemos una pura queja, un cúmulo de reproches y una serie de yo te doy si me das y cuando no, sanseacabó?

* * *

Deseos intensos de llorar porque en el sueño de la noche, mi amigo sinnombre, sincara, sin más signo de identidad que un derroche de ternuras, me obsequió algo único. Yo no recordaba lo que me había dado, pero la certeza de que era irreemplazable, me llevaba a asumir la responsabilidad de protegerlo como un tesoro. En verdad no fue tanto el gesto de darme algo único el anónimo amante de mis sueños nocturnos lo que me hizo llorar, sino el de haber pensado en mí sin interés alguno; el de haber pensado en mí regalándome algo que no podría volver a recuperar ya nunca más ...

Fue entonces cuando con dolor acerbo comprobé lo sola, lo abandonada que he pasado mi vida entera ... ¿Sola y abandonada habré de encararme con esa señora gris que llaman MUERTE? ¿Del camino a su negra morada, cuánto trecho me acompañará Ricardo, si es que de veras me llegara a acompañar? ¿Y el resto, lo tendré que recorrer otra vez en soledad y abandono?

* * *

Contemplo de nuevo las aguas del Torres corriendo bajo el puente de hamaca como los que se tienden en los dominios de Tarzán; es el mismo puente donde la risa de nuestra alocada niñez se meció y corrió al otro lado, a la prohibida Sabanilla. No ha cambiado nada, sólo yo, pues hace mucho me quedé sin la mágica niñez. Ahí sigue, donde la dejé, la poza donde de pequeños nos bañábamos en paños menores; los arbustos de murtas cuajados de frutillas, las cuales nos dejaban manos y boca manchadas de púrpura, continúan bordeando el camino; la cerca de alambres de púas y de poró florecido de cuchillitos rojos subsiste a pesar de la multiplicación de los años; y todavía persevera el susurro melodioso del río que pasa por las venas de mi infancia como el arrullo de las nanas que me canturreaba Angelina en mis noches de miedo, hasta dejarme aletargada en el pórtico del sueño.

Nada ha cambiado. Sólo yo porque yo no soy yo. Estoy sumida dentro de una tupida oscuridad donde me disuelvo en un apretado montón de angustias, tristezas y miedos. Mis pies, sembrados en el lodo de la ribera de mi río, se hunden, se hunden, se hunden ... Cuando ya no hay más esperanza para mí, ocurre el milagro y el molde de arcilla que me apretuja contra la nada, se abre en dos. Se abre igual que si las manos de Dios en plegaria se abrieran prodigándome la dádiva de un nuevo renacer. Limpia de angustias, de tristezas, de miedos, salgo a la luz de la mañana. Me siento ingrávida y comienzo a planear, sin lastre alguno, sobre el río mítico de mi infancia.

Desde arriba veo hundirse y disolverse en el lodo de la ribera los dos cascos de arcilla del ánfora herméticamente cerrada que poco antes me oprimía; se disuelven produciendo raros gañidos. Es tal mi ligereza, que no puedo evitar elevarme al infinito. Entonces el vértigo me hace aferrarme a las sábanas con tal fuerza, que despierto. A mi vera, Antonio ronca como siempre, dando silbos. Amontonado contra el colchón, en la oscuridad de la recámara, el cuerpo de Antonio semeja el montón de arcilla que se confundió con el lodo de la ribera en mi sueño libertario.

XXIII
LA TIERRA PROMETIDA DEL NORTE

Houston, acabas de nacer y ya se vaticina que serás la Ciudad del Futuro.

Alicia continuó hablando consigo misma: "¡Caramba! ¡Qué extraño es todo hoy! Sin embargo, ayer todo sucedió como siempre. Me pregunto si cambié durante la noche. Veamos: ¿era yo la misma cuando me levanté esta mañana? Creo recordar que me sentía muy diferente. Si no soy la misma, ¿quién soy yo? ¡Ah, ésta es la gran incógnita!"

Lewis Carroll

A medida que descendía el avión, Renata experimentaba el extraño sentimiento de que equivocadamente había tomado un vuelo cuyo destino no se ajustaba al que ella creía haber emprendido; quizás más bien estuviese equivocado el piloto que anunció el descenso. ¿Cómo era posible que esa ciudad que en nada se diferenciaba de las de su geografía tercermundista formara parte del titánico continente del norte, el que llenó sus sueños de adolescente? En aquel entonces era una colegiala que cargaba sólo bagajes de libros y de sueños, y su sueño más grande era volar al norte a hacer carrera.

—Estás loquita, Mimí—, la reprendía con fastidio su madre viuda, quien a duras penas podía llevar a la mesa el pan de cada día para sobrevivir. —¿Cómo se te ocurre que con lo apurados que vivimos y lo que me cuesta criarlos a ustedes, vayás a estudiar en aquellos andurriales que quedan en el quinto del diablo? Si querés soñarlo, allá vos, pero has de saber de una vez por todas que en cuanto terminés el tercer año de secundaria, te meteré a la Escuela de Comercio para que te preparés de veras a defenderte en la vida. Porque, te repito, una mujer no sigue otra carrera que la de secretaria. Para que te entre bien en la sesera, mis medios no dan para más. Secretaria o estudios en la Escuela Normal de Heredia, para dedicarte a maestra, una maestrilla de pueblo de mala muerte, porque ¿qué otra cosa podrías dar sino eso si es que das algo? Pero como no mostrás vocación para el estudio ni para enseñar a los mocosos, no tenés más remedio que aportar con algo a las necesidades de la familia haciendo de secretaria. Y ojalá te avispés y consigás puesto en una oficina de gobierno, que es donde están los mejores partidos.

Renata no podía comprender la relación entre el trabajo en las oficinas de gobierno y los buenos partidos para casarse. Lo supo cuando trabajó temporalmente en el despacho del Secretario del Ministerio de Justicia; pero eso era harina de otro costal: uno de esos momentos que le había dejado mal sabor de boca y un deseo incontenible de hacer, para quemarlo, un hatajo de todos los jefes que aprovechan sus privilegios y piensan que las mujeres que están bajo sus órdenes deben satisfacer también sus apetitos libidinosos. Los recuerdos, todavía recientes en aquel entonces, la hicieron olvidar lo enajenada que se sentía dentro del avión. Sin embargo, la voz del piloto la hizo volver en sí:

—Please fasten your seat belts and do not smoke. We are approaching Houston Airport ...

Miró por la ventanilla y se dijo que ya no cabía duda y que ése era su destino del norte. Una profunda tristeza se le escurrió por todo su interior como si le hubieran vaciado una espesa tinta negra proveniente del sumidero de las desilusiones: ¿cómo podía ser ésa la ciudad de su destino? ¿Dónde estaban los rascacielos que habían cancelado por fin la condena de la Torre de Babel? ¿Dónde aquella extensísima visión de una metrópoli iluminada que le llegó tantas, tantas veces, en las postales de su padre desde Nueva York, cuando aún vivía él, y todavía no habían conocido la indigencia que trajo su muerte? ¿Y dónde aquella opulencia, derroche y esplendor de la Gran Ciudad norteamericana que domingo a domingo devoró con los ojos en las imágenes cinematográficas procedentes de Hollywood?

El avión descendía a una planicie que se derrochaba hacia el infinito, semiiluminada de trecho en trecho por pequeños caseríos mustios, tan mustios como los de su pobre país. En ese momento tuvo la impresión de que desde su salida en la madrugada, el tiempo permanecía detenido y ella se iba quedando en el mismo lugar, en una inercia de pesadilla. Era como si estuviesen cobrando cuerpo las predicciones de su madre de que ella nunca, jamás, llegaría al país de sus sueños, esa su Tierra Prometida del Norte.

Para colmo, ni una mínima montaña alzaba en aquella perturbadora llanura la promesa de una verticalidad que apuntara al cielo; algo que aliviara su desolación, devolviéndole por los ojos y por los espejismos de la esperanza, un pedacito, siquiera, de su querido país, el cual ahora quedaba muy atrás.

Tan desoladora, infinita planicie confundida ya en la mancha oscura de la noche tejana con el horizonte, le estrujó más el alma. Con disimulo se limpió las lágrimas que ya afloraban a sus ojos y se repitió a sí misma que todo eso eran deformaciones de la oscuridad nocturna; también de su miedo; que al día siguiente, cuando el sol saliera y el cansancio no la abrumara, podría contemplar a Houston con el gozo del primer encuentro con la Tierra Prometida. Además, allí estaría Antonio esperándola para comenzar juntos un hogar, una familia.

—Passangers of first class may exit at the front door. Others, at the back door, please.

La voz de la aeromoza la hizo recapacitar de pronto y fue cuando, desplomándose en el último fondo de sí misma, se dijo que todo era una locura; que una muchacha sin experiencia como ella no abandona su país de buenas a primeras ni se va a casar a un rincón remoto, lejos de su madre y de sus hermanos. Sintió deseos de escurrirse debajo del asiento, esconderse ahí para no descender. Regresar a su país, sí, eso, regresar a su país, porque era absurdo lo que pretendía hacer, quedándose en Houston; porque era mejor estar allá, cerca de su País de las Montañas Azules. Allá, las montañas abarcaban con un abrazo gigante, el cuerpo fecundo de la perezosa meseta que yacía en sus laderas, lo cual le trasmitía a ella un no sabía qué de seguridad, de paz, de fortaleza, de bienestar. Era mejor, sí, estar allá, al calor de los recuerdos de infancia, amparada por el olor cotidiano del pan recién horneado; de la tortilla con requesón; de los chicharrones del sábado; y de aquel largo devanar risotadas entre las ramas de los árboles a los que trepaban a mirar las torres de la iglesia y en las noches, las estrellas que más de una vez intentó contar una por una, sin llegar nunca a la cifra definitiva. Fue un largo contar que le llevó días, semanas, meses, años, hasta que inadvertidamente se acercó al umbral de la adolescencia, del dolor, del encuentro con las verdades. Y de la juventud a la madurez de una cuarentona, todo pasaría en un abrir y cerrar de ojos.

Allá, en su País de las Montañas Azules, Renata habría seguido amparada también por los suyos, cerca de amigos de la niñez. Su único anhelo del momento fue el de regresar, porque esto que veía desde la ventanilla del avión en el Aeropuerto Hobby no era la Tierra Prometida del Norte; y para colmo, no parecía ofrecer las bondades de la geografía que dejó atrás al romper el alba.

Mientras rueda el avión por la pista, el nudo en la garganta se le intensifica. El palpitar atolondrado de su corazón repercute desacompasadamente en las sienes y hasta lo siente a flor de piel en todo el cuerpo:

Ahí está Antonio esperándola. Tres años sin verse. Tres largos, interminables años de correspondencia, fotos, espera y deseos, junto con aquella agotadora lucha contra su madre, quien desesperaba, porque

—Antonio te toma el pelo, Renata. ¿Crees que se casará con vos? Se burla de vos, verás lo proféticas que son mis palabras. Cuando estés pasadita de años, —mirá que llegás ya al filo de los veinticinco; ¡a esta edad, y aún antes, cualquier muchacha está lista para vestir santos!— pues sí, pasadita de años te dejará plantada y allá en el norte se casará con una gringa de postín, heredera de pozos de petróleo.

—Pero mamá ...

—No me vengás con peros, Mimí. Sos una ingenua que todavía cree en la buena fe de los hombres y no has aprendido que todos son una manada de vivos que sólo buscan su propio bienestar y placer. ¡Avispáte! Al menos tené una velita encendida, o a medio encender para que te salvés de la infame soltería. ¿Qué diría la gente? Una hija mía incasable, ¡qué horror, ni pensarlo! y dejáte de sentimentalismos ridículos. Hay que mantener siempre otra velita encendida, ¿me entendés?, por si se apaga una ...

—¿Qué ?

—Lo que oís y no te hagás la imbécil. Pero olvidáte de ese par de pelagatos que vos llamás tus dos amigos queridos y que seguirán hasta el requiescatinpace con miseria y compañía, recibiendo sulduchos de maestrillos pueblerinos o de profesorcitos muertosdehambre. Yo no sé qué le ves a Quique, insignificante, feo como un susto en ayunas, y que al reír hace ruiditos de güililla con hipo y pela los dientotes como un conejo. Menos mal que el otro, Ildefonso, es galán, gallardo y empaquetado. Una cosa por otra: lo alcanzado, por lo galán, pero con guapuras no se cubren las necesidades del vivir ni se cancelan las facturas ... No vayás a meter la pata con ninguno de estos dos pobretones que si los vuelven de revés, no les sacan ni un centavo ...

—Pero Antonio no es un pelado, es arqueólogo, tiene futuro, y muy grande.

—Antonio, tampoco, te lo repito. ¿Ves? Ahí está Aniceto, el respetable médico que se pirra por vos y daría un mundo porque le pagaras con una sonrisa sus mirares de enamorado derretido.

¡Pobre mamá con su empeño de casarme y con un pistudo!, ella no sabe todavía que tomé el avión rumbo a Houston, sólo porque al filo de los veinticinco y con las Erinias amigas suyas que me asediaban y azuzaban para que me casase pronto, me vi forzada a claudicar mi empeño de no casarme nunca ... , no-ca-sar-me-nun-ca ... NO-CA-SAR-ME-NUN-CA, ¿cómo lo puse en mi diario?, algo así como que estoy convencida de que el matrimonio no se ha hecho para mí porque soy una individualista contemplativa que ama la soledad y durante este cuarto de siglo he dormido solita mi alma en mi cama; y he bebido de mi propia taza sin compartir mis virus con otro; y he ido al retrete sin séquito; y me he dormido cuando me da la real y santa gana, sin tener que cuidarme de un pegajoso maridito majadero, exígelotodo, con aires de gran dictador tercermundista, como papá, cuando ordenaba; como tío Romualdo, cuando reclamaba, ni chiquillos que mamá quiero esto y mamá dame aquello y es que me duele la barriga y Menganito me pegó y me pellizcó Zutanita,

me quedaré toda la vida libre de ese estorbo, consigné
en mi diario íntimo aquel lejano día de total re-
belión, libre de ese estorbo que se llama matrimonio
- familia - fundamento - sólido - de - nuestra - sociedad - judeo - cristiana,

seré una profesional y cuando goce de prosperidad porque habré cumplido con todos los puntos de mi a-
genda: estudios, viajes, visita a la Tierra Prometida
del Norte, regreso al País de las Montañas Azules
enriquecida por un saber de muchos espacios geográficos y étnicos, cumplimiento con los deberes
que impone una carrera hacia los demás y hacia los
míos, junto con los otros perendengues que conlleva
la vida,

entonces adoptaré dos niños para darles todo mi amor
y lo mejor de mí misma, así, le arrancaría a la orfandad tres pedazos: el que les correspondería a los
dos niños y el mío propio, para amalgamarlos en
el crisol del más acendrado afecto, el que se hace
casi imposible entre las disputas interminables de la
pareja - fundamento - de - la - familia,

este viaje a Houston es un acto supremo de insolente
soberbia, ruleta del destino en el que me juego todos
los sueños, los planes, la felicidad misma, porque...
, ¡cuánto habremos cambiado Antonio y yo!, en realidad, quienes nos casemos en un mes no seremos
Antonio y yo, los enamorados de aquel París de entonces, no...

tres años de ausencia son distancias eternas que van
abriendo dentro de cada uno de nosotros nuevos y
diferentes seres..., al contemplarnos cara a cara
en la intimidad de nuestras almas, temo que nos
vayamos a desconocer, a desencontrarnos, a des-
cubrirnos ajenos al juvenil y juguetón beso ardiente de ayer en el Bois de Boulogne, el Parque Luxemburgo, o el portal de la Maison d'Etudiantes E-
trangères, al despedirnos con ímpetu poco antes de
que cerraran las puertas de medianoche, cuando las
pupilas habíamos de recogernos...

entonces acabábamos de estrenar el amor...

entonces era diáfana nuestra realidad de uno para el
otro...

pero ahora...

¿no es esto una rotunda locura?,
¿y cómo volver atrás, si allá me desprendí definitivamente de todo y me esperan, ansiando despelle-
jarme, las Erinias que rodean y azuzan a mamá? ...

En efecto, fue como si dos extraños se hubiesen encontrado
por primera vez: ella esperaba manifestaciones de afecto como
las de hacía tres años. El sólo la abrazó y le plantó un beso en
cada mejilla, "¿qué tal de viaje?", "bien, muy bien, sin novedad,
sólo que el aterrizaje en Houston fue muy traqueteado, parece que
soplan vientos fuertes por aquí, ¿es cierto?", "sí, abundan los tornados y de cuando en cuando nos visita un huracancito de armas
tomar, te ves muy bien, un poco delgada, ¡qué arrecho!, así es
como me gustan las mujeres, delgadititicas y bien formadas, como
vos, ¡estás hecha un bombón, amor mío!", "¿ehhh?", "pero te ves
cansadilla, Renata", "en verdad estoy cansada, agotada, pues sólo
he dormido una hora: los alumnos míos vinieron todos con flores
y me dieron una fiesta de sorpresa que duró hasta la medianoche,
después, una serenata ¡y el avión mío, que salió a las cuatro de
la madrugada! Tuve tiempo sólo de echar la ropa en la maleta y
venirme sin clavar ojo en toda la noche ... "

—Bueno, los detalles los dejamos para después. Pensemos sólo
en que en tres semanas serás mi mujer. ¡Mi mujer, Aleluya! Creí
que no llegaría nunca este momento.

Inquisitiva, Renata se volvió a mirarlo a los ojos porque le
pareció extraño que en lugar de decir "en tres semanas nos casamos,
seremos uno para el otro", o sea, "seremos pareja, fundamento de
un hogar", él ponía énfasis en el posesivo *mi* mujer".

"Quizás esté un poco quisquillosa y todo me moleste ... , el
cansancio ... , las expectativas ... , los nervios ... , no saber
a qué atenerme ... , "no saber a qué atenerse lleva al hombre
a la extrema angustia del existir, porque no puede atacar el ene-
migo que lo asedia, no puede decidir nada, no puede escoger una
solución ... ", más o menos así lo decía el catedrático Barahona,
discípulo de Ortega y Gasset, ¡y ahora me sale al paso don Luis
con planteamientos filosóficos del saber o no saber a qué atenerse
el ser, cuando la filosofía no sirve de consuelo alguno!, ¡cuando más
necesito aferrarme a un tronco sólido y práctico que me mantenga
a flote en éste mi naufragio de confusiones!"

Camino al hotel, las lágrimas que pugnaban por salírsele, le
escocían los ojos, pero las contuvo con entereza.

—Decíme, Antonio, ¿de veras esto es los Estados Unidos?, —
pretendía desviar sus pensamientos con preguntas.

—¿Qué querés decir, amorcito?

—Nada, nada. Es que tengo la impresión de que esta carretera, las casas, los largos espacios vacíos sin urbanizar ni cultivar, son continuación de mi pobre país. No veo rascacielos ni los bellos barrios con casas rodeadas de jardines, como en las páginas de *Life* o en las tarjetas postales.

Entonces aprendió que los pocos edificios más o menos altos estaban aglutinados en el centro de la ciudad, conocido por todos, hasta por los hispanohablantes, como el *downtown* aunque ahí no había ni siquiera colinas —¡ni una sola colina!— que indicara dónde estaba el "down" y dónde el "up".

Aprendió también que el *downtown* abarcaba sólo un puñadito de manzanas con una decadente arquitectura de gusto dudoso y sin promesas de nada extraordinario para el futuro. ¿Y cómo afirman que Houston es la ciudad del futuro?

—¿Que no ves que a lo largo de las millas y millas de espacio horizontal que hemos recorrido, gran parte está ya aparejado para construir; otro tanto, abierto para que vengan a plantar nuevas edificaciones con el tiempo, en previsión del futuro misionero que se le espera a esta incipiente ciudad?, verás, mujer, verás la Ciudad-Modelo que se levantará aquí. Será un himno al espíritu emprendedor de artistas y tecnócratas que aunará esfuerzos en una empresa no vista antes en el mundo entero. En mi mente contemplo, desde que llegué a Houston, la red de carreteras y autopistas que se tiene planificada: ¡un verdadero laberinto arquitectónico que dejará boquiabierto al mundo.

—Sos un iluso, Antonio. Esperás demasiado de toda esta caricatura de ciudad.

*   *   *

Los cuarenta años del éxodo israelita fueron pocos en comparación con lo eternos que se le hicieron todos y cada uno de los días que transcurrieron en el purgatorio de la nueva ciudad provinciana. Desde que atravesó la puerta del aeroplano, nada, ni el amor de los hijos, alcanzó después a mitigar la nostalgia que se le salía a borbollones por los poros, por el gesto, por las palabras; hasta se le delataba en la urgencia de hurgar en las fruterías en busca inútil del aroma a mango, a jocote, a papaya, a marañón, que le trajera una mirrusquita de su terruño. Atisbó en todos los rincones, en todas las cosas de aquel enrevesado proyecto de ciudad, sabores, olores, formas, colores que le brindaran a migajas la ilusión de estar allá, en su meseta yacente entre montañas azules.

Vivía en Houston, pero seguía allá ... , sin haber cortado el cordón umbilical.

Su primer hogar —si es que era hogar aquel oscuro apartamento sin ventanas ni jardines, ¡ella que había habitado siempre en casas con espacios verdes y anchos!—, estaba ubicado en la calle Taft, cerca del hospital Jefferson Davis. Era aquello el llamado *Fourth Ward* (cuarto distrito), donde se hacinaban las más pobres familias, especialmente negras e hispanas.

A la nostalgia de su tierra se sumó una infinita soledad que ella trataba de borrar en vano: si ponía la radio, le dolía más su soledad porque las palabras del locutor eran sólo sartas de sonidos entre los que entresacaba uno que otro significado a medias. La música ... ¿dónde estaba su música clásica?, ¿su ritmo latino, tan tropical?; sólo una que llamaban música norteña, totalmente extraña, irrumpía en su soledad intensificándola hasta saturarle el espíritu de dolor.

Como si fuera poco, ¿Se podía hablar de cultura en aquella jungla infraestructural?: la cartelera estaba plagada de comedias baratas, películas del oeste y otras que sólo servían de opio al espíritu. Antonio y ella escapaban, de cuando en cuando, a la calle Fulton, en los arrabales más remotos y desgarrados de la ciudad, donde estaba ubicado el Allray, un cine de mala muerte, pero que al menos pasaba alguna que otra película de Igmar Bergman, Antonioni, Fellini, Buñuel; también las de Betty Davis, Elizabeth Taylor, Tyrone Power, Glenn Ford, Ricardo Montalbán, Greta Garbo, Richard Burton, Fernandel, y otras estrellas de su predilección. Después, inadvertidamente, el Allray se convirtió en cine porno de tres y hasta de cuatro equis. El proceso de cambio artístico de la ciudad fue muy lento y sólo al cabo de muchísimos años, la cartelera y los museos comenzaron a ofrecer la variedad de espectáculos fílmicos y de otra índole a la que ellos estaban acostumbrados.

Mirando hacia atrás, Renata piensa que esos tiempos difíciles sólo podía haberlos sobrellevado durante su época de sueños gigantescos; sólo mientras arrullaba esperanzada a cada uno de los hijos que fueron llenando su vida y el hogar de risas, chillidos, canciones y ternura.

*   *   *

—Mamá, me cuesta creer lo que te oí decirle a Marielos hace unos segundos—, comentó Gabriela cuando dejaron a Marielos en el Hotel Lincoln: Marielos y su marido acababan de llegar a Houston; la Exxon había trasladado a Pablo, como se acostumbra en las corporaciones petroleras que traen y llevan a sus empleados como monigotes.

—¿No eras vos, mamá, la que siempre renegó de Houston, lo maldijo y más de una vez suplicó a papá salir de este "pueblucho de mala muerte, sin pasado y con futuro incierto?" Sí, no lo negués, que así mismito lo decías. Lo repito tal cual, pues era la letanía diaria en casa. Desde que comencé a comprender a medias tu farfulleo de siempre, reconocí entre tanta palabreja quejumbrosa la misma letanía de que esta vasta llanura es un espacio abierto para carreteras, autopistas, edificios y rascacielos; para el comercio y las gasolineras que pululan en todos los rincones. Amplia para todo lo material; estrecha, para los valores culturales y del espíritu. Y tu deseo fue siempre, desde que yo soy yo —y me imagino que aún antes—, salir pitando de aquí. Ni siquiera consideraste nunca, egoístamente, que aquí nacimos tus hijos, que aquí crecimos y que aquí tenemos a nuestros amigos, a nuestros compañeros de escuela. Miles de millones de veces te olvidaste, mamá, que somos esa rara especie humana llamada houstoniana. *Hous-to-nia-nos*, así como suena, como vos sos hispana o latinoamericana, como dicen por tu tierra. Debo reconocer que hoy has cambiado de la noche a la mañana. Metida entre mis libros, entre exámenes y desazones sentimentales, ni siquiera me había percatado de tu cambio ... o de tu crecimiento ... ¡Increíble!, ni que lo estuviera soñando!

Renata se quedó pensativa. Mientras escuchaba a Gaby, ella misma se sorprendió al reconocer que sus alabanzas a Houston no habían sido simples palabras para impresionar a la amiga que acababa de llegar a la ciudad. Las había pronunciado con exaltación y sinceridad. Eran palabras que esa tarde por primera vez exteriorizaban un extraño proceso evolutivo que no había querido aceptar ni reconocer hacía mucho tiempo.

Quiéralo que no, dos o tres años atrás (quizás mucho antes), Renata había comenzado a experimentar que Houston se había hecho carne de su carne. Comenzó a adivinarlo, cuando desde el ventanal de su cuarto de estar, cada ocaso contempla con embeleso el horizonte y vuelve a sentir las emociones de la muchachita que en su País de las Montañas Azules también se conmovía al contemplar los ponientes alucinantes. La feracidad de las tormentas tejanas que entre truenos, relámpagos, rayos, ciclones que arrancan de a cuajo las casas y las lanzan al otro lado de la carretera, a distancia, como una omnipotente mano, la ponen en contacto con un mundo primigenio donde Renata toca los contornos del miedo pánico, en el que se define la imagen posible del apocalipsis. Entonces vuelve a la niñez aterrorizada por los temblores de tierra y terremotos allá, en su trópico, los que siempre asociaba con el Juicio Final.

Sobre todo se entrega una y otra vez al embeleso de los imponentes rascacielos que ahora ocupan la ciudad, los cuales se espigan hacia la inmensidad azul, cuadriculados por inmensos ventanales, desafío impertinente al poderío de Dios; a las leyes de la gravedad, también; son la Torre de Babel multiplicada ...

En las tardes de sol, suele recorrer Richmond, San Felipe, Post Oak, con el descapotable abierto y Beethoven en toda su gloria dándole fondo musical al paisaje de hierro, cemento, piedra, ladrillo y cristal que apunta a un futuro muy largo. En cada recorrido de las calles de la ciudad, encuentra nuevos motivos para admirarse. Cada vez se deleita más y más al comprobar cómo la materia sólida de los rascacielos se hace etérea según el sol da en todo el espejismo de ventanales, cómo los cuadros trágicamente silenciosos y suicidas de Rothko en la Capilla, van emitiendo signos sagrados conforme la luz solar varía.

De su recorrido diario al trabajo, lo que más ama Renata es salir de la Autopista *Southwest* en Richmond, y contemplar al fondo el corazón de Houston palpitando en ricas formas que van del cilindro al rectángulo, rosadas, celestes, grises, negras. Formas materiales glorificadas por el Gran Arquitecto, son otra razón para que ella se haya podido reconciliar con este Houston progresista, verdadera Tierra Prometida del Norte.

¡Y cuánto ha crecido espiritual e intelectualmente! A Renata le cuesta pensar que al principio, cuando se estableció la Orquesta Sinfónica, era tal la ignorancia y esnobismo de los houstonianos, que aplaudían cuando era para ellos más chic, sin considerar para nada el remate de la pieza. Esto llevó a Sir Thomas Beecham, director de turno, a interrumpir un concierto para indicar que a partir de esa noche nadie aplaudiría sin su consentimiento. Fue así que les enseñó a los ignorantes de la ciudad cuándo hacerlo con un *Now!*, ("¡Ahora sí!»), en el momento en que se volvía al público en señal de que la sinfonía, el nocturno o el concierto habían llegado a su final. Renata sonríe recordando esa anécdota mientras piensa en el *Music Hall*, el *Jones Hall*, el *Wortham Theater*, el *Alley*... En la mañana, precisamente, se comentó en la T.V. el extraordinario éxito de la Orquesta Sinfónica de Houston en Singapur y por lo mismo hay planes ambiciosos que abarcan tours por el mundo entero. ¡Quién iba a pensarlo!

—¿Sabés, Gaby? Me tomó mucho tiempo, pero creo que Houston me ha ayudado a comprender que toda Tierra Prometida es una tierra por hacerse, por cobrar forma; por ser ella misma, como

hoy lo son Israel, esta ciudad, y lo soy yo, que comienzo a comprender y realizar ahora, después de tantísimos años, lo que hasta
este instante estuvo en mí sólo en potencia.

XXIV
HIC IACET RENATA

Entonces se preguntaba (en un sueño dentro de otro sueño, tal cual sucedió), cómo, en el futuro, esta misma Alicia llegaría a ser una mujer; y cómo, en años de madurez, guardaría el simple y cariñoso corazón de su infancia.

Lewis Carroll

Me he ganado la vida dando sablazos en alguno que otro trabajo periodístico, reportando un espectáculo de burros aquí, o una boda allá; he ganado unas pocas libras escribiendo direcciones en sobres, leyendo a ancianas, haciendo flores artificiales, enseñando el alfabeto a niños de jardines infantiles ... No necesito describir en detalle, me temo, lo duro de mi trabajo, porque ustedes conocen quizás a mujeres que lo han hecho; tampoco la dificultad de vivir del dinero cuando se ganaba, porque ustedes tal vez lo han probado. Pero lo que todavía permanece en mí como peor castigo que eso, fue el veneno del miedo y la amargura que tales días engendraron en mí.

Virginia Woolf

Desde que Alberto fue destituido de la Universidad, el vacío ocupó en Renata el lugar de las largas conversaciones que sostenían sobre diversos temas, en los que a veces se mezclaba Laura con su sabiduría secular.

—Imponente, el cielo azul anochecido con esplendores dorados deja tras sí el sol que tramonta. En el horizonte, claro, muy claro, como si mirara por un telescopio de vastísima potencia, veo a Saturno con sus anillos y rodeado por su séquito de estrellas. Se percibe brillante y a colores como una foto de *Geographic Magazine*. A un lado de Saturno fulgura Venus. En este cielo azul anochecido, Saturno y Venus son un espectáculo para dejar a cualquiera mudo—, contó Renata. A continuación, pensativa, y en voz baja:

—Me pregunto qué significa este sueño.

—¿Pasás por una etapa de cambio, Renata?

—¿Por qué me lo preguntás, Alberto?

—No sé, pero vengo observando que muestras una extraña obsesión por Saturno. Por curiosidad, me puse a estudiar lo que simboliza este planeta, porque en todo esto de los símbolos y la vida, tiene mucha razón el libidinoso de Freud. Sabes que todo lo tuyo me interesa harto. Por supuesto, Saturno, se sabe, es el tiempo, el que devora la vida, consume todas las creaciones, sean las que sean. Según los astrólogos, el dios Pan, a quien se le identifica con Satanás, es un aspecto de Saturno. Todo esto hace que Saturno represente actividad y dinamismo implacables y por lo mismo, necesidad de reemplazar el reinado de Cronos o el tiempo por otra modalidad. Esta modalidad probablemente sea lo eterno, lo inamovible e inacabable ...

—O la muerte, ¿por qué no la muerte como complemento de la vida? Interesante ... , ¡muy interesante lo que me decís, Alberto! ¿Y de la Venus de mi sueño, qué podrías decirme?

—Venus tiene dos facetas: el amor espiritual y la atracción sexual ... ¿Es esto lo que está pasando en tu vida?

—¿Cuándo te va a entrar en la sesera que estoy casada y que pase lo que pase, no podría serle infiel a Antonio?

—Nadie habla de infidelidades, Renata. Por algo lo dices ... El inconsciente, ese sagaz juez al que no se le escapa ni una ...

—¡Ingenua! No te has enamorado, Renata, y por eso es fácil hablar así—, agregó Laura. —Espérate y verás ... Pues sí, tu sueño delata a las claras eso, un cambio muy definitivo representado por Saturno y un debatirte entre lo espiritual y lo sexual ... Me huele que eso es lo que está pasando en tu vida. ¿Me equivoco, Renata?

Renata se quedó un rato pensativa, considerando la belleza in-

conmovible de los magnolios floridos y de los blancos y púrpuras
que pintaban los mirtos en flor precisamente cuando la estación
de los huracanes y devastadoras tormentas del ardorso estío tejano
daban comienzo; en verdad equivalían a la hermosura de su sueño-
visión celeste y la tormenta interior que levantaban las palabras de
Alberto y Laura, sus mejores amigos.

—¡Locos de atar! ¡Ni pensarlo!—, lo pronunció con los labios,
pero en verdad, desde que conoció a Ricardo, su corazón zozo-
braba en un mar de dudas y angustias: sólo el enfrentamiento en
la imaginación a esa nueva vida que daría las espaldas a la comodidad burguesa de su matrimonio para entrar en una zona oscura,
pegajosa, inquietante, la hacía estremecerse. Su angustia no se
mitigaba ni con rezos, novenas, ni razonamientos. Entonces se
imponía represiones para aniquilar de una vez por todas lo que en
tan poco tiempo Ricardo había despertado en ella:

"Noche de epifanía,
después de mantener por treinta años a Renata —la
    verdadera Renata—, bajo un epitafio,
"*hic iacet* Renata,
la plagada de deseos pecaminosos, la de ansias incon-
    tenibles de interminable libertad, con anhelos infini-
    tos de remontarse en raudos vuelos, aunque siempre
    permaneció a ras de la tierra",
treinta años bajo una lápida cerrada a cal y canto,
mientras una Renata que aprendió a conformarse a los
    cánones impuestos por la vida, ocupa el ámbito de
    los convencionalismos sociales de los otros,
pasaporte de su salvación: los hijos, el trabajo,
más allá de esas fronteras, prohibido seguir,
pero vos, Ricardo, viniste, despertaste —resucitaste—
    a la otra, la que había quedado bajo el *hic iacet*,
y vos, Ricardo, desde el fondo de tus pupilas la llamaste
    hacia el beso y las caricias y la estrella que por tanto
    tiempo parecían sepultados,
la Renata resucitada, con perplejidad se miró a sí misma
    preguntándose si era cierto y por qué había tardado
    tanto,
¡noche de epifanía que debe quedarse irradiándome go-
    zos sinfín en lo más recóndito de mí misma, adonde
    no lleguen nunca los oídos ni las voces de los otros,
    los que nunca iban a comprender mi plenitud de
    hoy! ... Noche de epifanía ...

*   *   *

—¿Quieres decirme que el amor ha vuelto a retoñar en tu vida después de tantos años? Y no será con Antonio, lo adivino por tu palidez mortal—, comentó Laura, cuando Renata, confundida, se lo confesó.

—No lo sé. ¡Ojalá lo supiera! Sólo sé que con el gozo de descubrir que no soy ese mostrenco frígido que Antonio fabricó para proteger su virilidad, un mundo de sensaciones nuevas, desconocidas para mí, reprimidas más bien, han comenzado a brotarle a mi existencia. Sin embargo, con el gozo de descubrir la verdad descarnadamente, me ha comenzado a doler el corazón con dolor espiritual y físico. Es un dolor que no me deja comer, ni dormir, ni trabajar, en fin, que no me deja vivir. No puedo más, Sonia, reviento por dentro: todo esto es más poderoso que yo ... ¡Cuánto esfuerzo hice porque no me ocurriera! Ha sido un largo recorrer el interminable sendero de todos estos años de casada, soslayando siempre el peligro, pero ¡zas, aquí estoy frente a frente con la cara de la verdad, mi verdad de ahora.

—¿Pero ... te has enamorado, mujer?

—¡Ah, no, no! No me malentendás, Sonia. Se trata de algo esencial y básico. Se trata de una revelación; y recordá bien que "revelación" o "apocalipsis", además de ser verdades o secretos manifiestos, implican formas sobrenaturales de hacer Dios evidente lo oculto a los hombres. De ahí que éste sea un momento sagrado para mí, porque socaba los ámbitos más inasequibles de mi ser. Se trata de la revelación de que soy tan mujer como las otras y que lo de la frigidez mía fue la barricada tras la que Antonio se escudó para justificar sus aberraciones sexuales. Todo este tiempo experimenté una culpa torturadora, la cual él se gozaba agigantándomela. Es un alivio para mí haberme estremecido de deseos junto a Ricardo ... ¿No lo comprendés, Laura? Si me he enamorado o no, es secundario, lo principal es haber tocado fondo con mi identidad de mujer.

—Pues yo, Renata, en dos semanas firmo mi divorcio y chau, se acabaron mis torturas matrimoniales. ¡Quién iba a decirme que iba a llegar a esto, cargada como vivo de principios morales y religiosos! ¡Quién iba a decirlo! ¿Te has preguntado alguna vez en qué momento de nuestra vida la fallamos para haberla pagado tan cara?

*   *   *

SURSUM CORDA HERMITAGE

LEVANTADLOSCORAZONES

El Señor sea glorificado por la majestad de los cielos, por el orden mantenido en el vasto universo, por la paz que brinda a los hombres de buena voluntad.

Este es mi tercer año en la Ermita Sursum Corda. ¡Cómo pasan los años, amiga Renata, cómo pasan! Estoy al fin libre de las limitaciones del tiempo y del espacio, porque para un anacoreta como yo el apostolado contemplativo significa no dilapidarse en lo inmediato: el silencio mantiene mi mente inmune a la cháchara transitoria; y mi soledad protege el corazón de anhelos desmedidos y de las efímeras emociones humanas. Esto permite que mi mente y mi corazón se abran por completo a las verdaderas necesidades de los otros por medio de oraciones y sacrificios en nombre de Dios. La vocación religiosa no tiene con qué compararse; siempre inmerecida, a pesar de los años de preparación, y siempre plena de divina Gracia para perseverar. Alaba al Señor conmigo, Renata, por haberme sacado de las tinieblas en las que viví antes de despojar mi espíritu de los vanos ropajes de la vanidad y la ambición.

Las intenciones de mis benefactores como tú, serán incluidas en las misas que celebre durante una novena que abarcará hasta la octava de Navidad. Es mi regalo para ti y los tuyos.

Que la simplicidad de la experiencia cristiana revelada en el ejemplo del nacimiento y vida de Jesucristo, nuestro Señor, sea tu guía para su júbilo y el tuyo en estas Navidades. El JUBILO es a la felicidad como la sabiduría es al conocimiento. La felicidad es la sumisión animal. El JUBILO es el éxtasis del corazón y el alma humanos. Rezo para que el divino JUBILO del que hoy gozo y que vino al mundo con el nacimiento del Hijo de Dios, ilumine tu vida en estos momentos con todas las bendiciones que las fruslerías del mundo no podrán proporcionarte nunca.

> Padre Alberto Casares,
> Reo del mundo # 157058 (¿podría olvidar ese número?)
> Reo con ansias insaciables de cielo

—¿Y éste es el Alberto que hacía burla de mis manifestaciones religiosas? ¡Increíble!—, pregunta Sonia llena de asombro.

—Sonia, ahora que al fin se cerró lo de mi divorcio, pienso mucho en mi vocación religiosa, pues sé bien que Ricardo no es mi última meta en esta vida, ya que busco algo definitivo, único, la plenitud espiritual de que goza ahora Alberto, ¡con lo atormentado que vivía! ... La que halló sor María Marcela.

—No nos terminaste de leer su autobiografía, Renata. ¿En qué termina todo?

—Aquí traigo el manuscrito. Veamos por dónde quedamos en la última sesión. ¡Ajá!, comentamos lo de cuando llegó el día de profesar: ella, como si fuera hija de esta generación existencialista, dijo que "andaba llena de júbilo deseando llegara el día y llena de afectos amorosos, desagradecimiento y alborozo, tierna y encogida, sumergida en *el conocimiento de mi nada* y penetración de la alteza del estado de esposa de Dios". "¡El conocimiento de mi nada!", ¿te das cuenta de ese sentimiento nihilista que ya mucho antes de Nietzsche y otros fue expresado tan hondamente por ascetas y místicos? Casi al final, en vez de decir como Sartre "el infierno son los otros", dice "mis prójimos son mi cruz", una forma de existencialismo católico, ¿no lo crees?

—¿Cuál es el pasaje en el que comienza a tener visiones?

—Todo ocurre el mismo día de profesar. Dice: "Llegado el día feliz y deseado desaparecieron los temores, cesaron las lágrimas y se llenó el alma de un gozo serio: penetrada toda, interiorizada, humilde, entré en el coro y luego sentí como que se me entraba dentro todo el sol: el entendimiento se ilustró, la voluntad se inflamó y vi con los ojos del alma la humanidad de Nuestro Señor a mi lado siniestro, cerca del corazón, como un hermosísimo joven lleno de resplandores, vestido de verde con realces de oro finísimo, lleno de alegría y estuvo a mi lado todo el tiempo que duró el acto público. Yo estuve cuasi enajenada, pero muy atenta a lo que hacía, a hacer mi profesión con la debida intención. Hice los votos con grande ánimo tan claros y recio que los oyeron todos los circunstantes, los cuales afirmaron haberme visto llena de resplandores". El que más comentó este inusitado fenómeno fue el sacerdote que se había opuesto a que ella entrara al convento y hasta afirmó que en aquel momento ella tenía cara de santa. En otras ocasiones se le manifiesta el Señor y avanzado el texto, ella dice:

"Desde entonces hasta ahora todo el padecer es porque no padezco porque al paso que su Majestad me da los deseos de padecer, al mismo paso permite que nada de cuanto me sucede me cause pena y aflicción, sólo que todo lo llevo con gusto y conformidad, deseando que en todo se cumpla la voluntad de su Majestad. Así sea y bendito sea por todo. Entre estas luminosas y ardientes luces, hubo otras manifestaciones en dos ocasiones: estando de noche mirando al cielo se mostró en él la humanidad de Nuestro Señor sumamente hermoso y me robó toda el alma. Otra ocasión vi un vistosísimo jardín lleno de varias y hermosas flores y el Señor como un hermosísimo príncipe se paseaba por él con grande bizarría y gusto, cortando y entresacando las mejores flores de las cuales tenía en la mano un hermoso ramillete; mi alma en-

tonces se hallaba como una viejecita en un rincón, muy encogida
y andrajosa, pero el Señor la dio a entender ser aquellas flores las
virtudes y me redundó grande ánimo y deseos de ejercitarlas con
la mayor perfección. Todo esto y cuanto declaré lo vi con el entendimiento, porque con los ojos ya he dicho que nunca he visto
nada ... "

—¡Quién pudiera llegar a un estado parecido!

—Eso no es nada, Sonia, escuchá: "Otro día, y fue día de San
Juan Nepomuceno, se voló una Forma del vaso al llegar Nuestro
Señor a la cratícula. Yo estaba muy distante y sin saber cómo, fui
llevada con gran violencia y con la misma y gran vehemencia cogí
la Forma con la lengua y comulgué antes que ninguna. Siendo así
que otras, desde que se voló habían estado pegadas a la cratícula,
las cuales dijeron haberse estado la Forma en el aire hasta que yo
llegué. Esto no me consta, las otras lo dijeron. Lo que sí me dijo
el Señor dándole yo las quejas de haberme tirado en el suelo me
respondió haberlo hecho por anticiparse a venir a mí antes que
con ninguna ...

En una ocasión me fui al coro un domingo a tener reja con
el Señor Sacramentado y por donde empecé mi razonamiento fue
dándole gracias por haberme traído a su casa y pedirle perdón por
las muchas faltas que en ella he cometido. Le pedí perdón con
mucha humildad, prometí enmendarme y he aquí que impensada
y repentinamente me hallé en una función. Vi el coro lleno de
Angeles con instrumentos músicos y los capitaneaba Señor San
Miguel, vi a la Virgen María y al Señor San José como que hacían
suyo aquel festín. Vi, aunque muy de paso, pero en grandes luces, a
la Beatísima Trinidad. Vi finalmente a mi alma como un gusanito
pegada en una de las paredes del coro, muy humilde y gozosa".

—Más adelante dice que un fuego abrasador devoraba su alma.
Fue algo que duró poco, pero desde entonces fue poseída de una total suspensión de las potencias. Entonces experimentó el fenómeno
de no »conocer a Dios por partes, sólo como todo junto, con una
sencilla vista en sumo sosiego, en total paz y conformidad, en silencio y soledad". A partir de entonces cuenta: "En dos ocasiones,
estando en oración, después de Completas, perdí totalmente los
sentidos como si formalmente estuviera durmiendo y el alma a ese
mismo tiempo engolfada en las grandezas de Dios. Y esto, aunque
dure largo tiempo, parece un abrir y cerrar de ojos y son inexplicables los efectos e inteligencias que quedan en el alma. ¡Bendito sea
tan gran Dios y Señor!". Explica a continuación: "Las faltas de
mis prójimos las siento como si yo las hiciera y de no poderlas ex-
cusar todas, vivo crucificada, aunque siempre las disculpo y jamás

me escandalizo si a todo le doy salida". Así, continúa progresando
en las vías místicas y ya al final, vale la pena leerlo completo y no
a saltos: " ... como antes apunté, es el presente un estado que sólo
podrá explicarlo el Señor que lo concede: yo, para dar a entender
algo me habré de valer de las palabras que se me suministraron en
la doctrina de mi Madre y Señora y fue el tercer aviso que se me
dio, el cual fue que dentro de mí tengo el mayor tesoro, que lo sepa
estimar: es así que es tesoro inestimable pues es el mismo Dios,
el cual Señor he conocido es el centro del alma y mientras más el
alma se une con Dios, más en su centro está y tan de asiento y tan
firme que me atrevo a decir, y no con temor y con gran libertad
que es imposible que esta unión se deshaga; pero tengo por imposible que pueda ser ingrata habiendo visto y gustado la suavidad del
Señor, su amable trato y la buena negociación de tener en sí al
mismo divino verbo y estarse con él amando mutuamente con un
mismo y recíproco amor participado del mismo amante dueño, el
cual ni un sólo instante suelta al alma de sus amorosos brazos en
los cuales ella descansa y goza de suma paz con grandísimo deleite,
sin gustar de cosa que esté fuera porque todo lo halla dentro".

—Fijáte, Sonia, la que nos hemos perdido. ¡Con lo mucho que
soñé en mi juventud con un amor así! Lo que me pone a berrear
es que todos los místicos dicen lo mismo, pero nosotros seguimos
dale que dale, buscando el amor y la felicidad, (que por lo que dice
sor María Marcela y se deduce de lo del Padre Alberto Casares,
nuestro amigo, son uno y lo mismo en ese mundo de perfecciones
espirituales) donde sólo se encuentran mentiras, reproches, celos,
¡qué sé yo cuántas pequeñeces humanas! ¿Pero quién prueba a
llegar por la vía del dolor, las humillaciones, trabajos y años, a un
estado tal de felicidad? Somos en verdad frágiles cañas huecas.

—¡Nuestra triste y desoladora experiencia! ¡Y la de tantas, tantas mujeres como nosotras dos! La experiencia mística, ¡imposible!, y lo que estamos viviendo, ¡insoportable! Ergo, la felicidad
está vedada para nosotras dos y quién sabe para cuántas más ...

—Sigo leyéndote para que nos muramos de envidia: "Ahí la
ilustra, la enseña a obrar lo más perfecto; ahí le da a conocer el
bien y el mal; ahí conoce su propia miseria a que se reduciera
(sic), si Dios la desamparara un punto; ahí le enseña la verdadera
sabiduría porque le descubre en soberano y divino Ser cómo es
sin principio ni fin, que es un solo Dios en esencia y trino en
personas, que el Padre no trae su origen de otro que de sí mismo,
que mirándose el Padre en el espejo de sus perfecciones produjo el
Verbo que es el Hijo y procede del Padre y del amor de entrambos
procede el Espíritu Santo que son en todo iguales, en atributos, en

perfección, etc., etc., etc.

* * *

Rumbo a Grecia, con Ricardo, en la proa de un buque. El, sentado, fumando su pipa con parsimonia y un placer que se le refleja en las facciones; en esos momentos se parece a Rafael, y su pipa exhala aromas de gardenia, aquellas gardenias pecaminosas de la juventud. Yo, de pie, contemplando la novedosa belleza del paisaje y el azul transparente, mediterráneo, del firmamento. En los confines, de pronto diviso la silueta del Monte Olimpo; es un soberbio titán que al sol de la mañana, continúa irradiando las glorias del pasado. De pronto, intempestivamente, el cielo de la mañana se vuelve una impenetrable noche oscura. Llena de miedo y con lágrimas en los ojos, le digo a Ricardo:

—Seguí solo para Grecia, Ricardo, que yo me voy rumbo a Nápoles. Temo que estas tinieblas sean presagio de muchos y grandes males.

Desperté perdida en un laberinto de angustias. Soy supersticiosa y este sueño ... ¿Qué me vaticina el inconsciente, "sagaz juez al que no se le escapa ni una", como decía Laura?

Desde el jardín llegan hasta mi cama los efluvios de la primavera. Es un derroche arrullador de azaleas y azucenas; de piar de pájaros y zumbidos de abejas. El reclamo de las ardillas juguetonas salta de un árbol al otro. Parece que el sol canta al irrumpir con su tibior en los últimos fríos del otoño.

Me siento saturada de primavera, y comienzo a repetirme que me ha florecido el alma con flores de verdad, las cuales perfuman todo mi ser. Mientras lo digo, experimento la sensación física de que en mis galerías interiores van reventando capullitos de flores blancas, rojas, gualdas, y que yo despido por mis poros un aroma embriagador de primavera.

Hay en el fondo del jardín un enorme portón. Lo abro con suma dificultad porque es de hierro. Me quedo paralizada porque me encuentro de pronto con el cuarto oscuro de mi infancia, pero ya no es tan oscuro y ya no me trasmite aquel miedo escalofriante. Al pasar el umbral del portón, voy directo a la tabla que todavía yace sobre el polvo, donde la dejé. La levanto y con las uñas desentierro mi gatito-sonajero. Este se pone a brillar con fulgores de estrella como si me dijese que está intacto, que ni la tierra, ni la humedad, ni los muchos años lograron deteriorarlo. Mi regocijo al redescubrirlo, se hace voz viva en él cuando se pone a dar largos campanilleos de gloria.

Procedente de la casa vecina, por la ventana abierta de mi cuarto me despierta una voz destemplada que canta "It's a wonderful world ... " "El mundo es maravilloso ... "

¡Si lo fuese!, ¡ay, si de veras lo fuese ... !